MERCADO ÉTICO

HAZEL HENDERSON
Com SIMRAN SETHI

MERCADO ÉTICO
A Força do Novo Paradigma Empresarial

Prefácio à edição original
Hunter Lovins

Prefácio à edição brasileira
Christina Carvalho Pinto

Tradução
Henrique A. R. Monteiro

EDITORA CULTRIX
São Paulo

Título original: *Ethical Markets: Growing the Green Economy*.

Copyright © 2006 Hazel Henderson.

Ethical Markets é uma marca registrada do Ethical Markets Institute, Warren, VT USA.

Publicado originalmente em inglês pela Chelsea Green Publishing Co, White River Junction, Vermont USA.

Todos os direitos reservados. Nenhuma parte deste livro pode ser reproduzida ou usada de qualquer forma ou por qualquer meio, eletrônico ou mecânico, inclusive fotocópias, gravações ou sistema de armazenamento em banco de dados, sem permissão por escrito, exceto nos casos de trechos curtos citados em resenhas críticas ou artigos de revistas.

A Editora Pensamento-Cultrix Ltda. não se responsabiliza por eventuais mudanças ocorridas nos endereços convencionais ou eletrônicos citados neste livro.

Dados Internacionais de Catalogação na Publicação (CIP)
(Câmara Brasileira do Livro, SP, Brasil)

Henderson, Hazel, 1933- .
    Mercado ético : a força do novo paradigma empresarial / Hazel Henderson com Simran Sethi ; prefácio à edição brasileira Christina Carvalho Pinto ; tradução Henrique A. R. Monteiro ; prefácio à edição original Hunter Lovins. -- São Paulo : Cultrix, 2007.

    Título original: Ethical markets : growing the green economy
    Bibliografia
    ISBN 978-85-316-0989-3

1. Desenvolvimento sustentável 2. Energia - Fontes alternativas - Aspectos econômicos 3. Investimentos - Aspectos morais e éticos 4. Qualidade de vida 5. Responsabilidade ambiental 6. Setor informal (Economia) I. Sethi, Simran. II. Lovins, Hunter. III. Pinto, Christina Carvalho. IV. Título.

| 07-6952 | CDD-338.927 |

Índices para catálogo sistemático:

1. Crescimento econômico : Tecnologias alternativas : Economia 338.927

O primeiro número à esquerda indica a edição, ou reedição, desta obra. A primeira dezena à direita indica o ano em que esta edição, ou reedição, foi publicada.

Edição	Ano
1-2-3-4-5-6-7-8-9-10-11	07-08-09-10-11-12-13-14

Direitos de tradução para a língua portuguesa
adquiridos com exclusividade pela
EDITORA PENSAMENTO-CULTRIX LTDA.
Rua Dr. Mário Vicente, 368 — 04270-000 — São Paulo, SP
Fone: 6166-9000 — Fax: 6166-9008
E-mail: pensamento@cultrix.com.br
http://www.pensamento-cultrix.com.br
que se reserva a propriedade literária desta tradução.

A Brendan Alexander Cassidy, com amor.

Sumário

Prefácio à Edição Brasileira • 9

Prefácio de L. Hunter Lovins • 13

Introdução • 19

1. Redefinindo o Sucesso • 37

2. Cidadania Corporativa Mundial • 57

3. A Economia do Amor Não-Remunerada • 77

4. Projeto e Construção "Verdes" • 95

5. Investindo na Comunidade • 113

6. Comércio Justo • 131

7. Empresas que Pertencem a Mulheres • 145

8. Energia Renovável • 161

9. Ativismo dos Acionistas • 181

10. A Transformação do Trabalho • 197

11. Alimentos Orgânicos • 217

12. Saúde e Bem-estar • 235

13. O Futuro dos Investimentos Socialmente Responsáveis • 253

Agradecimentos • 273

Conselho Consultivo de Pesquisa da Série de TV
Americana *Ethical Markets* • 274

Conselho Consultivo dos Indicadores de Qualidade de
Vida Calvert-Henderson • 277

Bibliografia Selecionada • 278

Websites Fundamentais • 282

Créditos das Fotografias • 285

Prefácio à Edição Brasileira

TENHO SIDO MUITO AFORTUNADA, ao longo dos anos, pela generosidade com que a vida se dispõe a me presentear, levando-me sempre a encontros extraordinários com pessoas extraordinárias.

Foi esse patrimônio infinito — do qual usufruo dentro da família, no trabalho e nos cantos mais remotos do mundo — que fez de mim uma cidadã planetária, com um oceano de riquezas impossíveis de se adquirir no mercado.

Meu encontro com Hazel Henderson foi extraordinário, surpreendente, fulminante e definitivo. Apesar de ter feito da imaginação a base de toda a minha trajetória profissional, eu jamais poderia imaginar que dois minutos de conversa com ela num *coffee-break* na Fundação Dom Cabral conseguiriam dar uma guinada tão grande nos meus planos para o futuro.

Rosa Alegria — essa outra futurista fantástica — nos apresentou; Hazel e eu nos olhamos num mútuo e milenar reconhecimento e ela me disse: "Você é minha irmã espiritual e é para você que eu quero entregar a liderança do Ethical Markets no Brasil e na América Latina".

Descobri rapidamente que não se tratava de um projeto. Era a convocação maior, para o mergulho profundo e a jornada destemida pelos caminhos da consciência, da compreensão sobre o estado concreto do mundo, da identificação e garimpagem de todos os possíveis pontos de fertilidade e luz, da criação de espaços para a união e fortalecimento desses pontos luminosos, da tessitura, enfim, da grande teia de reconstrução de Gaia.

Há quase uma década borbulhava em mim essa pergunta implacável: para que serve, afinal, a imaginação, senão para conceber novas visões para um mundo mais feliz e estimular todos os possíveis passos nessa direção?

Hazel é vigorosa e direta, uma mulher atlética de um metro e noventa de altura, imbatível na lucidez de seu diagnóstico, admirável na agudeza com que desnuda o *status quo*, estimulante na eficácia de suas propostas inovadoras. Conviver com ela é entrar para um universo ainda invisível aos olhos da grande maioria, mas fundamental para o amanhã de todos nós. Hazel é um polvo com braços estendidos por todo o planeta, não para agarrar, mas para ofertar soluções de imediato exequíveis, pragmáticas e evolucionárias.

No entanto, não me refiro apenas aos braços geográficos desse polvo planetário. O convívio com Hazel tem me levado, de diferentes maneiras, a outros encontros com seres extraordinários. Uma semana na casa dela e logo você começa a fazer amizade com os amigos de Hazel, uma corrente de cérebros geniais e corações amorosos voltados a transformar a realidade — ou fantasia perversa? — em que vivemos. O telefone toca o tempo todo; ela liga o viva-voz e lá está você com Alvin Tofler, Fritjof Capra, Barbara Marx Hubbard, Oscar Motomura, Riane Eisler e tantos outros.

No hemisfério Norte, a dor, o descaminho e os horrores das mudanças climáticas estão trazendo para o dia-a-dia das pessoas uma palavra que tenho ouvido muito em minhas viagens: *healing*. Cura, alívio, apaziguamento. O que Hazel oferece ao leitor, neste livro que sintetiza os melhores momentos de seu aclamado programa de TV *Ethical Markets*, é puro *healing*, a cura que todos nós estamos buscando nesta encruzilhada única na história da humanidade; idéias e pessoas inspiradoras, experiências que você e eu podemos adotar e reproduzir, aqui e agora.

Ethical Markets — no Brasil *Mercado Ético* — a plataforma multimídia criada por Hazel Henderson, é hoje a maior e mais completa do planeta sobre sustentabilidade. Enquanto lançávamos o portal na Internet aqui no Brasil (www.mercadoetico.com.br), Hazel o lançava também na Europa, na China e na Austrália, cobrindo todos os continentes. Hoje, a barra de ferramentas via Internet (www.ethicalmarkets.ourtoolbar.com) é visitada no mundo todo por 80 milhões de pessoas. No Brasil, *Mercado Ético* se expandiu rapidamente para rádio, revista e TV.

Do ponto de vista prático, *Mercado Ético* me ajuda a despertar, sentir, compreender e rever uma série de coisas no meu cotidiano. Entendi, por exemplo, a aberração do discurso consumista, possuído pela esquizofrenia que o faz indiferente à Mãe Terra, saqueada e impossibilitada de continuar saciando a voraz frivolidade de todos nós, os privilegiados.

Descobri que não há nada mais inteligente e urgente neste momento do que viver de forma frugal e simples. Conheci por meio de Hazel os movimentos que hoje se articulam no mundo todo em prol do retorno à simplicidade, como uma das mais sofisticadas expressões da consciência humana.

Descobri mais: com suas métricas bizarras, a economia tradicional cultua o avesso da lógica, o avesso da verdade. Por exemplo, a mensuração de desenvolvimento pelo PIB não inclui o grande patrimônio humano, social e ecológico da nação, seu nível de educação e saúde e a imensa produtividade do trabalho não-remunerado que realizamos dentro e fora de casa por amor, cuidado, compaixão e solidariedade.

Por outro lado, os cálculos financeiros do setor privado e, conseqüentemente, das bolsas no mundo todo — com poucas exceções, como é o caso dos índices de sustentabilidade Dow Jones, Bovespa etc. — demonstram resultados ilusórios, sem incluir nos custos o valor magno de sua pegada ecológica e o circuito destrutivo, em efeito dominó, da superutilização dos recursos humanos e naturais para servir ao grande regente, o dinheiro. Como se a terra, a água, o ar, o capital humano e social, o nível de educação e saúde, a capacidade de adaptação a novos desafios, a flexibilidade, a criatividade não tivessem valor.

Em julho de 2007, a BBC mostrou milhares de pessoas morrendo cozidas no verão da Itália, Grécia, Turquia e Espanha, enquanto outras tantas lutavam por um copo d'água durante as mais impressionantes enchentes que a Inglaterra viveu nos últimos 563 anos. Vendo, por todo lado, ricos e pobres igualados no desespero, surpreendidos pelas conseqüências de sua própria ignorância, senti pena dos que ainda acreditam que o chamado não é para eles e que a ética se resume a pagar impostos e atirar migalhas.

Hazel e o *Mercado Ético* estão aqui para lembrar que urge resgatar o conceito original de mercado como mecanismo de trocas humanas e justas, criado para propiciar oportunidades a todos os atores do mundo produtivo, independentemente de seu tamanho e localização. O chamado mercado que hoje suga nossas energias sem trégua e empurra os líderes a participar de um jogo que vem custando a vida de bilhões de seres (sem pagar de volta, pois não há lastro), esse mercado, Matrix brutal, alimenta-se de sangue humano. Seu instinto genocida e suicida o conduz claramente ao colapso.

Mercado Ético é simplesmente o mercado resgatado em sua função original: gente produzindo para gente, com critérios de produção e troca que colocam em primeiro plano os verdadeiros grandes interessados: as pessoas, todas; os seres vivos, todos; a Grande Mãe, provedora-mor, toda.

Mercado Ético é, em sua essência, a coragem de replantar a semente do afeto como base de tudo que pensamos, articulamos e fazemos.

É muito mais do que o desejo sincero de abundância para todos: é a escolha de nos tornarmos internamente a própria abundância, e compartilharmos.

Christina Carvalho Pinto
Presidente do Grupo Full Jazz de Comunicação e líder da plataforma *Mercado Ético* para a América Latina

Prefácio
de L. Hunter Lovins

MERCADO ÉTICO é um audacioso empreendimento em algo que logo será considerado o maior e mais importante movimento da história humana, o esforço para vislumbrar um modo de vida que aumente tanto o bem-estar humano quanto a integridade ecológica. Hazel Henderson tem sido uma das mais importantes pensadoras desse movimento desde os seus primórdios, no início da década de 1970. Seria bem possível afirmar, porém, que essa seja uma corrente de pensamento que remonta aos mais antigos líderes religiosos, filósofos naturalistas e certamente escritores como Thoreau, John Muir, Aldo Leopold e, mais recentemente, Rachel Carson, David Brower e Dana Meadows.

Hazel difere desses luminares principalmente porque, felizmente, ela é muito mais vibrante, e ainda está criando meios inovadores de transmitir sua mensagem a públicos cada vez mais amplos. No entanto, ela tem exatamente a mesma estatura desses pensadores, pela dimensão e importância da sua contribuição.

O movimento é talvez ainda mais importante nos dias de hoje, quando se tornou claro que os seres humanos são capazes de destruir ambientes inteiros. Essa é uma constatação relativamente nova. Na década de 1930, o físico Robert Milikin opinou: "Não existe risco de que a humanidade possa causar um dano definitivo a algo tão gigantesco quanto a Terra". Ironicamente, aquele foi o mesmo ano em que o engenheiro Thomas Midgely inventou o clorofluorcarbono, o elemento químico que vem abrindo um buraco na camada de ozônio da estratosfera do planeta.

Em 2005, a Avaliação do Ecossistema para o Milênio, um relatório produzido por 1.360 cientistas de 95 países em todo o mundo, declarou que "a atividade humana poluiu ou explorou excessivamente dois terços dos sistemas ecológicos dos quais a vida depende". A atividade humana, destaca o relatório, exige tanto e a tal ponto das funções naturais da Terra que a capacidade do planeta de sustentar gerações futuras não é mais uma certeza. Kofi Annan reagiu aos resultados dessa análise dizendo que "a própria base de sustentação da vida na Terra está declinando a uma taxa alarmante".

Palavras que fazem pensar. O que nos levou a esse estado? E o que devemos fazer a respeito? O instrumento básico da destruição é a atividade econômica, na medida em que busca satisfazer o nosso apetite cada vez mais voraz por mercadorias e serviços. Uma população crescente com uma capacidade cada vez maior de consumir, ao menos no Ocidente e em enclaves em todos os países, alimenta as atividades das empresas. Mas os empreendimentos econômicos também são, provavelmente, o instrumento que mais nos presta serviços. O líder empresarial Ray Anderson indagou: "Mas quem disse que é do interesse das empresas acabar com a vida na Terra?"

Hazel está na liderança daqueles que provam que não há nenhum interesse nisso, e que existe um grande interesse comercial em proceder de maneiras que não só gerem lucros como também protejam as pessoas e o planeta. Essa formulação do resultado final tríplice, nas palavras de John Elkington, está cada vez abrindo mais espaço aos resultados financeiros integrados e à constatação de que, em um mundo repleto de desafios como o uso abusivo do petróleo, as mudanças climáticas, a extinção de espécies, a destruição de ecossistemas e as injustiças sociais desenfreadas, as empresas que agirem com responsabilidade perante todos os seres vivos terão lucros maiores em decorrência do seu comportamento. Como mostra Hazel nessas histórias, as razões variam. Para começar, as empresas que procuram não causar danos, e na realidade servir à vida, conseguem deter os tipos de irresponsabilidades que resultaram na debandada em massa dos acionistas da Enron. Essas empresas não cometem os tipos de erros dispendiosos que resultam em poluição. Elas não irritam os investidores que, em um mundo interligado pela Internet, podem negar a uma empresa a credibilidade de que ela precisa para atuar.

Em segundo lugar, são empresas que conseguem reduzir de modo responsável o uso de recursos porque essa é a coisa certa a fazer. Mas elas também se beneficiam da economia de custos e do aumento do valor econômico de sua marca. Comportamentos dessa natureza motivam os funcionários, que chegam a apresentar uma produtividade superior, e talvez o mais importante de tudo, essas empresas, por sua vez, atraem e conservam os melhores talentos.

Em um mundo limitado pelo uso dos derivados do carbono, a redução do desperdício corta os custos e as vulnerabilidades. A Swiss Re, a maior resseguradora européia, declarou recentemente aos clientes que, se não levassem a sério as suas emissões de carbono, talvez a Swiss Re não estivesse disposta a conceder-lhes seguro — ou aos seus funcionários e diretores.

Durante vários anos, uma pequena instituição sem fins lucrativos do Reino Unido, a Carbon Disclosure Project, enviou um questionário às quinhentas maiores empresas do mundo segundo a lista do *Financial Times,* pedindo que revelassem as suas emissões de carbono. Em quase uma década, menos de 10% das empresas tinham respondido. Em 2005, 60% atenderam ao pedido. Isso aconteceu em parte porque o projeto atualmente representa fundos de investimentos institucionais com mais de 31 trilhões de dólares em ativos. Além disso, sob a vigência da Lei Sarbanes-Oxley, os gerentes que deixem de revelar informações que possam afetar materialmente o valor das ações podem responder pessoalmente a um processo criminal. Assim, qual é a sua emissão de carbono? No início de 2006, o fundo enviou o questionário às 1.800 maiores empresas do mundo. Considerando os patrocinadores do projeto, será difícil que alguém se recuse a responder às perguntas.

As empresas que têm um plano agressivo de redução de emissões de carbono têm conseguido economizar de maneira impressionante (a DuPont, que já atingiu a meta de 2010, de 65% de redução de emissões, admite economizar 2 bilhões de dólares) e percebem que esses programas motivam as inovações dentro da empresa e aumentam a sua participação no mercado (a ST Microeletronics descobriu que esses esforços levaram a empresa a passar da 12ª posição para a 6ª, no ranking dos produtores mundiais de chips, e fazer uma economia de quase 1 bilhão de dólares). Alguns consultores financeiros já afirmam que o compromisso com a sustentabilidade é a marca registrada da boa governança corporativa e o melhor indicador da capacidade administrativa para proteger o capital dos acionistas. Na verdade, o Índice Dow Jones de Sustentabilidade apresenta um desempenho superior ao do mercado geral, e o Índice Domini de Empresas Socialmente Responsáveis tem mostrado, por mais de uma década, um desempenho superior ao das empresas do Índice Standard & Poor.

No primeiro semestre de 2005, a empresa de pesquisa de investimentos socialmente responsáveis Innovest Strategic Value Advisors divulgou um relatório mostrando que, no setor industrial como um todo, abrangendo desde indústrias de papel e produtos florestais até refinarias de petróleo, gás e eletricidade, as empresas mais preocupadas com o meio ambiente apresentavam um desempenho superior ao das mais defasadas do seu setor, do ponto de vista ambiental.

O compromisso de uma empresa com a sustentabilidade melhora todos os aspectos da geração de valor para os acionistas. Conforme demonstram os exemplos acima, o uso mais eficiente dos recursos, remodelando os produtos de maneira que imitem a natureza e conseguindo restaurar e aprimorar o capital humano e natural, propicia meios para:

Reduzir os custos e aumentar a lucratividade e o desempenho financeiro
Reduzir os riscos
Manter a franchise para operar e reduzir as responsabilidades legais
Atrair e reter os melhores talentos
Melhorar a capacidade de inovar
Melhorar a produtividade no trabalho — preocupando-se com a saúde dos trabalhadores
Aumentar a participação no mercado — melhorando o valor da marca
Diferenciar o produto
Assegurar as cadeias de abastecimento e o gerenciamento dos investidores

Considerados em conjunto, os componentes da sustentabilidade conferem a capacidade de ser "vencedor do futuro". As empresas que praticam essa estratégia serão as bilionárias de amanhã.

Em maio de 2005, Jeffrey Immelt, o homem que substituiu Jack Welch na direção da General Electric, apareceu na companhia de Jonathan Lash, o presidente do World Resources Institute, uma organização ambiental da maior importância, para anunciar a criação da GE Ecomagination. A Immelt — que já por volta de 1900 poderia ser incluída entre as 500 maiores da revista *Fortune*, caso essa classificação já existisse, comprometeu-se a ser a única empresa a implementar planos agressivos para reduzir a emissão dos gases de estufa. Em um artigo conjunto no *Washington Post* e em espaços publicitários adquiridos em importantes eventos esportivos, a GE divulgou amplamente o seu compromisso com a sustentabilidade.

A questão não é tanto o conteúdo do pronunciamento, que não se iguala ao que a DuPont (cuja alta administração ficou compreensivelmente irritada com o fato de a empresa recém-chegada receber toda aquela publicidade) pratica diariamente há mais de uma década, sob a liderança de Chad Holliday. O pronunciamento assinalava, isto sim, um ponto de virada. Como se produz um legado quando se segue o homem visto por tôdos como a salvação da empresa? Basta anunciar que se vai salvar o mundo. Este livro traça o perfil de um movimento, hoje milhões de vezes mais forte em todo o mundo, envolvendo empresas e cidadãos que fazem exatamente isso. Você também pode juntar-se a eles.

L. Hunter Lovins
Presidente, Natural Capitalism Solutions
Diretora, Sustainability Strand
Presidio School of Management
Co-autora do *best-seller* internacional *Capitalismo Natural*, publicado pela Editora Cultrix.

Introdução

ESTE LIVRO TRATA dos setores mais limpos, mais verdes, mais éticos e mais femininos da economia americana — e de muitas outras economias em todo o mundo. Esses setores em crescimento podem proporcionar empregos a todos os homens e mulheres capazes de trabalhar, e são a chave de um futuro saudável e sustentável para a humanidade. Esses segmentos do mercado de negócios já existem e vêm crescendo de maneira silenciosa há mais de 25 anos, ainda que tenham sido praticamente ignorados pelos principais meios de comunicação da área de finanças. Como isso pode ter acontecido? Por que foi preciso esperar 2006 para que um presidente americano finalmente admitisse que os Estados Unidos são um país viciado em petróleo? Eu analisei essas questões em *Politics of the Solar Age* (1981, 1988) na esperança de que a transição do industrialismo movido por combustíveis fósseis para as tecnologias sustentáveis que usam energia renovável começasse na década de 1980. Tracei as linhas gerais para o caso de acontecer essa transição inevitável e indiquei todas as novas ciências e tecnologias que ajudariam a chegar a essa revolução no modelo. Adverti que todos os setores que insistem em continuar baseando-se nos combustíveis fósseis, os poderosos grupos de interesses e os meios de comunicação de massa comerciais que apóiam o consumerismo convencional, se interporiam no caminho. Até mesmo citei todas as evidências da iminente poluição e esgotamento ambiental e as economias equivocadas que impedem as decisões tanto na esfera parlamentar quanto no nível privado. Deixei de perceber, contudo, no meu otimismo, que a completa mudança social sistêmica iria exigir uma outra geração. Seja como for, apesar da cegueira e da incompreensão dos meios de comunicação de massa, setores da nova "sustentabilidade" começam a surgir em muitos países.

As mudanças rumo a uma economia verde podem ser agrupadas em três áreas principais:

1. O chamado "setor LOHAS" (abreviatura de *lifestyles of health and sustainability*): relativo a estilos de vida que priorizam a harmonia com a natureza, a tradição e o futuro, um meio ambiente agradável e os sonhos pessoais, englobando os setores de recursos e energias renováveis (energia solar, eólica, de biomassa, produzida pelos oceanos, o hidrogênio, células de combustível etc.), os setores envolvidos com reciclagem, remanufatura, reutilização, escambo e leilões de produtos de segunda mão (nos moldes da *eBay,* o primeiro e o maior website de leilões virtuais no mundo, no qual todos os outros são inspirados), os setores de tratamento de saúde alternativo, preventivo, de bem-estar e de condicionamento físico etc., e as empresas de alimentos saudáveis e agricultura orgânica (www.lohas.com)

2. Investimentos socialmente responsáveis: o segmento de maior crescimento nos mercados de capitais americanos (representando cerca de um em cada onze dólares investidos nas empresas de capital aberto), ou cerca de 2,3 trilhões de dólares, de acordo com o Social Investment Forum (www.socialinvest.org)

3. Responsabilidade social corporativa: a administração preocupa-se cada vez mais com a sua própria responsabilidade social. A maioria das empresas de atuação mundial tem abandonado as ideologias econômicas ortodoxas do *laissez-faire* (mercados desregulamentados), tradicionalmente promovidas por economistas da University of Chicago, inclusive Milton Friedman, segundo os quais "o único negócio da empresa é produzir lucros para os acionistas". Essa visão, dependente de mercados auto-ajustáveis, sustenta que as regulamentações do governo são ineficazes, causam mais problemas do que corrigem e são normalmente desnecessárias. A história já superou esses pontos de vista. Atualmente, as empresas reconhecem que a globalização das tecnologias da informação resultou em uma nova era da verdade. Nenhuma atividade corporativa que possa afetar a sociedade e outras partes interessadas* (funcionários, fornecedores, clientes, países-sedes e o meio ambiente) passa despercebida. Milhares de grupos civis, a exemplo da Corpwatch.org, da Global Exchange, do World Social Forum e muitos outros comprometidos com problemas específicos, desde alimentos geneticamente modificados (GMO) até o aquecimento global, monitoram todas as ações empresariais. Os seus relatórios e *blogs* na Internet podem prejudicar uma preciosa marca corporativa e derrubar os preços das ações em tempo real. Assim, atualmente, os CEOs das empresas instalaram inúmeros programas internos, em geral supervisionados pessoalmente por vice-presidentes com responsabilidade corporativa. Essas novas atividades incluem a adoção de novos padrões, desde ISO-14001 e EMAS até AS8000, além de muitas outras certificações de "boa cidadania", selos incluindo o Green Seal americano, o Blue Angel alemão e muitos outros. Em uma reunião de CEOs em 2005, patrocinada pelo Fórum Econômico Mundial e pela KPMG, 70% dos participantes afirmaram que "a boa cidadania corporativa" era "essencial para a lucratividade". Em 2006, o EthicMark que eu criei possibilitou reconhecer as campanhas publicitárias e jornalísticas que elevam o espírito humano e a sociedade.

Portanto, fica mais evidente por que esses três setores em crescimento da economia americana e mundial têm ficado praticamente invisíveis na grande mídia financeira: porque um feroz paradigma baseado no tipo de ponto de vista "guerra dos mundos" está se desenvolvendo. A maioria das empresas de comunicação pertence a uns poucos conglomerados, não obstante muito grandes: News Corp, Time-Warner, Disney, VIACOM e outros. Essas companhias estão profundamente envolvidas com setores da insustentabilidade, do desperdício, da dependência dos combustíveis fósseis e da energia nuclear no âmbito da economia mundial, juntamente com bancos e empresas mundiais que financiam a sua expansão. Descrevi essa nova forma de governo, a "midiacracia", no meu livro *Building a Win-Win World*

---

* O termo original em inglês é *stakeholders*, que designa todos os grupos que de um modo ou de outro têm um relacionamento com a empresa e será traduzido por "participantes" ou "partes interessadas" ao longo do livro. (N.T.)

(1966)*. Esses três setores emergentes, enfocados na série de televisão *Ethical Markets* e neste livro, propõem um questionamento direto do controle de mercado exercido pelos agentes econômicos dominantes do mundo atual. Não admira que quase não se vejam relatos sobre o crescimento explosivo desses novos setores. Os que questionam geralmente são menosprezados como irrealistas, *hippies* amalucados da década de 1960, isso sem contar que as novas empresas são consideradas anomalias. Até mesmo um grande número de fundos socialmente responsáveis com desempenho de alto nível (geralmente com desempenho maior do que as carteiras convencionais) têm sido rejeitados e desacreditados. Durante décadas, muitos corretores advertiram seus clientes de que perderiam as calças investindo nesses fundos. Mesmo entrevistadores experientes como Charlie Rose, Bill Moyers e Lou Dobbs ainda estão envolvidos demais com esse paradigma dominante para rejeitar essas falácias. No entanto, admitir publicamente os pressupostos ocultos não só enriqueceria a discussão como também aliviaria bastante o desgaste social e levaria a debates mais realistas sobre a política e as prioridades públicas.

A nossa série de televisão foi criada para tratar desses três componentes mais limpos, verdes, transparentes e éticos da economia, dentre os quais muitos são liderados e dirigidos por mulheres. Ao longo do processo, foi necessário desvendar grande parte do modo de pensar, hoje claramente obsoleto, baseado em teorias econômicas dos séculos XVIII e XIX — que permeavam os manuais didáticos e modelos desenvolvidos por computador. O que se sabe é que a economia, em vez de ciência, sempre foi uma forma disfarçada de política. Eu examinei de que maneira os economistas passaram a dominar a política e levar a melhor sobre muitas disciplinas acadêmicas e valores do nosso dia-a-dia. A economia e os economistas vêm a realidade através de lentes monetárias. Tudo tem o seu preço, acreditam eles, desde as florestas tropicais e o trabalho humano até o ar que respiramos. Os manuais de economia, o Produto Nacional Bruto (PNB) e as estatísticas sobre emprego, produtividade, investimentos e globalização — todos se subordinam ao dinheiro. Felizmente, toda essa preocupação centra-

---

* *Construindo um Mundo Onde Todos Ganhem*. Publicado pela Editora Cultrix, São Paulo, 1998.

da no dinheiro põe a nu a maneira como o dinheiro é criado, desenvolvido e manipulado. O nosso foco de interesse mais amplo sobre a política monetária serve afinal para esclarecer séculos de mistificação.

A ação pública com moedas locais, os sistemas de escambo, as comunidades de crédito e a incidência mais duvidosa do dinheiro cibernético digital revelam as políticas monetaristas. A economia tradicional é hoje amplamente vista como um código de fonte imperfeito entranhado nos discos rígidos das sociedades, replicando a insustentabilidade: as altas súbitas, as falências, as bolhas, as recessões, a pobreza, as guerras comerciais, a poluição, a desintegração das comunidades e a perda da cultura e da biodiversidade. Cidadãos de todo o mundo estão rejeitando esse código de fonte econômico imperfeito e os seus sistemas operacionais como o Banco Mundial, o Fundo Monetário Internacional (FMI), a Organização Mundial do Comércio (OMC) e os bancos centrais autoritários. O programa residente dessas instituições — a agora ridicularizada receita do "Consenso de Washington" para ajudar no crescimento do PNB — é questionado pelo Índice de Desenvolvimento Humano (IDH), pela Análise de Impacto Ecológico, pelo Índice do Planeta Vivo, pelos Indicadores de Qualidade de Vida Calvert-Henderson, pelo Índice de Progresso Genuíno e pelo indicador de Felicidade Nacional Bruta, do Butão, para não mencionar as pontuações de índices municipais como os Indicadores de Qualidade do Progresso, de Jacksonville, Flórida, lançados originalmente pela falecida Marian Chambers, em 1983.

A exemplo do que acontece na política, todo o dinheiro real é local, criado pelas pessoas para facilitar as trocas e as transações, que se baseiam na confiança. Acontecimentos dos últimos vinte anos remodelaram necessariamente a história de como essa invenção útil, o dinheiro, transformou-se nas moedas abstratas de confiança nacional sustentadas apenas pelas promessas de governantes e dirigentes dos bancos centrais. Testemunhamos a maneira como a tecnologia da informação e a desregulamentação das atividades bancária e financeira na década de 1980 ajudaram a criar o monstruoso cassino mundial em vigor atualmente, em que o montante de 1,5 trilhão de dólares em moeda corrente gira ao redor do planeta todos os dias nos cliques de *mouses* das negociações eletrônicas — 90% em transações puramente especulativas.

Em vista desses abusos, a tarefa com que nos deparamos é nada menos do que a de redefinição de sucesso, saúde e progresso, em relação às nossas circunstâncias imensamente mudadas neste século XXI. Atualmente, a nossa família humana tem mais de 6 bilhões de integrantes e consumimos 40% de toda a produção primária derivada da fotossíntese vegetal do planeta, de que dependemos. A biosfera e a sua estreita camada de formas de vida biodiversa estão agora mais próximas da extinção do que em toda a história. Até mesmo os cientistas antes céticos confirmam que a queima de combustíveis fósseis, além de outras atividades humanas, causam o aquecimento global, o qual tem desempenhado um papel importante nos recentes desastres climáticos: inundações, estiagens e furacões mais violentos e freqüentes. A reportagem de capa da revista *TIME* de 27 de março de 2006 e o documentário do ex-vice-presidente americano Al Gore, *A Inconvenient Truth* (Uma Verdade Inconveniente), quebraram por fim a postura dos meios de comunicação de massa de fugir ao assunto do aquecimento global — defendendo mudanças imediatas para limitar as emissões de CO_2. Até mesmo Wall Street está aprendendo que a postura de "fazer negócios como de costume" não é mais uma opção. Os fundos *hedge* — que trabalham com carteiras de renda variável, as quais não acompanham necessariamente as taxas de juros — e os planos de aposentadoria já investem em categorias de ativos de risco cada vez mais altos, a exemplo das chamadas *catastrophe bonds* — títulos emitidos pelas seguradoras contra catástrofes naturais, nos quais o investidor se compromete a "abrir mão" de parte ou de todo o principal e dos juros, caso a perda financeira da seguradora decorrente da catástrofe exceda um determinado gatilho — apostando contra o aumento cada vez maior de perdas do seguro causadas por tais desastres naturais. Colin Challen, presidente do Grupo Parlamentar Suprapartidário para Mudanças Climáticas, do Reino Unido, em uma palestra em 28 de março de 2006, defendeu o plano para a Contração e a Convergência, do Global Commons Institute, sediado na Inglaterra (www.gci.org.uk), que propõe a distribuição mundial dos "direitos de emissão" entre todos os homens, mulheres e crianças, de modo que as pessoas mais pobres possam vender os seus às mais ricas — convergindo assim para reduções eqüitativas de CO_2. Esse método de negociação das emissões é semelhante à proposta da economista e matemática argentina Graciela Chichilnisky, a inventora das *catastrophe bonds*, de criação de um Banco Internacional de Transações Ambientais, para administrar esse sistema mundial de redução igualitária de CO_2. A concessão do direito de poluir a corporações era injusta e a maioria dessas concessões atualmente é leiloada.

Assim, o capítulo 1, "Redefinindo o Sucesso", é uma introdução a todos esses novos pontos de vista, consciências, mudanças de estilo de vida, empregos e objetivos de carreira, além de estratégias de investimento. Discutimos as novas maneiras de mensurar o sucesso, a riqueza, o progresso, a produtividade, a eficiência e assim por diante, e os indicadores interdisciplinares mais amplos surgidos em todos os níveis das sociedades de todo o mundo, que estão ajudando a direcionar a humanidade para um futuro mais promissor. Essa nova visão mundial é o que inspira tanto as estratégias das empresas que destacamos neste livro, as quais aplicam a nova contabilidade do "resultado final tríplice" (pessoas, planeta, lucros), quanto os oitenta CEOs e líderes visionários que entrevistamos.

Depois de redefinir as condições para o sucesso, discutimos a "Cidadania Corporativa Mundial". A globalização das finanças e da tecnologia, e a crescente influência das corporações mundiais, desafiam hoje a soberania até mesmo dos países mais poderosos. O grande alarde nos Estados Unidos sobre quem deveria possuir, operar e controlar os portos americanos e outras infra-estruturas básicas é emblemático do debate crescente sobre a globalização. A terceirização tem se tornado outro ponto de destaque, assim como a imigração. A grande imprensa destaca esses sintomas — mas geralmente ignora as implicações mais profundas de formas correntes da globalização das tecnologias. As idéias em torno do mercado livre sobre os méritos da desregulamentação, da privatização e do comércio mundial são promovidas como um jogo em que todos ganham. Essas fórmulas obsoletas dos manuais econômicos têm causado uma revolução social, cultural e ambiental em todos os níveis. Hoje em dia, essas conseqüências da globalização, largamente impulsionada pelos Estados Unidos, estão finalmente sendo sentidas no próprio solo americano. No entanto, vemos poucas reportagens nos meios de comunicação comerciais que tentem deslindar e analisar o fenômeno da globalização

— em conseqüência da redução de sucursais no exterior, notícias mais curtas e coberturas de impacto no sentido da lucratividade. No entanto, todas essas tendências afetam a vida das pessoas e dos países — para melhor ou para pior. Conforme podemos observar no âmbito dos *blogs*, existe uma preocupação mundial, por parte da população, com a responsabilidade corporativa no que diz respeito aos direitos humanos, segurança no trabalho, salários e condições dignas e proteção ao meio ambiente. Enquanto os escândalos entre as grandes corporações continuam a aumentar, os funcionários perdem o emprego e as poupanças e os planos de aposentadoria estão em risco. Entrevistamos investidores socialmente responsáveis da maior importância, administradores de fundos mútuos, de aposentadoria e de dotações religiosas e universitárias que oferecem alternativas mais seguras e saudáveis. Eles se uniram a grupos civis, sindicatos, grupos de mulheres, ambientalistas e todos aqueles que se preocupam com a justiça social e os direitos humanos na defesa de uma maior responsabilidade corporativa — em especial depois dos pesados prejuízos na Enron e em outras empresas. Apresentamos os "investidores involuntários" (um percentual significativo de 100 milhões de adultos americanos que investem no mercado de ações) e sugerimos idéias melhores para os seus planos de aposentadoria, planos de investimento de contribuição definida (conhecidos como 401K) — que recentemente perderam muito dinheiro. Esses investidores involuntários defendem corporações mais transparentes e éticas, que possam restaurar a sua confiança e promover os seus objetivos e valores. Mostramos como estão reagindo todas as novas iniciativas no âmbito da responsabilidade social corporativa, dos investimentos socialmente responsáveis e do setor LOHAS, assim como as mais de três mil empresas que assinaram o Pacto Mundial das Nações Unidas (para as áreas de direitos humanos e trabalhistas, meio ambiente e combate à corrupção, comentado no capítulo 2). Começamos a ver a evolução do capitalismo em si. Atualmente, são necessários mercados mais éticos na era das informações do século XXI — agora assumindo a forma de uma nova era da verdade, à medida que a opinião pública mundial torna-se o mais novo superpoder global. Os mercados só podem funcionar onde haja confiança, transparência, honestidade e fidelidade aos contratos — assim como um serviço de atendimento ao cliente e a outras partes interessadas da sociedade. Os líderes que entrevistamos compreendem os riscos do mau comportamento das empresas para as suas marcas e reputações. Como resultado, estão adotando um sistema de auditoria social, ambiental e ético, e novos índices de pontuação e de classificação, os quais redefinem sucesso, progresso, eficiência e produtividade no contexto social mais amplo.

A maioria das pessoas não tem consciência de que todos os noticiários financeiros e empresariais, políticas econômicas em nível estadual, nacional e regional — em todos os países — baseiam-se em estatísticas econômicas que refletem apenas metade de toda gama de produção, serviços, investimentos e intercâmbios de valores ou mercadorias nas sociedades; e só metade destes é realizada em dinheiro. Os setores não-monetários, igualmente importantes — em muitos países muito maiores do que o setor oficial, dominado pelo dinheiro e calculado pelo produto nacional bruto (PNB) e pelo produto interno bruto (PIB) e outras medidas macroeconômicas — são na realidade a plataforma central da vida social. Essas contribuições não-monetárias formam o que chamamos de Economia do Amor — as famílias, as comunidades, as cooperativas e as atividades voluntárias comuns que reforçam os alicerces dos setores competitivos baseados no dinheiro. Apresentamos alguns dos seus líderes mais inspiradores. A menos que os legisladores e o público tenham um conhecimento pleno do papel fundamental dessa Economia do Amor, ela será desvalorizada, mudará para pior e começará a se desagregar. Os voluntários começam a desaparecer quando passam a participar da força de trabalho remunerada. Os economistas classificam erroneamente os trabalhadores domésticos, as mães e os pais que trabalham em casa, como "não-economicamente ativos".

O modelo acadêmico da natureza humana na economia é o "homem economicamente racional", que maximiza o egoísmo pessoal na competição com outras pessoas. Na realidade, sabemos que as pessoas são também igualmente solidárias e gostam de dividir e doar. A nova ciência do cérebro e a microbiologia mostram que a economia se baseia em um conjunto de pressupostos básicos inválidos (www.hazelhenderson.com). Por exemplo, o grupo sem fins lucrativos Voluntary Sector, sediado em Washington, estima que mais de 89 milhões de americanos dedicam voluntariamente pelo menos cinco horas da semana às suas comunidades. Em 1995, o *Relatório sobre Desenvolvimento Humano* das Nações Unidas descobriu que o trabalho não-remunerado e a produção de bens e serviços foi equivalente a 16 trilhões de dólares — simplesmente ocultos do índice de 24 trilhões de dólares do PIB oficial mundial. Portanto, dois terços do produto mundial deixaram de ser considerados, não foram reconhecidos e acabaram sendo subestimados. Um valor assim imenso para as sociedades representa um bem incrivelmente valioso! Os futuristas Alvin e Heidi Toffler descreveram as suas dimensões em *Revolutionary Wealth* (2006). De maneira semelhante, as riquezas naturais continuam a ser desconsideradas no PNB. As novas estatísticas mais amplas sobre saúde, educação, capital social e bens ecológicos vêm criando melhores índices de referência sobre a riqueza e o progresso — além do dinheiro e do PNB. A vida é pródiga em muitas dimensões e sabemos que o dinheiro não compra muitas das coisas que mais desejamos — como o amor e a felicidade.

A saúde é outra aspiração universal. A implantação de projetos arquitetônicos e design verdes oferece esperança para um meio ambiente futuro desenvolvido de maneira mais saudável. Um edifício "eficiente" serve a um resultado financeiro mais amplo — além do dinheiro, conforme tratado na série *Design: e²*, da rede de televisão americana PBS. A natureza é muitas vezes o bem mais desvalorizado. Os arquitetos visionários, incluindo Bill McDonough, iluminam e ventilam os escritórios com luz solar natural e ar fresco. Cada vez mais, os arquitetos e projetistas usam os telhados para maximizar a eficiência energética e oferecer espaço para a produção de alimentos. À medida que o petróleo se torna cada vez mais caro e os combustíveis fósseis continuam a poluir a nossa atmosfera com CO_2, todas as antigas medidas estão mudando.

A nossa qualidade de vida tem muito a ver com a vitalidade da comunidade em que vivemos. As comunidades saudáveis tipicamente têm famílias estáveis, bairros agradáveis e negócios que revitalizam a economia local. Uma vez que os economistas não mensuraram os tipos de eficiência mais profundos e mais amplos oferecidos por comunidades coesas e pelos valores das famílias e culturas locais, essas economias de vida local são subvalorizadas — até entrarem em colapso. Então os serviços sociais, o aconselhamento em face do desemprego, do uso de drogas e de situações de crise, e o atendimento aos sem-teto passam a representar imensos custos aos contribuintes. Hoje em dia, muitos dos investidores mais argutos e experientes, gerentes de ativos e de fundos de pensão, vêm se unindo a líderes locais para reinvestir nesses esforços vitais de redesenvolvimento das comunidades, conforme comentado por Michael Shuman em *The Small-Mart Revolution* (2006). Uma nova geração de contadores e estatísticos está descobrindo a riqueza oculta e as oportunidades para novos empregos, negócios e investimentos em moradia em comunidades locais à medida que adotam novas definições de sucesso, riqueza e progresso.

Uma compreensão mais dimensional desses termos também afeta o cenário mundial. Os países esforçam-se para ser exportadores bem-sucedidos. Manuais de economia alegam que mais comércio — agora em âmbito mundial — é bom para todos. O Banco Mundial aconselha os países a "desenvolver a sua economia" exportando produtos semelhantes para mercados mundiais, geralmente fornecendo-os em grande quantidade. A Organização Mundial do Comércio, fundada em 1966, criou os seus regulamentos com base nesses pressupostos. Mas o velho modelo de "livre comércio" do manual de economia partia do princípio de que o capital permaneceria dentro das fronteiras do país e que todos os países envolvidos nas transações comerciais se beneficiariam, até mesmo aqueles que tivessem pouco poder e menor desenvolvimento industrial. Assim, as receitas dos economistas para o desenvolvimento econômico — medido como crescimento do PIB — instavam os países a abrirem as suas fronteiras, reduzir as tarifas, tornar as suas moedas conversíveis, privatizar as suas principais indústrias e permitir que o capital estrangeiro entrasse e saísse livremente — essa ação é conhecida como o "Consenso de Washington". Essas medidas funcionam para um grande país bem-sucedido industrialmente, mas atualmente é bastante reconhecido que os países menos desenvolvidos podem sair perdendo, com as suas empresas mais fracas e menores, e os produtores rurais sendo levados à falência.

Hoje em dia, são travadas batalhas em torno de todas essas questões, enquanto a negociação de valores monetários e hordas de touros e ursos eletrônicos criam ondas gigantescas de dinheiro vivo que varrem o planeta diariamente. Até mesmo os líderes mais democráticos e competentes perdem o controle dos assuntos nacionais, enquanto a população local faz manifestações para impedir que o seu abastecimento de água, os seus recursos nacionais e a sua biodiversidade sejam comprados e privatizados. Desde o fracasso da Rodada de Doha, em julho de 2006, a OMC tornou-se quase irrelevante. O novo "nacionalismo de recursos" é evidente enquanto a China e a Índia varrem o mundo, adquirindo bens nos setores de energia e de recursos. Na América Latina, o nacionalismo de recursos tem levado a uma rejeição generalizada às fórmulas do Consenso de Washington e um novo grupo de líderes na Venezuela, Argentina, Brasil, Bolívia, Peru, Uruguai e Chile articula formas mais sustentáveis de desenvolvimento, centradas em igualdade e justiça social para os mais pobres, os trabalhadores rurais e as nações indígenas. Argentina, Venezuela e Brasil têm hoje pago em grande medida os seus empréstimos junto ao FMI para se livrar das prescrições do Consenso de Washington e economizaram vários bilhões de dólares em pagamentos de juros.

Os proponentes do Comércio Justo (*Fair Trade*) de muitas mercadorias sustentam esse novo método de desenvolvimento. Números crescentes de investidores filantrópicos e empresários com preocupações sociais estão criando modelos mais saudáveis de comércio justo. Eles reúnem os produtores rurais locais e os pequenos produtores para criar produtos ecologicamente corretos e saudáveis que beneficiam a comunidade local. Os novos "placares" medindo riqueza, progresso e qualidade de vida estão pouco a pouco orientando legisladores de todos os níveis a reavaliar quais tipos de exportação distribuem benefícios de maneira mais justa. Os portos, meios de transportes e instalações subsidiados pelos impostos, assim como os preços da energia elétrica, que ignoram custos ambientais e sociais, sustentam o comércio mundial mais convencional hoje em dia. Se o comércio mundial fosse plenamente responsável por esses imensos subsídios, descobriríamos que o comércio local e regional é mais eficiente. (Mais informações sobre essas tendências em www.calvert-henderson.com.)

As mulheres detêm uma grande parcela do comércio justo e dos negócios verdes. Na realidade, as empresas que pertencem a mulheres representam atualmente cerca de 50% de todas as empresas privadas de todos os tipos — da construção e da ciência até o atendimento à saúde e ao meio ambiente. À medida que atuam cada vez mais no mundo do comércio e da indústria, as mulheres estão redefinindo o sucesso, porque os seus objetivos de vida diferem da sua contrapartida do sexo masculino. As empresas dirigidas por mulheres não costumam colocar a necessidade de ganhar dinheiro na frente de todas as suas metas. Ao contrário, elas citam a necessidade de autonomia pessoal e flexibilidade para administrar a complexidade da própria vida, superar as barreiras imaginárias que impedem o progresso das mulheres em tantas corporações e que limitam o seu avanço; a satisfação com a criatividade pessoal; e a liberdade de atender a necessidades não satisfeitas com o seu modelo de negócio. As empresas em que as mulheres são as proprietárias e dirigentes atualmente empregam mais de 19 milhões de pessoas. As mulheres, como um enorme reservatório de bens naturais, foram subestimadas por décadas. Enfim, a sociedade está começando a valorizar o seu papel na geração de riqueza e de progresso.

Muitas empresas, chefiadas ou não pelas mulheres, estão liderando o desenvolvimento da energia renovável. Com a orientação de Amory e Hunter Lovins, John Todd e outros especialistas de nível mundial, analisamos a grande transição da primitiva industrialização baseada nos combustíveis fósseis para formas de energia renovável. O debate público sobre o declínio da produção mundial de petróleo e do aquecimento global finalmente começou. O aumento dos preços do petróleo estimulou os Estados Unidos a repensar os futuros da energia e a encontrar um modo de reduzir a vulnerabilidade do país ao fornecimento do exterior. Apesar dos hábitos analíticos que deixam passar o pleno valor dos investimentos em todas as formas de energia renovável e as imensas economias geradas por tecnologias de eficiência, empreendedores, tecnólogos, inventores e capitalistas de risco estão agora superando bloqueios e dificuldades. Um futuro menos poluído, mais verde, com um uso mais eficiente da energia desponta no horizonte. Europa, China e Japão estão passando à frente dos Estados Unidos em matéria de produção de energia solar e eólica. A China e a Índia têm muito a ensinar aos americanos sobre meios tradicionais de atender às necessidades humanas e ao mesmo tempo preservar os recursos naturais e o meio ambiente. O Meio-Oeste americano tem sido caracterizado como a "OPEP* da Energia Eólica" no país e oferece a possibilidade de atender a grande parte das necessidades nacionais de energia elétrica. As dimensões dessa grande transição para a

---

* OPEP, Organização dos Países Exportadores de Petróleo.

era solar abrangem todos os setores da economia americana: agricultura, construção, projeto urbano, transportes, infra-estrutura, produtos químicos e farmacêuticos, assim como as novas redes inteligentes de eletricidade. Essa transição energética pode criar milhões de novos empregos, despoluir o ar e a água, além de reduzir os problemas com o acúmulo de CO_2 e o aquecimento global. O Carbon Disclosure Project, representando 211 administradores de investimentos com 31 trilhões de dólares em ativos, pede às principais corporações para revelarem as suas emissões e políticas de CO_2 (cdproject.net).

Um dos aspectos mais surpreendentes do novo capitalismo do século XXI é o surgimento de investidores engajados e atuantes. Eles investem não só para obter retornos econômicos, mas também para ajudar a criar um mundo melhor. Você vai conhecer alguns que participam de reuniões anuais das empresas e questionam as políticas administrativas sobre uma miríade de assuntos que mais os preocupam, tais como: tratamento justo dado aos funcionários, poluição, produção terceirizada por países com salários mais baixos, direitos de minorias, diversidade nas diretorias e na administração, mudanças climáticas e governança corporativa. Os investidores atuantes que entrevistamos também estão influenciando escolhas no que diz respeito a investimentos em fundos de pensão, dotações a universidades, fundações e fundos mútuos socialmente responsáveis. Controvertido na década de 1970, o ativismo dos acionistas atualmente é comum e amplamente reconhecido como um movimento progressista na evolução para mercados de capital mais éticos no século XXI. Os acionistas adoram o "furor" psicológico produzido pelo dinheiro que investem, ao mesmo tempo que a força absoluta da movimentação dos 2,3 trilhões de dólares por parte dos investidores atuantes americanos leva a um novo modelo de corporação administrada não só para beneficiar os acionistas, mas também todos os interessados e envolvidos, incluindo funcionários, clientes, fornecedores, a comunidade e o meio ambiente. O capitalismo participativo é a onda do futuro — graças aos milhões de acionistas ativistas em muitos países que estão ajudando a virar o jogo e os índices do progresso social e do desenvolvimento humano.

As mudanças nas esferas superiores estão afetando também os trabalhadores. Nas sociedades tradicionais, o trabalho ainda costuma não ser remunerado em aldeias e na agricultura rural, onde as pessoas plantam os próprios alimentos e constroem a própria casa e as instalações comunitárias em cooperação mútua. À medida que a revolução industrial se disseminou a partir da Inglaterra trezentos anos atrás, os antigos camponeses que usavam as instalações comuns das aldeias para tosquiar as ovelhas e tecer a lã e as roupas viram as suas facilidades substituídas por leis demarcatórias e fábricas. Milhões que tiveram negado o uso das terras até então comuns tornaram-se empobrecidos e famintos. O industrialismo também estimulou uma criatividade incrível e inovações tecnológicas. O industrialismo vinculava-se à redução da mão-de-obra — produzindo mais com máquinas e energia do que com seres humanos. À medida que a globalização se acelera, essas mudanças tecnológicas continuam a mudar nosso ambiente de trabalho, carreiras e oportunidades, criando novas necessidades de treinamento e educação. A terceirização está se acelerando nos Estados Unidos, fazendo encolher os setores manufatureiro e de serviços. As pessoas não esperam mais fazer carreira em uma única empresa ou setor. A maioria das pessoas tem a expectativa de ser um eterno aprendiz, enquanto muitos podem agora optar por ser independentes ou empreendedores, em razão das tecnologias da informação. Neste livro, analisamos as novidades boas e ruins para as pessoas, as empresas, as comunidades e os países, enquanto todos passam por essas transformações mundiais e ouvem pensadores como Jeremy Rifkin, Patricia Kelso, além de CEOs de empresas geridas pelos próprios funcionários.

A revolução industrial mudou não só a nossa vida profissional, mas também as mercadorias que compramos, incluindo os alimentos. Ao longo dos últimos anos, muitas histórias alarmantes com relação à industrialização do fornecimento de alimentos levaram a uma explosão no crescimento de setores de produção de alimentos limpos e da agricultura orgânica. O receio da doença da vaca louca, os efeitos do consumo de alimentos geneticamente modificados e a ingestão de resíduos tóxicos de pesticidas, além do aumento da obesidade infantil, levaram as pessoas a redescobrir os benefícios saudáveis de produtos frescos produzidos localmente, ovos de granjas saudáveis ou caipiras e alimentos livres de aditivos causadores de alergia por hormônios prejudiciais. Pedimos aos líderes do pioneiro Rodale Institute e de muitas empresas de alimentos integrais para comentar sobre esse novo mercado crescente, que evolui a um índice estimado de 20% ao ano.

A tendência atual em favor de alimentos produzidos localmente e orgânicos coincide com as mudanças de atitude em relação aos tratamentos da saúde. A medicina industrializada chegou a uma situação crítica, com a insatisfação disseminada entre pacientes, médicos, enfermeiros, hospitais e todos os aspectos do complexo médico-industrial. Os Estados Unidos gastam mais do que qualquer outro país em despesas médicas por pessoa — quase 16% do PIB — com resultados não melhores do que países que gastam metade desse montante. Ainda assim, conforme a revista *Business Week* indicou na reportagem intitulada "O Que Realmente Segura a Economia" ("What's Really Propping Up the Economy", 25 de setembro de 2006), esse complexo médico-industrial esbanjador é responsável por 1,7 milhão de novos empregos desde 2001, enquanto o restante do setor privado pouco acrescenta a isso. O fracasso dos programas americanos na área médica causou o surgimento de um novo setor em rápido crescimento na economia dos EUA — inspirado nas filosofias de prevenção e métodos naturais (e mais baratos) para a manutenção do bem-estar. Em nenhuma outra parte se redefine o sucesso de modo mais emblemático do que nesse setor, onde menos é mais, e o amor e o cuidado pessoal são valorizados acima das intervenções de alta tecnologia.

Por último, tratamos das novas tendências nos investimentos socialmente responsáveis. Enfim, os grandes capitalistas de risco estão seguindo a liderança dos muitos pioneiros que têm financiado empresas de energia solar, eólica, de biomassa, células de combustível, hidrogênio e outras tecnologias eficientes de todos os tipos. Líderes como D. Wayne Silby, fundador do Calvert Group; Robert Shaw, da Arete; e Nick Parker, da Cleantech Ventures, transmitem o seu entusiasmo por semearem continuamente essas empresas sustentáveis, muitas das quais estão destinadas a tornar-se as "IBMs" e "Microsofts" do século XXI. Até mesmo o anteriormente cético *The Economist*, na sua reportagem "Investigação sobre Mudança Climática" ("Survey of Climate Change", 9 de setembro de 2006), trata da transformação verde entre as empresas de todo o mundo e do aumento impressionante das tecnologias não-poluentes. No mesmo mês, a *Business Week* lançou uma nova seção intitulada "Green Biz", em outras palavras, "Negócios Verdes". Na edição de 16 de outubro de 2006, a revista *Fortune* incluiu um suplemento de dezesseis páginas intitulado: "É Bom Ser Verde".

UM

Redefinindo o Sucesso

O QUE É O SUCESSO? Entre os índios potlach do noroeste americano, o sucesso é medido pela quantidade de coisas de que um homem ou uma mulher podem abrir mão para ajudar os outros. Um profissional qualquer de Wall Street poderia explicá-lo em termos de um aumento nas carteiras de ações, um automóvel maior e um apartamento mais luxuoso. Para um produtor rural *amish* do interior da Pensilvânia, o sucesso é uma casa bem-construída, campos férteis e independência da tecnologia avançada e dos males da vida na cidade grande. Para um trabalhador rural chinês, é um emprego mal pago em uma fábrica na cidade. Para a maioria de nós, a felicidade doméstica e na vida pessoal são as marcas registradas básicas do sucesso. Assim como variam as noções de sucesso entre os nossos mais de 6 bilhões de integrantes da família humana na atual economia mundial, o mesmo acontece com os modos pelos quais os países e as corporações medem e definem o sucesso, a riqueza e o progresso.

Todos os dias, centenas de milhares de reportagens em todos os veículos de comunicação discutem a situação do Produto Nacional Bruto (PNB) e a sua versão doméstica mais limitada, o Produto Interno Bruto (PIB), as medidas prediletas dos economistas para avaliar o progresso nacional. Uma idealização de Samuel Kuznets no século XX, o PNB e o PIB são simplesmente medidas baseadas no caixa do total de mercadorias e serviços produzidos em uma economia. Durante a Segunda Guerra Mundial, a Inglaterra adotou o PNB como uma medida básica da produção de guerra na luta contra a Alemanha nazista. Em 1945, com a paz e a criação da Organização das Nações Unidas (ONU), do Banco Mundial e do Fundo Monetário Internacional (FMI), a ONU adotou o PNB e o PIB, que se tornaram o sistema padrão de avaliação das contas nacionais. Pouco a pouco, esses indicadores se transformaram no gabarito mundial de sucesso, divulgados servilmente em todos os meios de comunicação e seguidos fervorosamente por legiões de políticos interessados — progressistas socialistas, reformistas ou conservadores reacionários. No entanto, como o PNB e o PIB são medidas monetárias da produção de mercadorias e serviços produzidos dentro de um país, nenhum deles vai além da economia para compreender a verdadeira geração de riqueza dentro de uma sociedade. Hoje em dia, um número cada vez maior de grupos — desde ambientalistas, que valorizam a natureza, até as mulheres que realizam a maior parte do trabalho não-remunerado do mundo, assim como as pessoas preocupadas com a justiça social — vem criticando o PNB/PIB e muitos outros indicadores econômicos.

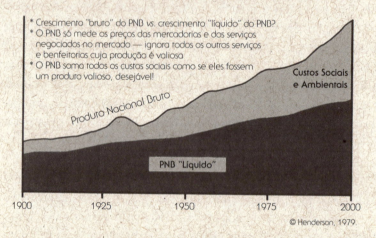

Esses grupos fazem perguntas baseadas no bom senso que são difíceis e embaraçosas para os economistas. Por que eles se concentram no dinheiro e nas fábricas como capital e muito freqüentemente ignoram as formas humana e social de capital, assim como os bens ecológicos, tais como as florestas tropicais e a biodiversidade? Por que o PNB trata a educação como um custo em lugar de um investimento essencial no nosso futuro, ao mesmo tempo que não responde pela sua qualidade? Por que o PIB sobe quando as pessoas estão doentes e precisam pagar pelo atendimento de saúde, mas não inclui meios de medir o bem-estar? Uma vez que indica a renda média das pessoas, o PIB esconde a lacuna da pobreza (a renda média de um país pode subir quando alguns poucos milionários ficam mais ricos, embora a maioria das pessoas possa não ter onde morar). E por que o PNB estabelece o valor intrínseco das pessoas e do meio ambiente como zero? Os economistas evitam ou fogem de tais perguntas. Embora o PIB lance alguma luz sobre a maneira como gastamos o nosso dinheiro, não considera muitas das coisas que realmente fazem a vida valer a pena. Nos últimos anos, essas perguntas provocaram debates entre os economistas profissionais e levaram a uma infinidade de novos indicadores multidisciplinares de bem-estar e qualidade de vida — transcendendo a economia.

Portanto, como cada um de nós pode também ajudar a promover uma integração maior entre a renda e os valores que assegurem a saúde e a viabilidade do lugar onde vivemos? Betsy Taylor, que fundou o Center for the New American Dream, um grupo de pesquisas sem fins lucrativos sediado em Washington, DC, defende a simplificação do estilo de vida americano. "O nosso Centro é um grupo que trabalha para ajudar os americanos a viver com mais consciência e comprar com mais sabedoria. Fizemos uma pesquisa de opinião entre 1.200 adultos em agosto de 2004 e as perguntas foram do tipo: "Como você se sente em relação ao Sonho Americano? Qual a sua opinião sobre o materialismo?" E descobrimos uma esmagadora maioria de pessoas esgotadas. Um dos resultados mais surpreendentes da pesquisa foi que praticamente a metade dos americanos admitiu preferir cortar parte dos seus ganhos para passar mais tempo fazendo as coisas de que realmente gostam." (www.newdream.org) As constatações de Betsy também coincidem com outras opiniões em redes de contatos que defendem a "Simpli-

Betsy Taylor
Center for a New American Dream

REDEFININDO O SUCESSO

dade Voluntária", expressão emprestada de outra muito repetida em 1973 por Duane Elgin, www.simplelivingamerica.org. Betsy observa alguns desconfortos mais profundos: "As pessoas também comentaram que gostariam de ter mais tempo para dedicar à família, à comunidade. A nossa definição do Sonho Americano em 'mais é melhor' cobra um preço elevado. A nossa qualidade de vida vem em primeiro lugar". Betsy acha que a adoção de novos indicadores de sucesso e novas definições tanto de progresso econômico quanto de felicidade pessoal é absolutamente fundamental. Ela também faz parte de um movimento mundial que se formou em 1992 na Reunião de Cúpula da Terra do Rio de Janeiro para examinar os indicadores econômicos do PNB e do PIB em busca melhores critérios para medir o desemprego, o trabalho não-remunerado, juntamente com os custos e benefícios sociais e ambientais. Na declaração da Agenda 21, derivada do encontro, um total de 170 países comprometeu-se a fazer todas essas revisões nos seus próprios índices do PNB e PIB.

Em 1995, o Banco Mundial divulgou um relatório, *The Wealth of Nations*, que deveria ter levado a uma revisão desses conceitos. Esse relatório revelou que 20% do capital de um país consistia em capital financeiro e "construído" (capital financeiro, fábricas); 60%, em capital social e humano (cidadãos e organizações sociais) e 20%, em capital ecológico (sistemas naturais de sustentação à vida). No entanto, esse relatório do Banco Mundial foi tão amplamente ignorado quanto a precedente Agenda 21. O hábito do PNB/PIB continuava profundamente arraigado e reforçado diariamente pelos meios de comunicação de massa. Um conjunto mais amplamente aceito de novos indicadores é o Índice de Desenvolvimento Humano das Nações Unidas (IDH), iniciado em 1990, que classifica os países de acordo com a qualidade de vida e inclui critérios tais como expectativa de vida, nível de escolaridade e a lacuna entre ricos e pobres, além do montante dos gastos militares.

Inge Kaul, uma alemã delicada, mas uma economista dinâmica, profundamente comprometida com formas mais sustentáveis de desenvolvimento humano, foi uma pioneira essencial para a criação do IDH, juntamente com o falecido Mahbub ul Haq, ex-ministro da Fazenda do Paquistão. Inge ainda trabalha no Programa de Desenvolvimento Humano das Nações Unidas como diretora de Estudos para o Desenvolvimento. Inge comenta: "O que esse indicador — o Índice de Desenvolvimento Humano — realmente nos diz é de que maneira os países traduzem o seu crescimento econômico — na medida em que o apresentem — em bem-estar humano. O que tentamos fazer com o IDH é dizer: 'No fim das contas, depois de todo trabalho, de todo tipo de empreendimentos econômicos, as pessoas estão se sentindo melhor agora do que antes?'" Ela acrescenta: "O que você encontra no índice é a expectativa de vida — a oportunidade de viver uma vida longa e saudável; o nível de instrução — para saber o que existe em termos de oportunidades e poder fazer escolhas bem fundamentadas. Então, com um determinado padrão de renda, temos os meios para nos vestir bem, manter um lugar para morar e desfrutar de uma vida em segurança. Assim, usamos esses três indicadores e os consideramos em conjunto para produzir um índice — o IDH. Pensamos que seríamos bem-sucedidos em mudar a compreensão das pessoas em relação ao que é progresso, o que é sucesso, o que constitui uma vida boa". O IDH foi adotado em todo o mundo como uma aferição alternativa, mais ampla, do desenvolvimento humano, e mais de quarenta países produzem atualmente as suas próprias versões internas do IDH. Os países mais bem posicionados geralmente citam a sua classificação no IDH entre as informações turísticas. Os Estados Unidos com freqüência se classificam em posição inferior à do Canadá e dos países escandinavos, em razão das suas altas taxas de mortalidade infantil. No IDH de 2004, os países com maior qualidade de vida foram a Noruega, a Suécia e a Austrália. Em 2005, a Noruega uma vez mais encabeçou a lista, seguida por Islândia, Austrália, Luxemburgo, Canadá, Suécia, Suíça, Irlanda, Bélgica, com os Estados Unidos ocupando a décima posição.

Inge Kaul
Programa de Desenvolvimento
das Nações Unidas

O Butão leva a sério o direito das pessoas de buscar a felicidade. País budista da Ásia, o Butão pode não ser uma potência econômica, mas tem uma grande riqueza de recursos internos. Esse país desenvolveu indicadores de Felicidade Nacional Bruta (FNB) porque, segundo a sua filosofia, a felicidade deve ser considerada juntamente com o dinheiro e o crescimento do PIB. Muitos indicadores do Butão concentram-se em tendências semelhantes às do IDH, com uma ênfase na preservação da cultura pacífica e contemplativa do Butão, ao mesmo tempo equilibrando essas preocupações com as influências dos investimentos do exterior e um desenvolvimento econômico seletivo. A FNB do Butão despertou um interesse enorme nos meios de comunicação. Até mesmo o periódico londrino *The Economist* publicou uma reportagem de três páginas a respeito intitulada: "A Busca da Felicidade" ("The Pursuit of Happiness", 18 de dezembro de 2004), e a *Technology Review*, na sua edição de janeiro de 2005, explicou em "Tecnologia e Felicidade" ("Technology and Happiness") por que mais bugigangas não aumentam necessariamente o nosso bem-estar. Toda a atenção sobre o Butão levou a um aumento expressivo do turismo, que é controlado criteriosamente. Muitos economistas e cientistas sociais que estudavam de maneira reservada a "satisfação" humana viram-se de repente na berlinda, e as pesquisas sobre a felicidade atualmente entraram entusiasticamente na moda e proliferam. Uma análise de livros sobre a felicidade na revista *New Yorker* (27 de fevereiro de 2006) enfoca estudos de psicologia, com destaque para *The Happiness Hypothesis*, de Johathan Haidt (2006), e *Happiness: Lessons from a New Science*, do economista Richard Layard (2005), mas coloca o lançamento da psicologia positivista no final dos anos 1990 em vez de na década de 1960, por meio de Abraham Maslow, no seu demolidor *Toward a Psychology of Being* (1963). A Universidade de Erasmus, em Roterdã, mantém um banco de dados mundial sobre a felicidade, enquanto os economistas tendem a concordar com Daniel Kahneman, laureado com o prêmio do Banco da Suécia, para quem os níveis de renda têm pouco a ver com o quanto as pessoas gostam da vida que levam. Ele espera estabelecer uma medida oficial do bem-estar nacional nos Estados Unidos para complementar o PIB. Esse é o propósito dos Indicadores de Qualidade de Vida Calvert-Henderson, que ajudei a criar juntamente com o Calvert Group de fundos mútuos socialmente responsáveis e que foi lançado no ano 2000, sendo atualizado regularmente em www.calvert-henderson.com, que usamos na nossa série da televisão. Toda a agitação em torno da meta do "desenvolvimento humano" (em relação ao qual o crescimento econômico foi considerado como um meio) levou a uma preocupação maior com o sistema de sustentação da vida da humanidade: o planeta Terra e a sustentabilidade da biosfera e os seus imensos bens ecológicos. Um artigo da revista *TIME* de 17 de janeiro de 2005 relatava que o lugar onde as pessoas vivem tem uma influência fundamental para que se "sintam bem", com base em estudos sobre o "bem-estar subjetivo", dos psicólogos Robert Biswas-Diener, da Portland State University, e Ed Diener, da University of Illinois. Em muitos estudos, os latino-americanos encontram-se entre as pessoas mais felizes do mundo — entre os menos felizes incluem-se os russos, os lituanos, os japoneses, os chineses e os sul-coreanos. Um novo Índice de Felicidade do Planeta, da New Economics Foundation, de Londres, chegou a conclusões semelhantes.

O economista suíço Mathis Wackernagel, que desenvolveu a Análise de Impacto Ecológico, resume o seu método ambiental sobre o bem-estar humano, baseado em pesquisas. "Na civilização, existem duas crenças principais que parecem estar em contradição. Por um lado, que temos uma vida cada vez melhor, desde que usemos cada vez mais recursos, mais chocolate, mais casas, carros maiores. E ao mesmo tempo, a capacidade ecológica vai diminuindo — menos árvores, mais CO_2 na atmosfera, menos água. Então, a degradação ecológica acontece ao mesmo tempo que aumentamos a nossa demanda de recursos." Mathis está preparando uma pesquisa anual para o World Wildlife Fund, o "Índice do Planeta Vivo", que visa monitorar todos os países para avaliar como o consumo de recursos de cada um se enquadra nos recursos naturais do país. Os resultados serão publicados em um mapa mostrando quais países excedem a sua capacidade de recursos e dependem de importações de outros países, e quais podem permanecer dentro da própria capacidade de recursos. Do ponto de vista planetário, Wackernagel acha que a família humana está consumindo mais recursos do que o planeta Terra pode oferecer em bases sustentáveis. O dr.

Mathis Wackernagel
Análise do Impacto Ecológico

Wackernagel acrescenta: "O Impacto Ecológico é uma ferramenta muito simples de contagem dos recursos. Por um lado, mede de quantos recursos naturais dispomos e, por outro lado, quanto usamos. É interessante que, na realidade, algumas financiadoras usaram o Impacto Ecológico para avaliar os seus países em termos de risco financeiro. Serão eles devedores ecológicos? Isso significa que usam mais recursos do que têm à disposição? Ou são credores? Atualmente, os credores são países como as superpotências verdes, como o Brasil, por exemplo, ou a Rússia". Mathis enfatiza que isso não significa que esses países usem os seus recursos com sabedoria, mas que eles têm de sobra em comparação com o que usam. "Temos os devedores, aqueles que realmente usam mais, como a Suíça, que é a minha terra. É por isso, por exemplo, que trabalhamos com Londres. O London Business Council — que não é só um grupo verde — na realidade patrocinou um estudo que observa como Londres pode permanecer competitiva usando o seu impacto ecológico porque, à medida que os recursos se tornam escassos, as cidades que não estão posicionadas para o futuro enfrentarão dificuldades" (www.footprint.org).

Conforme discutimos nos capítulos 4 e 8, usar os recursos e a energia de maneira mais eficiente é o segredo para o desenvolvimento humano sustentável. O Impacto Ecológico pode ajudar. O país com o maior impacto são os Emirados Árabes Unidos, porque eles usam ar-condicionado demais. Reduzir o desperdício é o segredo tanto para a qualidade de vida quanto para uma economia mais saudável. Por exemplo, segundo a reportagem "Deixando o Interruptor no Modo de Espera" ("Pulling the Plug on Standby Power", *The Economist*, 11 de março de 2006), com o avanço tecnológico e a melhora dos padrões de centenas de aparelhos americanos, desde televisores a fornos de microondas, o dispendioso "modo de espera" deixaria de representar 5% do consumo residencial total de eletricidade nos EUA e uma despesa de 3 bilhões de dólares ao ano para os consumidores.

A Venezuela também está procurando reduzir o seu Impacto Ecológico. No entanto, o setor petrolífero ainda representa uma ameaça significativa para a saúde ambiental do país, conforme comentado por Frank Bracho, ex-embaixador da Venezuela na Índia e autor de muitos livros sobre desenvolvimento sustentável, globalização, o papel do petróleo e a necessidade de mudar a base de recursos das sociedades para as modalidades de energia solar e renováveis. Frank também editou, em 1989, um estudo inovador sobre as alternativas ao PNB, *Toward a New Way to Measure Development*, ainda disponível em espanhol e em inglês. Frank declara: "Para mim, a melhor maneira de definir a relação da Venezuela com o petróleo é em termos de 'vício em petróleo'. É dessa maneira que eu basicamente entendo o assunto porque, como na dependência das drogas, o paciente sabe que elas fazem mal, ainda assim continua consumindo. Isso é fundamental para redefinir o sucesso e redefinir riqueza e progresso, porque o progresso não pode depender de nenhum tipo de riqueza imediatista que a longo prazo se revela um suicídio". Frank explica o trabalho dele na Venezuela e internacionalmente: "Também realizamos atividades para promover a redefinição de riqueza e progresso, não só no âmbito nacional, mas também internacional, em termos de buscar uma substituição do paradigma da riqueza baseada no Produto Interno Bruto, que na realidade não diz muito sobre a qualidade de vida nem sobre a sustentabilidade do que você está fazendo. Esse índice apenas mede em termos monetários o que é produzido em uma economia, sem lhe dizer se você é uma pessoa destrutiva ou não, ou se faz o que faz à custa do meio ambiente ou da saúde humana. As coisas mais importantes da vida não estão sujeitas à medida".

Betsy Taylor, Mathis Wackernagel e Frank Bracho concordam todos que o PNB e o PIB devem ser revistos e muitos indicadores novos e mais amplos devem ser incluídos. Não só é necessário revisar esses Sistemas de Contabilidade Nacional ultrapassados para incluir o trabalho não-remunerado (os 50% não mensurados de toda a produção humana, que analisamos no capítulo 3), mas também os custos e benefícios sociais e ambientais. As contas da infra-estrutura pública paga pelos contribuintes (como estradas, hospitais, escolas) devem ser registradas como ativos, não apenas com dívidas. Os Indicadores de Qualidade de Vida Calvert-Henderson há muito tempo defendem que os gastos americanos em educação, pesquisas e desenvolvimento sejam reclassificados no PIB, passando de "consumo" a "investimento" no mais importante bem americano — as crianças. A reportagem de capa da revista *Business Week*, "Desmascarando a Economia" ("Unmasking the Economy", 13 de fevereiro de 2006), externou as mesmas opiniões, de que os Estados Unidos são agora uma economia baseada no conhecimento, e o conhecimento é um fator estratégico da produção. As estatísticas têm de ser levadas em conta! Eu mesma, há muitos anos, em diversas reuniões de profissionais de estatística na Europa, no Japão, na China, na América Latina e do Norte, defendo a urgência dessas mudanças. Por fim, na maior conferência de todas, com a participação de mais de setecentos profissionais de estatística, em Curitiba, no Brasil, em 2003, o grupo endossou a necessidade de o PIB incluir a contabilidade dos ativos, registrando o valor enorme da infra-estrutura financiada pelos contribuintes, para equilibrar o que atualmente é registrado no PIB apenas como dívida. Esse golpe da correção a caneta (chamado "contas provisionadas") foi instituído nos Estados Unidos em 1966 e respondeu por cerca de um terço do excedente do orçamento da administração Clinton (o resto deveu-se a cortes nos gastos militares e receitas elevadas de impostos da bolha "ponto-com"). O Canadá seguiu o mesmo procedimento em 1999 e passou de um déficit para um superávit de 50 bilhões (em dólares canadenses — Henderson, 1999).

Os novos indicadores também estão mudando os balanços das empresas. Verna Allee é uma consultora que ajuda os clientes a avaliar medidas de sucesso menos tangíveis. Verna desbrava novos caminhos para a aferição de "intangíveis" (isto é, conhecimento, patentes, fundo de comércio etc.) e desenvolve novos padrões e protocolos de contabilidade na Europa e na América do Norte em *The Knowledge Evolution* (1997) e *The Future of Knowledge* (2003).

Verna Allee diz aos seus clientes corporativos: "Não existe nada complicado em uma auditoria financeira, mas se você está tentando desenvolver conjuntos de indicadores para saber se está sendo um bom cidadão ou contribuindo de modo sustentável para o meio ambiente, esse é um trabalho bastante complicado". A dra. Allee observa que os consumidores fazem escolhas todos os dias sobre o que vão comprar. "Será que eu quero mesmo usar essa marca na minha camiseta? Se uma empresa só for capaz de contar a sua história de sucesso em termos financeiros, então essa será uma história muito limitada." Verna citou uma pesquisa de 2004, feita por Deloitte Touche, uma das maiores empresas do mundo de auditoria e consultoria especializada, que revelou que 72% da população preferia trabalhar para uma empresa que de alguma forma desse um bom retorno social.

"Essa é uma história muito mais expressiva sobre o sucesso empresarial." O que Allee defende essencialmente é que essas são duas visões de mundo completamente diferentes, assim como dois conjuntos de pressupostos sobre o sucesso e a economia. Essas visões de mundo e esses pressupostos levam aos novos indicadores nacionais e mundiais de riqueza e progresso que estão pondo em cheque a visão PNB/PIB. À medida que as empresas são forçadas a contabilizar custos ambientais e sociais nos seus balanços, a boa notícia — conforme muitos já descobriram — é mais economia e mais lucros. Por que as empresas não fizeram isso antes? Porque as economias equivocadas ignoraram custos e riscos a longo prazo como esses, conforme já documentei. Uma medida pioneira de desempenho ambiental das empresas é a análise do "rendimento sustentável" (www.sustainablevalue.com), idealizada pelos pesquisadores Frank Figge, na Inglaterra, e Tobias Hahn, na Alemanha (*Environmental Finance*, junho de 2006).

As importantes bolsas de valores de Nova York, FTSE de Londres e Bovespa do Brasil, todas apresentam agora índices de empresas que são menos poluidoras, mais preocupadas com o meio ambiente e mais éticas. Para a surpresa dos economistas e analistas financeiros, esses índices socialmente responsáveis apresentaram um desempenho superior ao dos 500 mais cotados da agência de avaliação de risco a investimentos Standard & Poor e atualmente respondem por quase 2,3 trilhões de dólares em ativos administrados só nos Estados Unidos.

Tim Smith é vice-presidente do Walden Asset Management, sediado em Boston, e presidente do Social Investment Forum, uma associação comercial de investidores e de fundos mútuos socialmente responsáveis, assim como de corretores e outros administradores de ativos dos Estados Unidos. Tim considera o impressionante crescimento do setor dos mercados de capitais americanos como a nova corrente dominante. "Não estamos falando sobre temas sociais e ambientais esotéricos, mas sim de assuntos que têm uma influência direta sobre os resultados financeiros e afetam os investimentos dos acionistas de uma maneira muito palpável. O que mais me entusiasma é observar o número de cidades, estados, fundações, fundos mútuos, investidores religiosos e pessoas que estão empenhados em engajar empresas neste momento e pedir-lhes para mudar." Tim é um investidor ativista de longa data e fundou o Interfaith Center for Corporate Responsibility do Conselho Nacional das Igrejas de Cristo nos Estados Unidos. Ele ressalta: "Há oportunidades de investimentos que dão ao investidor a possibilidade de dizer: 'Prefiro não investir nos piores poluidores da América'. Em outras palavras, uma carteira de ações que reflita os seus valores, que reflita os seus princípios morais".

Esse debate crescente sobre valores mais profundos do que o dinheiro vem mudando o panorama político dos Estados Unidos. A religião reingressou na política de muitas maneiras — desde uma campanha publicitária apoiada pela igreja sobre os utilitários esportivos mais econômicos do tipo "Que carro Jesus dirigiria?" até a mensagem da dra. Linda Seger, *Jesus Rode a Donkey* (Jesus Montava um Jumento), pulverizada contra os evangelistas simpatizantes da televisão republicana e as crescentes "mega-igrejas" que influenciam em questões de estilo de vida. A Associação Nacional dos Evangélicos, representando 30 milhões de pessoas em 4.500 igrejas, vem expressando preocupações em relação à mudança climática e à necessidade de maior atenção à pobreza no mundo, e até mesmo apóia o Tribunal Criminal Internacional, que tem recebido a oposição da administração Bush. Enquanto isso, os democratas tentam modificar o seu secularismo anterior e reivindicam a discussão de princípios e valores. O pesquisador de opinião canadense Michael Adams provocou reações positivas com o seu livro *American Backlash* (2004), que apresenta os resultados de pesquisas com americanos que se preocupam com valores morais e estilo de vida. Um grandioso projeto de pesquisa da Foundation for Global Awakening, com sede na Califórnia, revelou que a maioria dos americanos quer líderes com padrões morais e de conduta mais elevados ("The New America", 2004). A nova febre com relação a objetivos e valores mais profundos intensificou-se com a globalização, a terceirização e as novas preocupações relativas aos crimes corporativos, à perda de benefícios previdenciários em falências corporativas, aos cortes em planos de saúde empresariais e à possibilidade de investir o plano de aposentadoria em empresas "boas" e que sejam confiáveis.

Alguns empregadores estão começando a oferecer opções. O sistema de pensões americano dos funcionários do governo federal, chamado de Plano de Poupança Econômica (Thrift Savings Plan) sugere cinco diferentes opções de investimento em mercados financeiros privados, mas nenhuma delas oferece uma carteira de ações baseada em padrões social e ecologicamente responsáveis. A Agência de Proteção Ambiental americana (EPA) também oferece aos seus funcionários o Plano de Poupança Econômica. Para Brian Swett, um funcionário da EPA, foi natural querer uma carteira de ações de empresas ambientalmente responsáveis na qual pudesse investir o seu plano de aposentadoria. "Estamos tentando focar certas questões porque temos causas, crenças e valores que procuramos apoiar e aprimorar. Investir dinheiro de maneira que não promova as causas em que acredito, para mim, seria simplesmente hipócrita. Eu só acho que seria fantástico oferecer aos servidores públicos federais uma opção para investir de uma maneira social e ambientalmente responsável e que esteja sintonizada com o trabalho que fazemos no governo."

Até o momento, o Plano de Poupança Econômica ainda não oferece a possibilidade de optar por esse tipo de carteira de ações. No entanto, muitos planos de previdência social públicos, seguindo a liderança do CALPERS (sigla em inglês de Sistema Previdenciário dos Funcionários Públicos da Califórnia), oferecem opções socialmente responsáveis. Muitos passaram a exigir que as empresas revelem nas suas carteiras de ações os seus planos para ajudar na contenção do CO_2 e de outros poluentes agora confirmados como causadores das mudanças climáticas e do aquecimento global. Tim Smith declara: "Você sabe que um dos mitos que os investidores responsáveis têm de enfrentar repetidas vezes é a idéia de que vão perder dinheiro. Ou seja, se você investir com consciência, então terá um retorno cada vez menor. Ainda bem que décadas de história mostram agora que os investidores responsáveis também são investidores prudentes".

Vidette Bullock Mixon
Igreja Metodista Unida

Na realidade, conforme discutiremos em capítulos posteriores, as carteiras de ações e índices socialmente responsáveis apresentam regularmente um desempenho superior ao dos investimentos tradicionais. Muitas igrejas assumiram a liderança no investimento social. Conforme explica Vidette

Bullock Mixon, da Diretoria Geral de Benefícios de Aposentadoria e Saúde da Igreja Metodista Unida, as igrejas vêem a promessa de um forte retorno financeiro e de impacto social no investimento de seus fundos de pensão de maneira socialmente responsável: "Os nossos investimentos têm se mantido entre os 25% dos investimentos mais rentáveis. Eu diria que obtivemos um retorno fiscal positivo coerente em nome dos nossos participantes. Esta é a meta do nosso fundo de pensão: investir dinheiro para conseguir um retorno positivo, para influenciar as empresas em que investimos a serem melhores cidadãs corporativas". O Fundo de Pensão da Igreja Metodista Unida é signatário dos Princípios para o Investimento Responsável das Nações Unidas (veja www.ethicalmarkets.com). As igrejas também estão na dianteira quanto a questionar as políticas das empresas nas reuniões anuais, conforme analisamos no capítulo 9. Atualmente, mais de seiscentas empresas no mundo todo podem responder pelo seu sucesso usando o resultado final tríplice integrado: "Pessoas, Planeta e Lucros". A dra. Judy Henderson, uma pediatra australiana, preside a Global Reporting Initiative (GRI), que estabelece padrões mundiais. Judy Henderson fala de compromissos individuais das pessoas, assim como de si mesma: "Alguns de nós são acionistas e podemos nos envolver no ativismo de acionistas por meio desse mecanismo, mas, mesmo se não fôssemos acionistas, somos consumidores, clientes e funcionários, e entramos em lojas e compramos produtos. Gostamos de trabalhar para empresas que têm boa reputação. Assim, de um modo ou de outro, na nossa vida diária estamos todos envolvidos nesse processo. É importante para nós estar vinculados a empresas que tenham uma reputação com relação à qual nos sentimos bem, seja comprando os seus produtos, seja trabalhando para elas". Você pode visitar a página da GRI e observar os seus progressos em atrair novas empresas mundiais para os seus padrões de auditoria "Pessoas, Planeta e Lucros" em www.globalreporting.org.

Todos os novos indicadores de sustentabilidade e qualidade de vida, em todos os níveis, têm forçado um exame de consciência entre os profissionais de economia — atualmente divididos entre tradicionalistas que rejeitam os novos indicadores e acham que os mercados corrigem-se sozinhos, e os inovadores: economistas ambientais, economistas sociais, economistas evolucionários, assim como os integrantes de muitos outros campos científicos. Um novo debate sobre metodologias na profissão de economista surgiu na destinação do Prêmio Nobel de 2004 (veja www.hazelhenderson.com, clique em "Editorials"). A premiação em Economia não é um Nobel, mas foi estabelecido pelo Banco Central sueco em 1969. O nome atual é Prêmio do Banco da Suécia em Ciência Econômica em Memória a Alfred Nobel. Entre os cientistas que acham que esse prêmio deveria ser desvinculado do Prêmio Nobel e receber um título mais adequado, inclui-se o professor Robert Nadeau, historiador da ciência na George Mason University, que afirma: "Recentemente, Peter Nobel, que é o atual chefe da família Nobel, fez a alegação de que o Prêmio Memorial Nobel de Economia estaria infringindo as normas do Prêmio Nobel. Na verdade, ele quis dizer que foi o Banco da Suécia o responsável pela criação desse prêmio, que é muito diferente dos outros prêmios atribuídos pela comissão do Prêmio Nobel, e que ele pessoalmente discordou da sugestão de que as teorias matemáticas usadas pelos economistas tradicionais, como os da Escola de Chicago, são científicas". O dr. Nadeau publicou as opiniões dele no livro *The Wealth of Nature* (2003), uma crítica rigorosa à profissão de economista e uma explicação de por que, do ponto de vista da ciência ambiental, a economia não é e nunca poderá se tornar uma ciência. Um outro crítico é Ralph Abraham, matemático da University of California em Santa Cruz, que comenta: "Deveria chegar ao conhecimento do sr. Nobel de que há algo realmente suspeito nesse prêmio de economia que é sempre atribuído a pessoas dessa arcaica e muito questionável teoria econômica". Abraham concorda com o ponto de vista de Nadeau de que não era a intenção original de Nobel criar esse prêmio, e de que o prêmio realmente não é coerente com o propósito dele. Segundo as cartas originais de Nobel, "os prêmios eram para ser atribuídos a pessoas que contribuíssem para o progresso do conhecimento humano na área de serviços, no intuito de melhorar a vida humana e de beneficiar a sobrevivência humana".

Medalha do Prêmio Nobel

Ralph Abraham acrescenta: "Parece-me altamente provável que o chamado Prêmio Nobel de Economia receberá outro nome ou será abolido". Os economistas normalmente definem e mensuram o sucesso. Atualmente, os seus métodos estão sendo questionados. Até mesmo a revista inglesa *The Economist* (24 de dezembro de 2005) admitiu que foram os economistas, incluindo Herbert Spencer, um antigo colaborador, que na verdade cunharam a frase "sobrevivência do mais adaptado", tantas vezes atribuída a Charles Darwin. Novas pesquisas sobre Charles Darwin (www.thedarwinproject.com) estabeleceram o registro corretamente. Darwin pensava que, embora a competição entre as espécies fosse importante para a evolução, a tendência do gênio humano para a união, a cooperação e a divisão foi a chave da nossa sobrevivência — incluindo a evolução de sentimentos morais e do altruísmo. O artigo de *The Economist* admite que o erro da Economia foi enfatizar demais a competição e subestimar a importância da cooperação entre os seres humanos. Na verdade, as evidências da evolução das sociedades humanas, desde os bandos de nômades errantes, passando por aldeias, cidades e grandes centros urbanos, até as organizações multilaterais, a União Européia e as Nações Unidas, corroboram esse papel fundamental da cooperação. No entanto, conforme tenho notado em muitos lugares, as escolas de administração continuam ensinando a competição acirrada e a maximização dos lucros a curto prazo, o que vários pesquisadores acadêmicos acreditam ter fomentado o mau comportamento de muitos executivos da Enron, da WorldCom, da Parmalat e de outras corporações.

Ralph Abraham
Professor, University of California

Nós concordamos com Robert Nadeau em que os economistas tradicionais realmente acreditam que as teorias deles são científicas. "Na sua grande maioria, eles são pessoas muito idealistas. Simplesmente não percebem, acho eu, como resultado da sua formação, que as teorias não são científicas." Ralph Abraham declara que: "A economia mundial sofre imensamente com as orientações equivocadas dos economistas, que baseiam as suas idéias em uma teoria totalmente sem comprovação". Robert Nadeau acrescenta: "Os gerentes do Banco Mundial e do FMI e dos bancos regionais recebem orientação de economistas supostamente fundamentados em um paradigma científico; os economistas então fazem prescrições sobre como lidar com a economia dos países em desenvolvimento e subdesenvolvidos, e com isso causaram um mal enorme a milhões senão bilhões de pessoas". Ralph Abraham resume o problema dizendo: "A métrica da importância econômica que respeita o meio ambiente, o trabalho das mulheres e assim por diante, simplesmente fará parte de uma revisão da profissão de economista. Assim, este é o momento, acho eu, para trazer essas novas métricas e estilos de pensamento ambiental para a arena da discussão pública".

Portanto, a despeito desse amplo debate e de todas essas novas maneiras de mensurar o verdadeiro desenvolvimento humano e a qualidade de vida, como seria se Wall Street e os meios de comunicação da área de finanças evitassem essa história? Por que ainda usamos os mesmos velhos instrumentos econômicos de medida — como o PNB? Por que a maioria dos manuais de economia, modelos por computador e escolas de administração ainda

Robert Nadeau
Professor, George Mason University

pressupõem que mais dinheiro é o único resultado financeiro que importa? Não só os setecentos estatísticos inovadores que se reuniram no Brasil para a Primeira Conferência Internacional sobre a Implementação de Indicadores de Sustentabilidade e Qualidade de Vida, em 2003, mas também muitos outros estão trabalhando, de cidades como Xangai e São Paulo, para a nova Medida de Bem-estar Nacional canadense. Os Indicadores de Qualidade de Vida Calvert-Henderson, que usamos na nossa série de televisão, medem doze aspectos amplos de qualidade de vida nos Estados Unidos, incluindo emprego, renda, educação, saúde, direitos humanos, infra-estrutura, segurança pública, segurança nacional, habitação, meio ambiente, energia e entretenimento e cultura. Então, por que os métodos antigos persistem? As causas prováveis são: força de hábito, ao lado de antigas visões de mundo entranhadas nos negócios, no governo, no meio acadêmico e nos sindicatos, reforçadas pelos meios de comunicação de massa. Os economistas ainda chamam as perdas sociais e ambientais ocultas de "externalidades" — custos que as empresas excluem dos seus balanços e transferem à sociedade ou às futuras gerações. Os Indicadores Calvert-Henderson medem esses custos ocultos e a riqueza oculta das comunidades.

> Wall Street com freqüência força as empresas a exibir um crescimento cada vez maior a cada trimestre — e às vezes falseando os seus índices. Um atraso é punido com um relatório negativo de um analista de segurança — capaz de derrubar o preço das ações.

O padrão de medida baseado no crescimento do PNB ainda impulsiona Wall Street, que com freqüência força as empresas a exibir um crescimento cada vez maior a cada trimestre — e às vezes falseando os seus índices. Um atraso é punido com um relatório negativo de um analista de segurança — capaz de derrubar o preço das ações. Na década de 1990, a desregulamentação globalizou os mercados financeiros, acelerando os fluxos de investimentos e disseminando a obsessão por crescimento para todas as bolsas de valores. A produção terceirizada e os empregos em países com salários baixos aumentam os lucros das empresas. No entanto, cortar custos para competir com os preços chineses é incompatível até com os salários americanos mais baixos. À medida que os produtores americanos são derrubados, a China torna-se o maior país manufatureiro do mundo, muito embora os salários atualmente venham subindo por lá e as empresas busquem trabalhadores mais baratos no Vietnã e no Camboja. Todas essas questões interagem. A substituição de funcionários por máquinas e energia é recompensada pela legislação tributária americana. Diante dos atuais preços do petróleo, os Estados Unidos, ainda dependentes do fornecimento externo, têm sido castigados com déficits comerciais de 7% da economia medida pelo PNB. Por que não tributar o desperdício, o esgotamento de recursos e a poluição? O colunista Thomas Friedman, do *New York Times*, defende a inclusão desses impostos e uma mudança ao estilo "Manhattan Project" para tecnologias solares e renováveis. Essas tecnologias fazem fila para entrar em atividade desde a década de 1980, conforme documentei em *The Politics of the Solar Age,* já em 1981. Apenas subsídios injustos a poderosas indústrias de petróleo, carvão mineral, energia nuclear e setores movidos por combustíveis fósseis conseguiram se impor à força — e continuam protegidos pela Lei de Energia americana de 2005. Mudar os impostos sobre a renda, as folhas de pagamento e salários para o desperdício e a poluição, e acabar com esses subsídios ao desperdício permitiriam, enfim, que as energias renováveis solar e outras competissem em nível de igualdade no mercado. Países da Europa, da Ásia e da América Latina estão debatendo efetivamente essas mudanças nos impostos, pondo um fim a subsídios despropositados e adotando novos padrões de medidas.

Podemos fomentar a inovação reequilibrando as antigas medidas de produtividade entre trabalho, capital e recursos naturais, conforme mostrei em "As Políticas de Medida de Produtividade" ("The Politics of Productivity Measures", em www.Calvert-Henderson.com, clique em "Current Issues"). Quando as contribuições da natureza à produção são devidamente calculadas, conservamos os recursos, projetamos e operamos as nossas indústrias de maneira mais eficiente, além de economizar dinheiro — conforme tantos estudos sobre a eficiência ecológica demonstram, como é resumido em *Natural Capitalism**. Com muita freqüência, os investidores tornam-se negociantes de títulos diários e especuladores apostando em maiores preços de ações. Esses lucros de curto prazo geralmente encobrem custos de longo prazo, ambientais ou sociais, ocultos nos balanços das empresas. Felizmente, muitos novos indicadores são mais fiéis à verdade. Embora os Indicadores Calvert-Henderson e os muitos outros que discutimos expandam a nossa visão da riqueza e do progresso verdadeiros acima do PNB, também vemos de que modo melhores métodos de contabilidade e de preços dos custos totais estão orientando as empresas, investidores e consumidores a tomar decisões melhores. Enquanto os estatísticos de todo o mundo continuam redefinindo a verdadeira prosperidade — o verdadeiro desenvolvimento humano — usando novos instrumentos de mensuração, recalculando o PNB para incluir o capital humano, social e ecológico, e subtrair a poluição — podemos ver mais claramente o que o sucesso significa na nossa vida.

---

* *Capitalismo Natural*, publicado pela Editora Cultrix, São Paulo, 2000.

MESA-REDONDA
A HORA DA VERDADE

Ray Anderson com Simran Sethi

O segmento "*Walking the Talk*" (numa tradução livre, "A Hora da Verdade") do nosso programa *Ethical Markets*, é uma autêntica prova de fogo quanto ao sucesso das empresas. O programa exige transparência e requer que toda empresa que alegue ter um desempenho superior do ponto de vista social, ambiental e ético seja cuidadosamente monitorada. Assim, *Ethical Markets* destacou, entre as empresas mais qualificadas em auditoria corporativa que se especializaram no desempenho das empresas sob esses aspectos, alguns entrevistadores especiais para inquirir os nossos convidados. Esses "analistas de entrevistados" apresentaram-se para entrevistar os CEOs dessas empresas, as quais têm códigos de conduta elevada e seguem esses tipos de padrões superiores.

A Interface Carpet, o maior fabricante mundial de tapetes industriais, com sede em Atlanta, Geórgia, é uma empresa que pode ser tomada como uma referência no mercado. Seu CEO, Ray Anderson, é um líder de destaque na condução dessa empresa no sentido da sustentabilidade. O nosso analista de entrevistados, Hewson Baltzell, presidente da Innovest Strategic Value Advisors, uma importante empresa de auditoria ética de alcance mundial, entrevista Ray Anderson, juntamente com a apresentadora do programa, Simran Sethi.

Hewson Baltzell

Hewson Baltzell: Por mais de dez anos, a Interface tem sido uma empresa líder em sustentabilidade e esse é um setor difícil, de alto impacto ambiental, basicamente, pela fabricação de tapetes a partir de derivados de petróleo. A Interface não só fez esforços produtivos em matéria de eficiência de energia, mas foi muito além disso, considerando o perfil de uma vida inteira voltada para o meio ambiente — observando de onde vêm as matérias-primas, de que maneira elas são processadas e depois como acaba a própria vida dessas matérias-primas — de volta ao lixão etc. As ações da Interface têm sido negociadas por uma quantia média de 13 dólares, bem acima dos 3 dólares por ação em meados de 2003, portanto um grande aumento, embora seja substancialmente inferior ao do seu ponto máximo, de mais de 20 dólares, no final dos anos 1990. Existe alguma relação — boa ou má — entre o preço das ações da Interface e os seus esforços em prol da sustentabilidade?

Ray Anderson: Não estaríamos todos juntos aqui hoje não fosse pelas iniciativas voltadas para a sustentabilidade que realizamos, pelos esforços para a redução de custos e desenvolver produtos melhores do ponto de vista da sustentabilidade e pela boa imagem que o mercado tem de nós. Se os clientes preferem fazer negócios conosco e não com um concorrente porque acreditam no que estamos fazendo, isso tem um efeito estimulante sobre os nossos funcionários. Assim, com todas essas coisas interagindo em uma empresa bem alavancada — com mais de 450 milhões de dólares em dívidas — temos conseguido sobreviver a essa queda imensa no mercado e ao mesmo tempo crescer e ganhar participação de mercado. E enquanto a economia do nosso setor se recupera, nós conseguimos dar um bom exemplo — agir certo fazendo o bem.

Simran: Quais iniciativas sociais ajudaram a Interface a avançar em termos de sustentabilidade?

Ray: A princípio, a segurança no local de trabalho, uma preocupação básica. Esse é um ponto que se aplica a qualquer empresa e do qual se deve realmente partir. Aprendemos da maneira mais difícil que a igualdade social também começa em casa: à medida que fazíamos numerosas aquisições ao longo dos anos, íamos aproximando canais de distribuição, adquirindo distribuidores de tapetes e empreiteiras de todo o país. Estávamos integrando todas essas novas empresas com a Interface e descobrimos que a sensibilidade cultural é muito importante, e não éramos muito bons nisso. Não fizemos um bom trabalho ao aproximar todos esses grupos separados e uni-los em uma empresa só. Pagamos um preço alto até descobrirmos que a igualdade social realmente começa com a maneira como você trata o seu pessoal. Tentamos ser uma boa empresa cidadã nas áreas em que operamos. Mantemos um programa de reciclagem que não existia antes em algumas cidades. Grande parte do que fazemos, mesmo em relação à igualdade social, é motivada pelo lado ambiental. A ética ambiental permeia praticamente tudo o que fazemos.

DOIS

Cidadania Corporativa Mundial

A GLOBALIZAÇÃO DAS FINANÇAS E DA TECNOLOGIA e o poder crescente das corporações transformaram a maneira como uma empresa funciona na economia mundial. De acordo com o Fórum de Políticas Mundiais, cerca de metade das maiores cem economias do mundo são corporações mundiais. A economia do Wal-Mart é maior do que 161 países, entre eles Israel, Polônia e Grécia. A Toyota é maior do que a África do Sul, e a Mitsubishi é maior do que o quarto país mais populoso do mundo — a Indonésia. Essas corporações mundiais têm influência sobre a vida de milhões de pessoas em muitos países, conforme evidenciado pela crescente preocupação pública com a responsabilidade corporativa em relação aos direitos humanos, segurança no local de trabalho, salários dignos e proteção ao meio ambiente. A história assistiu a diversas ondas de globalização desde que exploradores da China, no século XIV, visitaram pacificamente outros países asiáticos. Posteriormente, os europeus colonizaram agressivamente a África e as Américas. Conforme discuti em *Beyond Globalization** (1999), a atual globalização de tecnologias e mercados desregulamentados, privatizações, livre comércio e câmbio de funcionamento ininterrupto acelerou os processos da mudança mundial. O novo "cassino mundial" dos mercados financeiros desregulamentados ultrapassou a política e a soberania nacionais e as leis internacionais. Os esforços para criar padrões mundiais para locais de trabalho, direitos humanos e administração ambiental ainda estão muitas décadas atrasados.

---

* *Além da Globalização*, publicado pela Editora Cultrix, São Paulo, 2003.

O dr. Michael Dorsey, professor de Estudos Ambientais do Dartmouth College, resume da seguinte maneira essas questões: "Na sua imensa maioria, o crime corporativo número um, que mais se destaca, é contra o meio ambiente. Podemos trabalhar em duas frentes para estimular a responsabilidade corporativa. A primeira é considerar a responsabilidade social corporativa, trabalhando com estratégias de ativismo dos acionistas. Essa atividade traz à tona determinadas exigências éticas e morais para compelir as empresas a serem boas cidadãs, a obedecer a lei. A outra ação que realmente precisamos pôr em prática é nos concentrar no crime corporativo — isso acontece com muita freqüência nos Estados Unidos: Eliot Spitzer, de Nova York, realmente tem feito uma boa pressão com relação a esse problema! Quando falamos sobre crime corporativo estamos nos referindo simplesmente a empresas que admitem a própria culpa em relação às acusações que fizemos contra elas e/ou pagam multas que aplicamos sobre elas". Empresas de auditoria também estão ligadas a quatro empresas mundiais de contabilidade atualmente dominantes.

> Alexis de Tocqueville advertiu que, desde a sua fase inicial, os Estados Unidos continham as sementes de "uma aristocracia manufatureira". Quando as empresas se consolidaram em enormes "trustes", buscando monopólios, elas começaram a dominar o Congresso com o seu poder econômico.

A onda recente de crimes corporativos nos Estados Unidos e na Europa tem origens sistêmicas profundas. Alexis de Tocqueville, no seu famoso estudo da fase inicial dos Estados Unidos, *Democracy in America* (1835), advertiu que o país continha as sementes de "uma aristocracia manufatureira". Os estatutos corporativos eram concedidos pelos estados e se contradiziam, com as empresas exigindo cada vez menos regulamentação e fiscalização. Quando as empresas se consolidaram em enormes "trustes", buscando monopólios, elas começaram a dominar o Congresso com o seu poder econômico. Em 1886, a Corte Suprema americana decretou que as corporações eram como pessoas físicas, desfrutando de todos os direitos dos cidadãos — mas com poucas das responsabilidades. Como mencionado, as faculdades de administração também têm a sua parcela de culpa, uma vez que os seus currículos reforçam esses pontos de vista e ensinam uma economia ortodoxa, que permite que as empresas considerem como externalidades os custos sociais e ambientais. Dentro desse mo-

58 | MERCADO ÉTICO

delo jurídico vigente, exige-se que os líderes das empresas maximizem o retorno aos acionistas, sob o risco de ficarem eles próprios desempregados. No entanto, conforme discutimos no capítulo 9, essa norma de maximização está mudando para incluir outros grupos de interesses e, a longo prazo, o contexto agora mundial. Muitas corporações ainda brigam para impedir esse avanço, como fizeram os setores de carvão mineral e de petróleo ao negar o aquecimento global. Já os grupos civis aumentam a pressão lançando campanhas nos meios de comunicação e monitorando os impactos sociais e ambientais em centenas de websites e blogs da Internet — exigindo a revisão dos estatutos das empresas e o fim da proteção à responsabilidade limitada.

Os percalços financeiros das grandes empresas não afetam apenas os acionistas dos países em que elas são sediadas, mas também os funcionários com planos de previdência privada oferecidos pela empresa ou com fundos de pensão, a quem chamamos de investidores involuntários. Os sindicatos estão se tornando mais atuantes internacionalmente em muitas questões, inclusive o trabalho infantil — e cada vez mais exercem pressão sobre as empresas em que investem por meio dos planos de aposentadoria. Rich Ferlauto, diretor de Política de Investimento da AFSCME, a American Federation of State, County, and Municipal Employees, o maior sindicato do funcionalismo público dos Estados Unidos, está empenhado em assegurar que fiascos semelhantes aos da Enron não desapareçam com as poupanças que as pessoas economizaram com muito esforço. Ferlauto afirma: "Temos 1,5 milhão de filiados que são funcionários públicos. Eles trabalham para os governos estaduais e municipais, como bibliotecários, escriturários em repartições públicas e departamentos ambientais que oferecem atendimento ao público. A aposentadoria deles é investida em sistemas de pensão pública, municipal e estadual, em todo o país. Se conseguirmos canalizar efetivamente não só os 2,7 trilhões de dólares no sistema público de pensão, mas os 6 trilhões de dólares em capital dos trabalhadores — todos os ativos de aposentadoria dos trabalhadores que estão organizados de algum modo —, então poderemos exercer uma influência enorme sobre os mercados". Rich acrescenta que: "Os fundos dos nossos filiados são, basicamente, responsáveis por tudo — são proprietários universais. Qualquer benefício que uma empresa obtivesse com o aquecimento global, por exemplo, teria conseqüências sobre a agricultura; a poluição da costa da Califórnia acaba com o setor de turismo. Tudo está interligado. Neste momento, o maior grupo de capital de investimento acha-se entre os investidores institucionais e os fundos de pensão. Assim, durante os últimos vinte anos, procurei descobrir das mais variadas maneiras como o capital dos fundos de pensão pode ser usado não só para garantir a aposentadoria mas também para produzir bens sociais e econômicos.

Rich Ferlauto
AFSCME

Um novo debate sobre as responsabilidades das corporações já levou o assunto para além da visão antiga de que a única obrigação da administração é maximizar o retorno aos investidores. The Economist publicou a sua visão ortodoxa sobre "A Boa Empresa" ("The Good Company", 22 de janeiro de 2005), reiterando que a empresa deve se ater a maximizar o retorno aos acionistas. O Wall Street Journal (dezembro de 2005) entrou na liça com o seu debate de dezessete páginas: "Preocupações Sociais Corporativas: Sinal de Boa Cidadania ou Desperdício para os Investidores? ("Corporate Social Concerns: Are They Good Citizenship or a Rip-Off for Investors?"), entre representantes da General Electric, do Competitive Enterprise Institute e do grupo de utilidade pública Rainforest Action Network. Essas duas publicações voltadas para o mercado receberam opiniões semelhantes dos seus leitores. As pesquisas do The Economist entre CEOs revelou que mais de dois terços acreditavam que a boa cidadania corporativa é um bem para a empresa, ao passo que o Wall Street Journal, em uma pesquisa entre os leitores sobre a repercussão do debate em 9 de janeiro de 2006, constatou que 77% achavam que as preocupações sociais eram em parte ou muito importantes para as empresas. Não só os conservadores ferrenhos da economia estão batendo em retirada, mas também muitas empresas que adotam a responsabilidade social corporativa, entre as 100 Corporações Mais Sustentáveis (de um grupo de 2.000 classificadas pela consultoria Innovest Strategic Value Advisors) também estão endossando as Metas de Desenvolvimento para o Milênio das Nações Unidas, de 2000, para reduzir a pobreza, erradicar a fome e melhorar a saúde e a educação. Alisa Gravitz, diretora-executiva da Co-op America, sediada em Washington, DC, publica anualmente o catálogo *Green Pages*, que inclui as empresas menos poluidoras, mais preocupadas com a ecologia e o meio ambiente, e mais responsáveis. Alisa, que também participa da direção do Social Investment Forum, afirma: "Se você possui ações de uma empresa, então conhece todas aquelas procurações de voto que recebe pelo correio. Observe-as com cuidado, porque muitas delas contêm, na cédula de votação para a qual você está qualificado, o que chamamos de resoluções de controle social e ambiental dos acionistas sobre a corporação. Se, por exemplo, uma empresa como a Exxon Mobil perguntar na sua

Alisa Gravitz
Co-op America

procuração: 'Você acredita que esta empresa deve reduzir a poluição que influi na mudança climática e investir em energia renovável?' A sua vontade é responder: 'Sim, acredito!' E você quer votar para que aconteça essa mudança na empresa. Outra maneira pela qual você pode participar é investindo em fundos mútuos socialmente responsáveis, porque uma das vantagens dos fundos socialmente responsáveis é que eles são acionistas atuantes no seu nome. E você pode descobrir em que medida os fundos mútuos são socialmente responsáveis no nosso website, www.socialinvest.org. E o que essas empresas, os fundos mútuos socialmente responsáveis, fazem por você é que elas se reúnem com todas as empresas das suas carteiras de ações e fazem as perguntas difíceis, exigem que as empresas aprimorem continuamente o seu desempenho social e ambientalmente responsável".

  O dr. Simon Zadek, diretor-executivo da ONG britânica Account Ability, destacada associação internacional para a promoção da responsabilidade entre as empresas, o governo e a sociedade civil, é um líder mundial em termos de responsabilidade corporativa. O dr. Zadek fala sobre o que significa para as corporações manter-se responsáveis. "Existem algumas marcas que a maioria de nós conhece e adora, ou às vezes adora odiar — as do tipo Nike, GAP, Liz Claiborne, Sarah Lee e assim por diante —, embora seja sempre possível encontrar problemas em qualquer cadeia de abastecimento grande e dispersa, se considerarmos apenas a pergunta: 'A vida das pessoas melhorou?' Acho que a resposta em muitos casos poderia ser *Sim*. Ninguém imaginaria, no ano de 1988, que, quinze ou vinte anos depois, toda empresa de marca na área de têxteis, vestuário e sapatos realmente teria uma quantidade maior ou menor de códigos de conduta sob a influência da Organização Internacional do Trabalho e centenas de milhares de trabalhadores em todo o mundo. Assim, quer você considere esses padrões, quer os direitos humanos nos setores do petróleo e da energia, os problemas relativos ao preço dos medicamentos ou, mais recentemente, à obesidade, ou ao modo como o setor financeiro está sendo gradualmente pressionado a reavaliar a base sobre a qual investe, verá que realmente foram quinze anos extraordinários". Ainda assim, esse progresso deve ser expandido enormemente, monitorado e regulamentado por novos acordos internacionais, tratados e um novo arcabouço financeiro mundial, para supervisionar os mercados de capitais desregulamentados que atualmente desestabilizam o conjunto dos países, conforme mostrado em *Além da Globalização* (1999).

Os investimentos socialmente responsáveis ganharam impulso no cenário internacional e se avolumaram depois que a canadense Elizabeth Dowdswell, ex-chefe do Programa Ambiental das Nações Unidas, lançou a sua Iniciativa Financeira na década de 1990. A dra. Dowdswell reuniu-se pacientemente com líderes de bancos, financeiras e administradoras de ativos de todo o mundo, ajudando-os a compreender os novos riscos e benefícios financeiros para si mesmos e para as empresas constantes das suas carteiras de ações. Esse programa pioneiro foi um impulso fundamental quando os financiadores começaram a pressionar as empresas de sua propriedade a assumir mais responsabilidade ambiental (www.unepfi.org). O Conselho Empresarial Mundial para o Desenvolvimento Sustentável, lançado na Reunião de Cúpula da Terra, em 1992, também influenciou as empresas participantes com estudos sobre como a eficiência ecológica no uso da energia e métodos de produção poderiam aumentar a lucratividade. Essa lição é agora um lugar-comum, conforme relatamos ao longo deste livro. A corporação convertida mais recentemente foi a General Electric, cujo novo presidente, Jeffrey Immelt, lançou a iniciativa Ecomagination da GE, uma idéia de Lorraine Bolsinger, engenheira-chefe da Ecomagination, gerenciada por Beth Comstock, diretora de marketing. Até mesmo o Wal-Mart, tentando salvar tanto uma imagem desgastada quanto um balanço vulnerável, lançou o seu auspicioso Sustainable Wal-Mart. Relatórios volumosos documentam atualmente milhares dessas histórias de preocupação ambiental entre as empresas, incluindo o livro *Capitalismo Natural*, produzido em co-autoria por L. Hunter Lovins, Amory Lovins e Paul Hawken. Tudo isso levou o secretário-geral das Nações Unidas a lançar o programa Pacto Mundial, em 2000, que incentiva as empresas a se comprometerem com dez princípios de boa cidadania corporativa. De início, o Pacto não exigia nem monitorava o cumprimento por parte das empresas que o assinaram, até que as apresentei ao Calvert Group, que agora disponibiliza a todos as suas pesquisas de auditoria. No entanto, os grupos civis de vigilância organizada, incluindo a Corpwatch.org e a GlobalExchange.org, usaram rápida e eficazmente o seu poder de influência para conseguir mudanças. As empresas atualmente são monitoradas e as que permanecem recalcitrantes são afastadas do programa Pacto Mundial. Assim como acontece com mudanças paradigmáticas radicais, persistem as anomalias. O próprio fundo de pensão das Nações Unidas muitas vezes ignora os princípios do Pacto Mundial, ao investir os seus 29 bilhões de dólares em ativos. Muitas empresas da sua carteira de ações, como a Exxon, a Rio Tinto, a Anglo-American e outras mineradoras, assim como a Archer Daniels Midland e o Wal-Mart, são evitadas pela maioria dos fundos socialmente responsáveis, conforme relatado pela Bloomberg (31 de outubro de 2005).

Jane Nelson
Co-autora, *Profits with Principles*

Jane Nelson, co-autora de *Profits with Principles* (2004), uma colaboradora do Fórum de Líderes Empresarias do Príncipe de Gales e ex-banqueira, ainda tem esperanças: "Acho que as Nações Unidas criam contextos viáveis dentro dos quais os negócios acontecem em bases globais e possibilitam que as empresas atuem em âmbito mundial. Acho que o segundo papel decisivo das Nações Unidas é estabelecer normas mundiais para os governos. Os dez princípios do programa Pacto Mundial das Nações Unidas, desde as normas e convenções já aprovadas sobre o trabalho, os direitos humanos, o meio ambiente, e contra a corrupção, aplicam-se ao setor empresarial. Qualquer empresa pode adotar esses dez princípios na sua esfera de influência, princípios esses que foram aprovados por praticamente todos os estados-membros das Nações Unidas, todos os governos do mundo". Georg Kell, diretor-executivo do Pacto Mundial, explica melhor: "O Pacto Mundial baseia-se no diálogo, no aprendizado e em projetos de parceria, e é por meio da repercussão das boas práticas que esperamos levar as empresas a adotar os princípios do Pacto Mundial. Analistas financeiros de todas as partes do mundo valorizam cada vez mais os métodos baseados em princípios proativos. Quando os mercados financeiros perceberem que vale a pena adotar esses princípios, então acho que atingimos a nossa meta. No caso, estamos falando de fato de princípios universais cuja implementação precisa ser aprovada pela sociedade como um todo". Kell defende, portanto, o Fundo de Pensão das Nações Unidas ao admitir que as Nações Unidas nunca podem forçar a implementação, "mesmo se tivéssemos mais de mil analistas à nossa disposição". Debra Dunn, ex-vice-presidente sênior da Hewlett Packard, que se inclui entre os primeiros signatários, acrescenta: "Acho que o Pacto Mundial nos proporciona oportunidades excepcionais para fazer um progresso importante em setores que irão determinar que tipo de lugar será este planeta nos próximos dez ou vinte anos".

Georg Kell
Pacto Mundial das Nações Unidas

Jane Nelson salienta algumas questões fundamentais: "Acho que uma parte considerável do debate sobre a empresa responsável tende a dividir-se em duas questões: Isso é regulamentação? Ou é voluntário? Ambas têm os seus prós e contras, e ambas têm a sua função. Acho que precisamos realmente elevar a base de determinadas regulamentações neste país e, sem dúvida nenhuma, internacionalmente. Mas acho que, para fazer isso, os governos têm inúmeros outros meios à sua disposição, sobre os quais muito provavelmente não estamos pensando com criatividade suficiente. O governo britânico aprovou uma regulamentação para os fundos de pensão exigindo que todos os depositários desses fundos declarem se levam em conta as questões sociais e ambientais quando selecionam os gerenciadores dos seus fundos e quando escolhem as ações. Não se trata de dizer que você precisa levar isso em conta. Apenas se diz que você precisa revelar se faz isso ou não. Esse procedimento por si só tem conseguido que os depositários de fundos de pensão ao menos pensem sobre as questões e conversem com os gerentes dos seus fundos — você sabe: 'Como estamos considerando essas questões...' etc.?"

Na realidade, essa norma britânica tornou-se parte das exigências da União Européia e transformou bilhões de dólares de ativos em carteiras de ações socialmente referendadas, conforme trataram as conferências sobre o Resultado Final Tríplice apresentadas na BrooklynBridge.org, com sede em Amsterdã. Hoje em dia, os fundos de pensão, que representam mais de 3 trilhões de dólares, são os maiores ativistas em matéria de mudança climática, anunciando publicamente que, se as empresas das suas carteiras de ações não forem transparentes quanto aos riscos climáticos que provocam e os seus planos para diminuí-los, poderão ser eliminadas desses planos de aposentadoria. A grande resseguradora Swiss Re começou a mudar a sua carteira de ações em 1993, passando a substituir as empresas que utilizam combustíveis fósseis para as que usam energia renovável.

A consultoria Innovest Strategic Value Advisors (www.innovestgroup.com) publicou um relatório que documenta como a responsabilidade corporativa e os investimentos socialmente responsáveis po-

> Acho que uma parte considerável do debate sobre a empresa responsável tende a dividir-se em duas questões: Isso é regulamentação? Ou é voluntário? Ambas têm os seus prós e contras, e ambas têm a sua função. Acho que precisamos realmente elevar a base de determinadas regulamentações neste país e, sem dúvida nenhuma, internacionalmente.

dem melhorar o desempenho de uma empresa. Hewson Baltzell, co-fundador da Innovest e analista de entrevistados do programa *Ethical Markets*, explica que, com as novas análises da Innovest sobre os riscos sociais, ambientais e éticos com que as corporações atualmente se deparam, as empresas que diminuíram esses riscos na verdade aumentaram o seu desempenho financeiro. "Na Innovest, classificamos as empresas que atuam com base em questões de sustentabilidade, assim como as questões ambientais e sociais, e aplicamos esses índices de classificação às carteiras de ações. Em nome de um fundo público de pensão da Califórnia, fizemos uma simulação usando a carteira de ações dele, ou seja, as carteiras de ações dos próprios gerentes de ativos desse fundo. Nesse relatório, consideramos cinco desses gerentes, cada um deles com um estilo diferente — limite amplo, crescimento, holdings corporativas de limite amplo, mundial etc. Essa simulação começou em 2002 e prosseguiu até 2004, considerando as carteiras de ações reais que foram criadas por esses gerentes no início de cada trimestre. Pegávamos a carteira de ações, aplicávamos os nossos índices de classificação e comprávamos mais das empresas que tinham um índice superior na Innovest e menos das empresas que apresentavam uma classificação inferior na Innovest, atribuindo assim, basicamente, peso maior às que achávamos que apresentariam melhor desempenho. Depois de três anos, concluímos que as nossas informações deram resultados positivos em cada uma dessas cinco carteiras de ações. Em outras palavras, as nossas informações realmente resultaram em um desempenho superior e retornos maiores sobre o investimento."

Promover a ética em relação à Terra é sempre uma boa decisão empresarial. A lucratividade de uma corporação depende do seu relacionamento com as comunidades locais e mundiais. Mallen Baker, da organização britânica Business in the Community, explica: "As empresas influenciam as comunidades de todas as maneiras possíveis, e a mais óbvia é o fato de gerarem empregos. Os empregados trabalham e vivem nessas comunidades, e um pouco dessa riqueza quem sabe chega até elas. Quando investem em uma comunidade, as empresas visam, em grande parte, melhorar a saúde da comunidade, as escolas, os hospitais e assim por diante. São muitas as razões que as levam a fazer isso, mas a principal é o fato de que os seus funcionários, os quais as empresas têm muito interesse em manter, moram na comunidade. Eles vão continuar na empresa se virem que ela se preocupa com a comunidade e, depois, se a comunidade for um lugar onde gostariam de criar os filhos. A Business in the Community, um movimento envolvendo 750 empresas, comprometeu-se com a responsabilidade corporativa 22 anos atrás, quando houve tumultos nas cidades do interior do Reino Unido. Um grupo de altos executivos reuniu-se e concluiu que era preciso investir na saúde da comunidade em que atuavam para que os seus negócios fossem igualmente saudáveis. Nessa ocasião, a Business in the Community concentrava-se em conseguir recursos nas empresas para promover a regeneração econômica das comunidades. Desde essa época, o grupo se ampliou para abranger todos os diferentes aspectos da responsabilidade social corporativa". Os britânicos inovaram o empreendedorismo social com uma nova lei para incentivar empresas com missões sociais e ambientais (*The Economist,* 26 de novembro de 2005).

Os contadores passaram a usar métodos de análise baseados nos novos parâmetros do resultado final tríplice, por meio da Global Reporting Initiative, conforme comenta a presidente da GRI, a dra. Judy Henderson (capítulo 1): "A Global Reporting Initiative é atualmente reconhecida como um modelo para o informe da sustentabilidade em nível internacional. Dez anos atrás, a relação da governança corporativa com a geração de valores de longo prazo não era sequer imaginada. Agora, depois da Enron e da WorldCom, ninguém questiona o fato de que a boa governança corporativa está relacionada aos valores de longo prazo dos acionistas. Acredito que, no futuro, o desempenho da sustentabilidade estará exatamente na mesma posição e ninguém discutirá o fato de que o bom desempenho

Mallen Baker
Business in the Community, GB

sustentável por parte das empresas está relacionado à geração de valores de longo prazo para os seus acionistas e a sua comunidade".

Até mesmo o Fórum Econômico Mundial, que reúne regularmente líderes de corporações e chefes de estado em Davos, na Suíça, aliou-se ao movimento em torno da responsabilidade corporativa em 2005, promovendo as "100 Empresas Mais Sustentáveis do Mundo" (www.global100.org), mencionadas anteriormente. Essa lista ainda provoca ceticismo entre os grupos de vigilância civis. Enquanto isso, o Brasil, a décima maior economia do mundo, tem a sua própria organização pioneira, fundada por Oded Grajew — empreendedor brasileiro e fundador do Instituto Ethos de Empresas e Responsabilidade Social, de cujo conselho consultivo participo (www.ethos.org.br). Oded foi um dos idealizadores do Fórum Social Mundial, criado para contrabalançar o modelo de globalização corporativa desenvolvido no Fórum Econômico Mundial de Davos. Ele explica: "A missão do Ethos é mobilizar e sensibilizar as empresas a gerir os seus negócios de maneira socialmente responsável, tornando-as parceiras na construção de uma sociedade sustentável e justa. Somos uma organização sem fins lucrativos. Depois de seis anos da criação do Ethos, já temos mais de 940 empresas associadas, cujo faturamento anual representa mais ou menos 33% do PIB brasileiro. É preciso mudar. O nosso futuro será decidido nos próximos anos — o nosso futuro e certamente o futuro dos nossos filhos. Trabalhamos para criar um ambiente que faça pressão ou ajude as empresas a ser mais responsáveis socialmente. Fazemos um trabalho junto aos meios de comunicação para apoiar as boas práticas e criticar as empresas que não são socialmente responsáveis. Fazemos um trabalho junto aos consumidores e criamos outra ONG no Brasil — a AKATU — para promover o consumo socialmente responsável. Fazemos um trabalho junto às universidades e tentamos implementar a responsabilidade social no currículo".

Oded Grajew
Instituto Ethos, Brasil

Atualmente, a educação desempenha um papel ainda mais importante no desenvolvimento de práticas de gestão sustentáveis. E cada vez mais, as melhores escolas de administração oferecem cursos sobre responsabilidade corporativa, social e ambiental, incluindo a Amana-Key Desenvolvimento e Educação, do

Brasil; a Case Western University, com o curso sobre As Empresas como Agentes de Benefícios para o Mundo; a Presidio School of Management, com um MBA em Administração Sustentável; o Programa de Empreendimentos Mundiais Sustentáveis, da Cornell University; o Laboratório de Aprendizado da Base da Pirâmide, da University of North Carolina; o Programa de Administração Ambiental Corporativo, da University of Michigan; o Centro Universitário de Boston para a Cidadania Corporativa; o Centro Universitário Bentley para Ética Comercial; o Brainbridge Institute, nos Estados Unidos, e outros na Europa, no Japão e na China.

Jane Nelson também dirige a Corporate Social Responsibility Initiative, na Kennedy School of Government, em Harvard — e não na Harvard Business School, que ainda é conservadora em relação a esses assuntos. Jane diz: "O que estamos planejando é lançar um programa que funcione tanto para os estudantes quanto para as empresas, a faculdade e os acadêmicos, para realmente começar uma nova discussão sobre a função da empresa na sociedade e a função pública que o setor privado desempenha. Assim, o programa, embora sediado na School of Government, é aplicado em vários centros em toda a faculdade — o Centro de Liderança Pública, o Centro Harvard de Instituições Sem Fins Lucrativos, o Centro de Negócios e Governo, o Centro Schoenstein de Imprensa, Política e Políticas Públicas —, e achamos que ele tem um papel importante a desempenhar nesse campo como um todo. Hoje em dia, um número cada vez maior de executivos diz que os jovens fazem perguntas importantes. Qual é a política da empresa com relação à responsabilidade corporativa? O que a empresa está fazendo quanto a essas questões sociais e ambientais? Conforme veremos, os melhores talentos saídos das melhores universidades do mundo fazem essas perguntas cada vez com mais freqüência quando entrevistados para um emprego". Os grupos estudantis, incluindo o Net Impact.org e o AISEC.org, com sede em Bruxelas, pertencem a uma nova geração que se preocupa com essas questões e exige que as corporações mudem o seu modo de proceder.

> Hoje em dia, um número cada vez maior de executivos diz que os jovens fazem perguntas importantes. Qual é a política da empresa com relação à responsabilidade corporativa? O que a empresa está fazendo quanto a essas questões sociais e ambientais?

Portanto, são muitas as evidências de que as corporações podem ser melhores cidadãs — e oferecer bons retornos financeiros. Centenas de estudos mostram atualmente que as empresas "agem bem sendo úteis". A maioria concorda que essa é a marca registrada da boa administração. Os índices das ações de empresas socialmente responsáveis superam o Dow Jones e os índices da Standard & Poor. *The Economist* e outros recalcitrantes ainda ridicularizam a responsabilidade social corporativa como se ela não passasse de relações públicas. Estranhamente, eles apóiam críticos do próprio capitalismo. Eles estão do lado errado da história. As empresas que maximizam os lucros para os acionistas geralmente fazem mal às outras pessoas e ao meio ambiente, e a obtenção de lucros a curto prazo geralmente reduz os retornos a longo prazo. Muitas tendências deste novo século estão reforçando a mudança atual rumo a uma cidadania corporativa melhor, mas melhores padrões mundiais e obrigações em todos os níveis ainda são necessários.

As comunicações mundiais e os mercados financeiros funcionando ininterruptamente todos os dias promoveram o nascimento da nova superpotência mundial: a opinião pública. Nomes de marcas de bilhões de dólares e os preços das ações podem ser desvalorizados em tempo real. Milhões de investidores, funcionários, consumidores e grupos religiosos humanitários conscientes e ligados no mundo todo desafiam os líderes empresariais e governamentais a servir aos interesses públicos. Eles propõem um trabalho mais justo e a regulamentação do comércio; proteção aos direitos humanos e ao meio ambiente. A democracia espalha-se por todo o mundo. Apesar dos fracassos no Iraque, a Freedom House define atualmente 86 países como democracias livres. A WorldAudit.org coloca os Estados Unidos no 15º lugar na classificação democrática — atrás de Finlândia, Dinamarca, Nova Zelândia, Suécia, Suíça, Noruega, Holanda, Austrália, Reino Unido, Canadá, Áustria, Alemanha, Bélgica e Irlanda. Os governos e as corporações estão reagindo. Líderes competiram para fazer donativos às vítimas do *tsunami* na Ásia. Muitos enfrentam de maneira cooperativa os problemas e oportunidades mundiais atu-

> As corporações podem ser melhores cidadãs — e oferecer bons retornos financeiros. Centenas de estudos mostram atualmente que as empresas "agem bem sendo úteis".

ais — oferecer tratamento de saúde, recuperação ambiental, ajuda humanitária e apoio à manutenção da paz. Por exemplo, as Câmaras de Comércio de Los Angeles e de San Francisco colheram 600.000 assinaturas em favor da Proposição 82 em 2006, para levantar 2,4 bilhões de dólares por ano entre 1% das pessoas mais ricas da Califórnia com a finalidade de financiar o ensino pré-escolar para todas as crianças (*Business Week*, 27 de março de 2006). Infelizmente, essa proposição foi rejeitada pelos eleitores. No entanto, a filantropia vem subindo a novos níveis, liderada pela fortuna de Bill e Melinda Gates, da Microsoft; Warren Buffet, da Berkshire Hathaway; Ted Turner, fundador da CNN, e foi muito mais encorajada pela Iniciativa Global do ex-presidente Bill Clinton. Os Estados Unidos também assinaram as Metas para o Desenvolvimento do Milênio, para reduzir a pobreza e promover a educação, e um grupo de empresas brasileiras agora as promovem com uma campanha publicitária sobre "8 maneiras de mudar o mundo!" Mais de 3.000 corporações assinaram o Pacto Mundial sobre a boa cidadania corporativa, enquanto mil passaram a aplicar os novos padrões de contabilidade da Global Report Initiative. As empresas que colocaram esses objetivos em mira posicionam-se para prosperar e criar milhões de empregos, ajudando a construir uma economia mundial que seja boa para todo mundo.

MESA-REDONDA
A HORA DA VERDADE

Simran Sethi

O maior desafio às corporações é o da pobreza no mundo e o aumento da lacuna entre ricos e pobres internamente e entre os países. A meta é saber como servir a esses 2 bilhões de seres humanos da base da pirâmide de renda que ainda ganham menos de 2 dólares por dia. Simran Sethi recebeu Alex Counts, presidente da Grameen Foundation, dos Estados Unidos, juntamente com Alice Tepper-Marlin, analista de entrevistados do programa *Ethical Markers* e presidente da Social Accountability International, para tentar esclarecer como as microfinanças e o microcrédito podem conferir mais autonomia e capacidade de ação aos pobres.

Alex Counts

Alice Tepper-Marlin

Alex Counts: O que a Grameen Foundation, nos Estados Unidos, faz é diminuir as principais limitações com que se deparam os pobres em geral. Considerando os países do Terceiro Mundo, os pobres em grande maioria não têm emprego, portanto precisam criar o próprio trabalho à frente de pequenos negócios. Esses pequenos negócios nem sequer se parecem com empresas como as consideramos, mas criar galinhas e vendê-las na feira ou no mercado toda semana. Esses negócios são terrivelmente descapitalizados, ineficientes... as pessoas precisam trabalhar dia e noite para ganhar alguns trocados. Assim, oferecendo-lhes um empréstimo sob condições razoáveis — as mesmas condições que um homem de negócios teria — e em montantes que possam administrar, como 50 ou 100 dólares, de repente elas têm a possibilidade de aumentar os seus lucros e começar a sair da pobreza. Em Bangladesh, essa estratégia criou todo um setor de serviços financeiros para atender aos pobres. Centenas de milhares de pessoas saíram da pobreza e o que estamos tentando fazer é disseminar esse modelo para outros países em todo o mundo.

Alice Tepper-Marlin: Que tipo de diferença isso faz para quem pede o empréstimo? Em um país típico, se uma pessoa assim procura um banco, quanto pagaria ou, se tomasse um empréstimo em um desses programas de microcrédito, quanto teria de pagar?

Alex: Eu morei em Bangladesh durante seis anos — dois anos em uma única aldeia. O que se vê é que, se uma pessoa sem recursos procura um banco, o seu crédito quase sempre é recusado. As pessoas pressupõem que os pobres vão lá para pedir ou para aborrecer, então praticamente os enxotam. Quando conseguem ser aceitos, talvez paguem 15% de juros, que é o tipo de taxa comercial em Bangladesh, mais outros 20% como uma propina para obter o empréstimo, portanto esse empréstimo sai muito caro. Tomam-se empréstimos de um agiota, que é muito eficiente — o agiota fornece o dinheiro, mas, às vezes, exige até 10% de juros por semana. Basicamente, os programas de microcrédito tentam emprestar com a eficiência do agiota, mas a uma taxa com que os bancos deveriam trabalhar — a taxa comercial, de 15%. Mas isso depende do país e de qual a sua taxa de inflação.

Alice: Qual a taxa de reembolso dos empréstimos e como ela se compara, digamos, ao empréstimo bancário?

Alex: Em Bangladesh, a taxa de inadimplência nos empréstimos ao consumidor fica entre 7 a 10%. Se você observar os empréstimos para a agricultura nesse país, a taxa de inadimplência é de 60%. A história de que pobre é preguiçoso é um mito. No entanto, a realidade é que os pobres trabalham muito mas não conseguem colher os benefícios do próprio trabalho. Com a experiência deles, se você incluí-los em um sistema em que sejam de fato apoiados pelos seus pares e mantidos responsáveis por outras mulheres da aldeia por meio do sistema de microempréstimos nas suas muitas variações, as taxas de inadimplência caem quase totalmente abaixo dos 4%. Estamos tentando levantar fundos para oferecer o capital de que esses programas precisam para emprestar aos pobres. É impressionante como, com 100, 125 dólares, uma família é capaz de mudar de vida. Assim, estamos tentando levantar essas quantias

entre as pessoas deste país muito privilegiado, para poder financiar esses empréstimos, e depois um empréstimo um pouco maior no ano seguinte. Também estamos tentando atrair voluntários — pessoas que tenham conhecimento, experiência bancária e em tecnologia e administração, e depois treiná-las para ajudar a aumentar o alcance desses programas. Por exemplo, conseguimos a adesão de um aposentado de Verizon que fala espanhol e queria encontrar alguma coisa para fazer na vida, e o mandamos para um programa em Chiapas, no México, o estado mais pobre do país. Ele conseguiu ajudar a reorganizar as operações locais, torná-las mais eficientes, e realmente emprestar aos pobres a uma taxa de juros menor.

Simran Sethi: Em que setores a Grameen Foundation poderia se aprimorar ainda mais?

Alex: Estamos desenvolvendo um conjunto de medidas para aferir com que rapidez as pessoas conseguem sair da pobreza por meio de um programa de microcrédito. Precisamos tentar agrupar serviços — de saúde, educação — com os empréstimos, de modo que as pessoas possam sair da pobreza mais rapidamente. As pessoas que precisam dos empréstimos têm muitos problemas de saúde e quem dá os empréstimos também pode lhes oferecer outros benefícios. Queremos ser mais responsáveis e transparentes com relação às pessoas e instituições que nos apóiam.

TRÊS

A Economia do Amor Não-Remunerada

O DINHEIRO FIRMOU-SE como uma invenção humana fundamental, permitindo transações mais complexas e de maior alcance do que os sistemas de escambo podem proporcionar. Ao longo dos séculos, o dinheiro foi se transmutando de conchas de cauri, tabuinhas de pedra, metal (com destaque para moedas de prata e de ouro) e papel para informação pura: sinais luminosos e sonoros em centenas de milhares de telas de computadores comerciais no atual cassino mundial, onde 1,5 trilhão de dólares em valores monetários gira ao redor do planeta todos os dias. O dinheiro serve como uma unidade de troca e pode ser um repositório de valor, a menos que seja manipulado ou corroído pela inflação. Os economistas vêem o mundo através das lentes do dinheiro. Tudo tem o seu preço e as estatísticas nacionais, o PNB, os investimentos, a produtividade — tudo acompanha o dinheiro. No entanto, conforme observado anteriormente, pelo menos 50% de toda a produção, mercadorias e serviços, em todas as sociedades industriais, e até 65 a 70% em muitos países em desenvolvimento, nunca são levados em conta nas estatísticas do PNB oficial, porque não são remunerados. Esses setores não-monetários que sustentam a economia financeira são conhecidos como "economias de doação" (*gift economies*) e os pesquisadores de muitas disciplinas as estudam. O livro *The Gift,* do escritor e poeta Lewis Hyde, publicado originalmente em 1979, considera a doação como um aspecto sagrado da comunidade humana. A lingüista Genevieve Vaughan concorda, no seu livro *For-Giving: A Feminist Criticism of Exchange* (1997), concentrando-se em como as sociedades patriarcais desvalorizam o trabalho dedicado na criação dos filhos, que normalmente é relegado às mulheres e não-remunerado. Marilyn Waring, dona de uma fazenda de criação de ovelhas e a mais jovem parlamentar da Nova Zelândia, examinou as maneiras como a economia depreciou ou ignorou o trabalho das mulheres no seu livro *If Women Counted* (1989), mostrando que as contas nacionais do PNB e do PIB em todos os países que usam esses índices excluíram esse trabalho, considerando os serviços relacionados à família e o voluntarismo comunitário como não-econômicos. O livro de Ann Crittenden, *The Price of Motherhood* (2001), documenta todos os desincentivos e custos que as mulheres suportam. Até mesmo economistas convencionais estão admitindo isso. O Levy Economics Institute, do Bard College, apresentou um relatório em janeiro de 2006 sobre a sua conferência "Trabalho Não-Remunerado e a Economia", considerando sexo, pobreza e as Metas de Desenvolvimento para o Milênio (www.levy.org).

> O economista Kenneth Boulding lembra-nos do suporte moral da economia — sempre profundamente envolvida com os relacionamentos humanos. Ele apresenta três maneiras básicas pelas quais os seres humanos interagem: ameaças, trocas ou doações.

O professor Karl Polanyi, da Columbia University, foi um dos poucos economistas que estudaram as economias de doação e a sua natureza sempre sagrada no ensaio *Primitive, Archaic and Modern Economies* (1968), organizado por George Dalton. O economista Kenneth Boulding, ex-presidente da Associação Americana de Economia, também nos lembra do suporte moral da economia — sempre profundamente envolvida com os relacionamentos humanos. No seu *Beyound Economics* (1968), ele apresenta três maneiras básicas pelas quais os seres humanos interagem: ameaças, trocas ou doações. A economia convencional se considera acima das críticas — até mesmo uma ciência. Agora que os sistemas monetários são manipulados e os agentes financeiros dominam a agricultura, a indústria manufatureira e os setores públicos de países ao redor do mundo, nós nos lembramos de que as mercadorias e os serviços não-remunerados também são essenciais para a saúde e o bem-estar das pessoas, comunidades e países. Como pessoas, entendemos que o nosso tempo é tão valioso quanto o dinheiro, levando ao crescimento, na América do Norte, Europa e Japão, do que eu chamei de economias da atenção (Henderson, 1996), como também aparece no *best-seller* de Vicki Robin e Joe Dominguez (1992) *Your Money or Your Life**. Muitos economistas e outros cientistas sociais se preocuparam com o fato de que, enquanto mais mulheres entravam para o mercado de trabalho, a vida familiar e os filhos sofreriam e as taxas de natalidade cairiam. Nos países desenvolvidos, incluindo os Estados Unidos, *The Economist* descobriu que aconteceu o contrário: as taxas de fertilidade eram mais altas do que na Alemanha, na Itália e no Japão, onde menos mulheres trabalham (15 de abril de 2006). A tendência é deixar os filhos aos cuidados de babás e o trabalho doméstico ser feito por faxineiras pagas, contribuindo para o emprego de todos.

A maioria das pessoas não tem consciência de que a análise financeira e as políticas econômicas em nível estadual, local e nacional são estatísticas com base monetária que refletem apenas uma parte do espectro da produção, dos serviços, dos investimentos e das trocas nas sociedades. Os setores não-monetários igualmente importantes em muitos países que constituem, na realidade, o centro da riqueza das sociedades incluem a criação dos filhos, a atenção às famílias e às comunidades, associações de escambo e cooperativas. Eles incluem atividades voluntárias. (Nos Estados Unidos, aproximadamente 89 milhões de americanos participam de atividades voluntárias no mínimo durante cinco horas por semana.) Quando os sistemas monetários entram em crise, como aconteceu na moratória argentina em 2001, ou depois da Grande Depressão americana, quando milhares de bancos entraram em colapso, as pessoas se lembram de que podem criar a sua própria "moeda" local, associações de escambo, mercados de pulgas e sistemas de crédito comunitário para manter as trocas locais e a produção em curso. As imagens de centenas dessas moedas locais aparecem em *Depression Scrip of the United States, Canada, and Mexico*, compilado admiravelmente por Ralph A. Mitchell e Neil Shafer, e publicado independentemente pela Krause Publications, Iola, Wisconsin (1984).

Scott Burns, diretor-financeiro do *Dallas Morning News* e autor de *The Household Economy* (1977), concentra-se na família americana média e nas muitas maneiras pelas quais ela é muito mais produtiva do que a Receita Federal americana reconhece. "Escrevi *The Hou-*

---

* *Dinheiro e Vida*, publicado pela Editora Cultrix, São Paulo, 2007.

sehold Economy porque estava incomodado com o fato de que os economistas só reconheciam coisas que envolviam o trânsito do dinheiro, e de que havia outras coisas que eram econômicas, mas não eram visíveis. E descobri que o valor dos salários que se deixava de pagar às mulheres na época era maior do que os salários pagos por todas as fábricas da América. É claro que estávamos na década de 1970, e não era muito bem visto falar sobre o valor do trabalho das mulheres."

Scott Burns
Dallas Morning News

Scott observou que o tempo é mais valioso do que o dinheiro e nunca pode ser equiparado ao dinheiro, em razão do nosso tempo de vida limitado. Muitas pessoas hoje em dia optam por menos dinheiro para ter mais tempo, assim como mostram as pesquisas de Betsy Taylor (capítulo 1). Scott Burns acredita que, à medida que mais mulheres do que homens obtêm formação universitária, não é inimaginável pensar na possibilidade de termos muitas mães daqui a dez anos. "Sei que estamos falando da Economia do Amor, mas vamos falar sobre ela de modo mais amplo. Onde criamos as pessoas? O que estamos fazendo com as famílias e com os lares é esvaziá-los. Temos ouvido falar do esvaziamento das fábricas, em que a empresa ainda existe, mas o produto é fabricado em outro lugar. À medida que nos monetarizamos cada vez mais e desvalorizamos o processo de criação dos filhos que acontece dentro das famílias, estamos esvaziando esse instrumento essencial de manutenção da cultura para a próxima geração."

A obra mais recente de Scott preocupa-se com as imensas mudanças demográficas ocorridas atualmente nos Estados Unidos, na Europa e no Japão, à medida que as populações envelheçem. Uma questão que tem despertado muita apreensão nos Estados Unidos é se a seguridade social, as pensões e os sistemas de aposentadoria sustentarão adequadamente as populações envelhecidas. Scott é mais esperançoso quanto a essa questão: "Continuamos falando sobre a aposentadoria dos 77 milhões de pessoas nascidas no período de grande natalidade, após a Segunda Guerra Mundial, como se fosse um gigantesco desastre e, quando você observa esse fato sob a luz da economia monetária, ele é de fato um desastre. No entanto, há um enorme 'copo meio cheio' nesse caso. Um total de 77 milhões de pessoas vai se aposentar — e se essas pessoas fizessem outra coisa? E se elas disserem que pretendem se reinventar, não se aposentar? E se elas constituíssem uma Associação Americana de Pessoas Reinventadas? Setenta e sete milhões de pessoas poderiam fazer trabalho voluntário em escolas, abrigos de idosos e outros lugares. Há todo um potencial econômico à espera". Por sorte, alguns economistas ortodoxos pararam de proferir os seus maus presságios à medida que aposentados saudáveis e bem-dispostos encontraram uma nova carreira e uma nova razão de viver em todos os tipos de serviço voluntário junto à comunidade. A atual confusão na aposentadoria nos Estados Unidos envolve uma transferência despropositada por parte das empresas das suas obrigações da aposentadoria para os contribuintes, uma mudança que afundou a agência federal Pension Benefit Guaranty Corporation, sob o peso dos 87 bilhões de dólares dessas obrigações para os próximos dez anos. Ao contrário das funestas previsões de muitos economistas, depois da idade da aposentadoria, as pessoas estão vivendo uma vida mais longa e saudável, e preferindo se dedicar a trabalhos voluntários. A reportagem de capa da revista *Business Week* intitulada "Ame Essa Geração" ("Love Those Boomers", 24 de outubro de 2005) considera essa gente como 77 milhões de pessoas essenciais — 27,5% da população americana, com 2,1 trilhões de dólares em poder de compra anual, muitas das quais vêm encontrando um novo gosto pela vida e novas oportunidades para prestar serviços às suas comunidades.

Rebecca Adamson
First Nations Development Institute

Rebecca Adamson, fundadora do First Nations Development Institute, em Fredericksburg, na Virgínia, entende tanto de Economia do Amor quanto de economia monetária e encontrou muitas maneiras criativas de religá-las para um desenvolvimento mais saudável da comunidade. Rebecca observa: "Dentro de todas as sociedades tradicionais existe, na verdade, um sentido de suficiência (...), do vilarejo mais remoto no Alasca até o mais longínquo acampamento *sami*. Estive em lugares em que se come basicamente o que se caça. Os castores se acasalam para a vida inteira, e uma vez estávamos em um vilarejo e um dos colegas atirou em um castor. Nós o assamos e estávamos comendo quando a fêmea apareceu à procura dele. Num momento desses, aprendemos a ter mais respeito pela vida que tiramos para sobreviver do que por qualquer tipo de demonstração de gratidão. Mas, enquanto a fêmea procurava pelo parceiro, um dos rapazes pegou uma arma, disposto a acertá-la. Todos os anciãos da aldeia protestaram: 'Não, já temos o suficiente!' E esse é um princípio absolutamente operacional que eu chamei de suficiência. Acho que há uma sabedoria em todas essas sociedades que se sustentaram ao longo de gerações e gerações por 20, 30, 40 mil anos, com um princípio sustentável que eu não hesitaria em chamar de suficiência". Rebecca ajudou a criar o The Lakota Fund, que liga investidores e doadores a comunidades indígenas americanas em redes de relacionamentos e trocas mutuamente benéficas. Ela diz: "Podemos fazer isso. Eu sei que a economia das comunidades pode voltar a usar esses princípios antigos e ligar o capital à comunidade".

Riane Eisler
Center for Partnership Studies

A cientista social Riane Eisler, autora de *The Chalice and the Blade* (1987) e de *The Power of Partnership* (2002), também se preocupa com os setores não-remunerados, mas indispensáveis, da economia americana. Riane é co-fundadora do Center of Partnership Studies, em Carmel, na Califórnia, que pesquisa a qualidade de vida em muitos países. Riane observa: "A maioria das pessoas, incluindo aquelas que criam as políticas, quando pensa na qualidade de vida, se é que pensam na qualidade de vida em vez de simplesmente na medida arbitrária do PIB, geralmente não pensam nas mulheres. Isso simplesmente está fora do seu campo de visão, fora do seu quadro de referência — mas precisa ser incluído. Fizemos um estudo no Center for Partnership Studies no qual adotamos dois grupos de medidas. Um — qualidade geral de vida. O que isso inclui? Inclui tudo desde mortalidade infantil a disponibilidade de água potável e direitos humanos até a lacuna imensa entre aqueles que estão no topo e na base dos níveis de renda. E então adotamos um outro grupo, compreendendo as medidas da situação das mulheres. E descobrimos que, em aspectos significativos, a situação das mulheres constitui-se em um prognóstico melhor da qualidade geral de vida para homens, mulheres e crianças do que até mesmo o PIB". Riane vai muito mais fundo nas suas descobertas: "Por exemplo, na época, o Kuwait e a França tinham um PIB quase idêntico. Mas a medida mais elementar de qualidade de vida, a mortalidade infantil, era duas vezes maior — o dobro — no Kuwait do que na França. E é claro que a situação das mulheres é muito superior na França".

Riane cita outro exemplo: "Nos Estados Unidos, as profissões que não envolvem cuidar de pessoas, como consertar encanamentos ou engenharia, são muito mais bem remuneradas. Daí essa postura ridícula das pessoas nos Estados Unidos, que não se importam em pagar 60 dólares por hora a quem conserta o seu encanamento, mas se recusam a pagar no máximo 10 a 15 dólares à pessoa a quem confiam os filhos. Esse trabalho deve ser incluído em medidas de produtividade econômica. A boa notícia: existe um movimento nesse sentido. Os países nórdicos e os canadenses estão começando a dar os primeiros passos. Um dos maiores problemas, é claro, é como avaliar esse tipo de trabalho". Riane acredita que a economia tem a ver basicamente com o que valorizamos, e devemos valorizar o trabalho de cuidar de pessoas e desenvolver políticas para isso — esse é o tema do livro dela, *The Real Wealth of Nations* (2006).

Edgar Cahn
Fundador, Time Dollar Institute

Outro pioneiro inspirador da Economia do Amor é o advogado Edgar Cahn, criador dos dólares-tempo, ou mais genericamente, o banco de tempo, conceitos explicados no livro dele, *No More Throwa-*

way People (2004) e no seu *"How To" Manual: The Time Dollar* (2004), usado mundialmente por grupos comunitários para estabelecer "bancos de tempo" geridos em computadores pessoais para acompanhar as trocas de serviços entre os seus integrantes. Edgar explica de maneira divertida esses sistemas de escambo locais e o seu valor imenso, que passa despercebido entre as economias nacionais. "Esse tipo de economia comunitária não produz muita coisa de importância; ela simplesmente produz crianças, famílias saudáveis, bairros mais seguros, atendimento aos idosos, democracias, direitos civis e movimentos de justiça social. Os economistas que a examinaram admitem que ela é ao menos tão extensa quanto o que é medido no PIB e em alguns países parece ser ainda maior. Quando fizeram um estudo sobre o atendimento pessoal não-remunerado que mantém os idosos fora dos asilos, descobriram que essa atividade era calculada em 8 dólares por hora e 169 bilhões de dólares ao ano. Isso é seis vezes o que os Estados Unidos gastam na economia de mercado em serviços para idosos, três vezes o que o governo americano gasta em asilos. Não estamos falando sobre uma economia secundária, estamos falando sobre um sistema econômico importante que está sendo menosprezado."

Recentemente, os economistas começaram a chamar atividades essenciais como essas de capital social. Preferimos Economia do Amor. Enquanto os economistas ainda contabilizam as donas de casa e as mães e os pais que ficam em casa como "desempregados e não-economicamente ativos", o *Relatório sobre Desenvolvimento Humano* das Nações Unidas, de 1995, mencionado anteriormente, revelou que essa e todas as outras modalidades de trabalho atingem a soma de 16 trilhões de dólares, ignorada no montante de 24 trilhões de dólares do PIB mundial oficial. Desse total, 11 trilhões de dólares representavam o trabalho não-remunerado das mulheres e 5 trilhões de dólares, o dos homens. Ainda hoje, as estatísticas econômicas mundiais continuam excluindo dois terços do que é produzido no mundo. O trabalho não-remunerado tem sido estudado por muitos sociólogos com base em orçamentos por tempo, que estimam as horas gastas por dia no plantio de alimentos, na construção de moradia, no preparo de alimentos, na educação dos filhos, na atenção aos jovens, idosos e portadores de deficiência, no trabalho voluntário em comunidades, na escavação de poços, na construção de escolas e hospitais — atividades que consomem tempo mas não envolvem dinheiro. Bilhões de pessoas em todo o mundo ainda executam esse tipo de atividade, incluindo as mulheres que cuidam da família e se dedicam a tarefas domésticas em toda parte.

Edgar Cahn ajuda-nos a ver como o tempo pode ser valorizado. "Ao contribuir com uma hora, você ganha o crédito de uma hora para gastar consigo mesmo ou com a sua família, ou para doar a alguém mais necessitado. Temos um agente intermediário, um corretor de dólar-tempo, a quem você pode telefonar — assim você não está pedindo caridade. Se você não pagar, os seus filhos ou alguém da sua família podem pagar. Esse modelo, nós começamos a chamar de modelo Vizinho-a-Vizinho. As pessoas não gostam de falar sobre os seus problemas, mas não se importam em ligar para um agente e dizer: 'Você tem alguém que possa cuidar do meu cachorro neste fim de semana?' Ninguém vai sair pela rua dizendo: 'Vou viajar neste fim de semana, alguém poderia cuidar do meu cachorro?' Então, com um agente para tomar essas providências podemos começar a recuperar a confiança entre vizinhos que não se conhecem ou que só pensam o pior uns dos outros. Assim, recuperamos um sentimento de vida em família nessas comunidades."

Edgar apresenta outro exemplo de como o tempo pode ser valorizado e remunerado. "Dentre as escolas públicas de Chicago, nos destinaram cinco das piores escolas de Englewood, que era conhecida como 'zona mortal'. Perguntaram-nos: 'Vocês conseguiriam fazer esses garotos estudarem?' Eu respondi: 'Sim, conseguimos'. Bastou motivar alguns alunos do quinto ou sexto ano interessados em investir uma centena de horas em troca de um computador reciclado. Depois de um ano do programa, professores e alunos recuperaram em média um ano tanto em matemática quanto em leitura. A essa altura, cerca de 4.500 garotos tinham recebido computadores. Estamos redefinindo em termos de trabalho e valorizando o esforço de criar filhos e manter uma família unida."

Exemplos de banco de horas podem ser encontrados no Japão, na Coréia, na Espanha e em outros países da União Européia (www.timedollar.org). Em todo o mundo, assistimos à valorização do tempo humano, a importância social, a satisfação e a felicidade que ele proporciona. Conforme discutido no capítulo 1, os sociólogos estudam a felicidade e descobrem que ela não é diretamente proporcional à renda, mas pode ser o resultado da auto-suficiência e de outros fatores. Por exemplo, pequenos produtores rurais ficam muitas vezes à margem do sistema monetário, portanto, com freqüência, a contribuição deles para a economia é negligenciada.

Vandana Shiva, fundadora da Navdanya, na Índia, é uma física indiana que tem inspirado milhões de pessoas pelo seu empenho em defender os direitos das mulheres nas aldeias rurais indianas e em ajudar os pequenos produtores rurais a proteger os seus mananciais, as suas florestas e as espécies nativas. Ela abraçou a causa dos produtores rurais ameaçados em todo o mundo. A dra. Shiva diz: "Creio que uma das maiores ilusões do nosso tempo é achar que a satisfação humana, o bem-estar humano, decorre do dinheiro, que é pura ficção, um pedaço de papel que diz: 'Eu prometo dar ao portador mercadorias de qualquer valor'". Vandana escreveu vários livros, entre os quais *Staying Alive* (1989). Ela explica a principal atividade da sua organização: "Atuamos junto às comunidades de produtores rurais para salvar a biodiversidade, as sementes nativas, e para criar bancos de sementes comunitários. Também trabalhamos com esses produtores para promover o cultivo orgânico. Tenho visto comunidades bem alimentadas e que não passam fome, não passam sede, não têm pobreza, dentro de uma economia sem caixa, e essas comunidades são constituídas de pessoas muito, muito pobres. Então, pode-se ter fome com grandes quantidades de fluxo de caixa e fome zero sem nenhum fluxo de caixa. Acho que está na hora de nos voltarmos para essas outras economias naturais e sustentáveis, e na economia sustentável são as mulheres, principalmente, que desempenham um papel muito, muito maior. São essas economias que mantêm a continuidade da vida neste planeta, são elas que conseguem nos libertar da fome, da sede, da alienação, da insegurança.

Vandana Shiva
Fundadora, Navdanya, Índia

Nunca vi surgir o terrorismo e o extremismo em sociedades em que as pessoas são deixadas em liberdade para produzir o seu sustento e fornecer o que for preciso". Muitas pessoas apóiam essas comunidades agrícolas locais como parte da manutenção das culturas e da biodiversidade. Nos países industrializados, as pessoas podem também apoiar esses esforços estocando as suas próprias sementes e promovendo feiras e mercados de produtores rurais nas suas comunidades.

Susan Witt é a diretora-executiva da E. F. Schumacher Society, em Great Barrington, Massachusetts, fundada em homenagem ao economista e filósofo britânico E. F. Schumacher, autor do famoso livro *Small Is Beautiful* (1973). Especialista na Economia do Amor, Susan é a criadora do sistema de microcrédito SHARE. Esse sistema concede às pessoas que têm visão, mas que não conseguem financiamentos bancários nos moldes convencionais, a possibilidade de levantar um financiamento para o seu empreendimento e desenvolver a sua comunidade, produzindo mercadorias e serviços de qualidade para o consumo local. Em 2004, a sociedade organizou a bem-sucedida conferência "Moedas Locais no Século XXI" ("Local Currencies in the 21st Century", www.localcurrency.org). Susan explica: "O que a Schumacher Society faz é defender um sistema em que as mercadorias sejam produzidas e consumidas na mesma região. A sigla SHARE ('compartilhar', em inglês) significa Self-Help Association For A Regional Economy (Associação de Ajuda Mútua para uma Economia Regional). É simplesmente um sistema de empréstimos com garantia extra. Os cidadãos interessados em participar vão a um banco local, abrem uma conta-poupança, que é conjunta com a SHARE. Então essas contas-poupanças são usadas para oferecer uma garantia extra aos empréstimos que a diretoria da SHARE aprova, mas normalmente não seriam aprovados por um banco. Chamamos a isso de extensão do Princípio da Avó. Simplesmente estendemos o número de avós a toda a comunidade". Susan cita um exemplo real: "Em 1989, Frank Tortoriello, que é proprietário do The Deli, um restaurante bastante conhecido em Great Barrington, Massachusetts, perdeu o ponto e precisou mudar-se para um novo local. Ele precisava de 5.000 dólares para reformar o novo ponto. Dissemos: 'Frank, você não precisa do nosso grupo estendido de avós porque já tem o seu, entre os seus clientes: peça emprestado a eles...' E foi assim que nasceu o Deli-Dollars". A Freecycle.com adota um outro estilo, oferecendo de graça milhares de itens usáveis de segunda mão; uma idéia de Deron Beal, que trabalha com instituições de caridade em Tucson, Arizona. O website conta com 1,3 milhão de usuários em mais de cinqüenta países.

Susan acrescenta: "Um dos grandes enganos é pensar que qualquer outra coisa que não seja o dólar federal é ilegal. Isso não é verdade. A moeda paralela só precisa ser conversível em dólares americanos de modo que as transações possam ser registradas e, portanto, tributadas. O Deli-Dollars inspirou a criação da Ithaca Hours, no interior do estado de Nova York (www.ithacahealth.org), por Paul Glover, que conseguiu desenvolver um sistema de tratamento de saúde baseado nessa moeda local e agora vende para outras comunidades *kits* sobre como criar e administrar uma moeda local".

Em 1991, quando fundou a Ithaca Hours, Paul procurou o pessoal de um supermercado local e propôs: "Estou começando este novo sistema de escambo (...) que se baseia em uma moeda em vez de tempo" (a exemplo de um sistema de escambo anterior que havia fracassado em Ithaca). Cada pessoa recebia de graça o valor de 20 dólares em dinheiro pela adesão ao sistema e assim a lista de ofertas da seção de classificados do jornal *Ithaca Hours* ia aumentando ao longo do ano seguinte. Logo as empresas começaram a adotá-lo e em pouco tempo a Ithaca Hours tornou-se uma instituição que funciona porque mantém o dinheiro na comunidade por um pouco mais de tempo do que outro tipo de dinheiro. Como acontece normalmente, cada dólar que é gasto acaba deixando a cidade depois de várias transações. A Ithaca Hours ajuda a desenvolver a comunidade, porque estimula o contato entre as pessoas e em alguns casos permite que os seus associados consigam tanto empréstimos, como tratamento de saúde e hipotecas livres de juros. O Prosper.com, um website semelhante ao Friendster, em que os participantes podem emprestar e tomar emprestado entre si, é

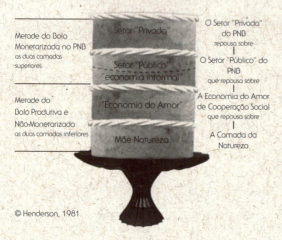

uma versão on-line dos antigos círculos de crédito como o Accion and Womens World Banking (capítulos 5 e 7). Os membros do Prosper fizeram 1.500 empréstimos entre si, totalizando 7 milhões de dólares, e geraram muitas microempresas (*Business Week*, 3 de julho de 2006).

Atualmente, o escambo de mercadorias — um sistema ainda classificado depreciativamente pelos economistas como algo primitivo — passou a usar a alta tecnologia. A eBay, a maior "venda de garagem" do mundo, demonstra como os mercados convencionais podem ser deixados de lado. Muitos governos de países em desenvolvimento trocam petróleo, caminhões, maquinaria etc. entre si, contornando a necessidade do câmbio exterior convencional. Esse sistema de escambo é chamado de "comércio avulso" e foi estimado entre 15 e 25% de todo o comércio mundial, conforme documentado no livro *Counter Trade, Barter, Offsets*, de Pompiliu Verzariu (1985).

Temos apenas um vislumbre das economias não-remuneradas do mundo ainda invisíveis aos economistas e às suas estatísticas monetaristas. A produção total das sociedades se parece com esse bolo de três camadas com cobertura — muito maior e vívido do que a torta monetária dos economistas. A cobertura no bolo é o setor privado, com os empreendedores criando novos negócios, empresas e indústrias com base no mercado. A cobertura repousa sobre a camada do setor público, sustentado pelos impostos: estradas, escolas, sistemas de esgotos, redes de infra-estrutura desde os controladores de tráfego aéreo até as instituições militares e as agências do governo que acompanham o suprimento de alimentos, de água e a qualidade do ar. Essas duas camadas superiores do "bolo" produtivo são computadas em dinheiro — geram os empregos assalariados e são administradas pelos economistas no produto interno bruto (PIB) e em outros indicadores monetários. As duas camadas inferiores, porém, na maioria das vezes são subestimadas — sendo ignoradas pelo PIB e nos balanços das corporações. O trabalho solidário, comprometido, participativo, dentro dos lares e das comunidades — aqueles milhares de pontos de luz — constitui a metade ignorada da produção e das trocas de um país. A camada inferior é a produtividade da natureza, que sustenta todas as economias humanas — o nosso sistema básico de sustentação da vida. Quando fecham os olhos a essas duas camadas inferiores que sustentam o PIB, os responsáveis pelas decisões tanto no setor público quanto na iniciativa privada deixam passar muitas opções criativas para gerar mais empregos, melhorar as redes de segurança, reduzir o crime e o tráfico de drogas, revitalizar as cidades do interior — a um custo inferior para os contribuintes!

Vamos tornar transparente a diferença entre dinheiro e riqueza, crescimento do PIB e qualidade de vida. Todos são importantes. Vamos conectar todos aqueles pontos! Conforme vimos, Time Dollar, Deli-Dollars, Ithaca Hours e *Barter News*, todos eles, mostram a verdade: informação e dinheiro se equivalem. No meu livro *Building a Win-Win World** (1996), mostrei que as informações são a nova moeda corrente do mundo e ela não é escassa. Até mesmo o ex-presidente do Citibank observou, na década de 1990, que o mundo não adota mais o ouro como padrão — mas o padrão das informações. O comércio baseado na informação pura, como nas estações de rádio locais, em que os produtores rurais trocam sementes, tempo de uso de trator e outras mercadorias e serviços, é a onda do futuro, conforme mencionei na minha palestra "Considerando as Causas Fundamentais da Pobreza e da Desigualdade", de março de 2001, no Encontro Anual do Banco Inter-Americano de Desenvolvimento, em Santiago, no Chile. Hoje, informações melhores, todos os novos indicadores, ajudam-nos a considerar a economia como um todo — como expressão viva, criativa, de todos os nossos valores, além da vasta riqueza real e potencial de todas as nossas populações.

---

* *Construindo um Mundo Onde Todos Ganhem*, publicado pela Editora Cultrix, São Paulo, 1998.

MESA-REDONDA
A HORA DA VERDADE

Simran com Bob Meyer

Hewson Baltzell

Simran assinala que, na Economia do Amor, estamos observando um movimento em vez de nos preocupar com uma única empresa. Analisamos aqui a Barter News, uma empresa fundada por Bob Meyer, que acompanha a atividade de escambo e demonstra que não se precisa de dinheiro para fazer o mundo girar. Simran e o analista de entrevistados Hewson Baltzell entrevistam Bob Meyer, para ter uma compreensão melhor do impacto do escambo na economia americana local e nacional.

Bob Meyer: O alcance do escambo nos Estados Unidos é provavelmente maior do que vocês esperam, situando-se em cerca de 15 bilhões de dólares por ano.

Hewson: Afinal, por que o escambo continua existindo em uma economia monetarista moderna? Para que se precisa do escambo?

Bob: O escambo existe porque é o condutor para uma outra área de moeda, a moeda de escambo. Existe o mercado do dinheiro, existe o mercado do escambo, e eles não competem entre si. Trata-se de uma atividade a mais, um acréscimo. Além disso, essa é uma maneira muito lucrativa de fazer negócios. Você negocia de acordo com o seu custo variável, enquanto na transação em dinheiro precisa considerar todos os seus custos fixos. Digamos que você tenha alguns produtos sobrando, que não vendeu, e eles estão contados no estoque. Você pode trocá-los diretamente, se encontrar alguém que os queira e você queira os produtos da outra pessoa — isso é um pouco mais difícil de fazer — ou então você pode resolver de maneira indireta. A propósito, esse tipo de atividade está crescendo aqui nos Estados Unidos, assim como em todo mundo. Só no país, atualmente, existem seiscentas empresas que se dedicam a essas permutas comerciais. O sistema de permutas comerciais tem o seu próprio cartão de permuta, mas que só funciona dentro dessa rede de relacionamentos fechada. A minha empresa, por exemplo, fica em Orange County, na Califórnia, e da sua rede comercial participam mais de 1.500 empresas integradas. Então, quando vendo alguma coisa e recebo em dólares de permuta, eles ficam na minha conta de permuta. Depois, quando quero ir a um restaurante que faça parte do sistema de permutas, saco o meu cartão e pago a conta com os meus dólares de permuta.

Simran: Estou certa de que a Receita Federal quer se assegurar de que está tendo uma participação em tudo isso. Quais são as implicações em termos de impostos nesse sistema de escambo?

Bob: Bem, em 1982, na vigência da Lei de Responsabilidade Fiscal sobre o Patrimônio Tributável, as empresas de escambo, de permutas comerciais, se você preferir, foram classificadas como de operações entre terceiros e enviaram uma declaração para a Receita Federal semelhante à das empresas de cartões de crédito e dos bancos — todos considerados como de operações entre terceiros.

Hewson: Qual a quantidade de itens permutados? As negociações são basicamente de varejo?

Bob: Tudo no mercado de permutas é feito na base do varejo. Assim, os preços são de varejo, os mesmos pelos quais você vende por dinheiro ou vende comercialmente. E vale tudo, tanto que até consegui um tratamento de ortodontia para os meus dois filhos — 10.000 dólares; o dentista aceitava dólares de permuta para anunciar nos jornais locais e se projetar na comunidade, para atrair mais negócios em dinheiro.

Simran: Existe algum tipo de código de ética que regule essa espécie de transações e vocês têm práticas socialmente responsáveis ou outras iniciativas semelhantes?

Bob: Esse é um sistema fechado em que realmente é preciso fazer o que se promete. Temos duas associações comerciais que regulamentam as permutas comerciais, incluindo as seiscentas empresas de permutas dos Estados Unidos. Elas têm um código de ética e é preciso fazer certas coisas, confiar em determinados regulamentos e saber o que não fazer; caso contrário, é expulso da instituição.

Hewson: Uma empresa pequena de uma comunidade pode se beneficiar do negócio de permutas?

Bob: Sim, por meio das permutas comerciais. Cerca de 2% das empresas da comunidade local fazem parte de um sistema de permutas comerciais e na média fazem circular em torno de 6.000 a 10.000 dólares por ano em transações.

Simran: E quanto às pessoas que não são donas de empresas?

Bob: Bem, digamos que você faça tortas deliciosas. Existem organizações locais em muitas cidades de todo o país que são o que eu chamo de organizações de permutas socialmente responsáveis. Elas não são montadas como uma empresa de permutas comerciais propriamente dita, cujo negócio é fazer uma quantidade significativa de trocas, mas elas podem lhe oferecer uma oportunidade de negociar as suas tortas e, em troca, talvez conseguir alguém que cuide do seu jardim.

Hewson: Que montante dos seus próprios negócios é feito a partir de trocas?

Bob: Cerca de 60% dos meus negócios são feitos em base não-monetária. A maior parte do meu trabalho para a produção da minha publicação é terceirizada, o que é negociado uma parte em dinheiro e uma parte em permutas. Conheço empresas que ganham um milhão de dólares por ano com o escambo por meio dessas permutas comerciais. É uma cifra bem alta, mas a questão é que elas não estariam ganhando tanto assim se não fosse lucrativo e vantajoso.

QUATRO

Projeto e Construção "Verdes"

IMAGINE O PRÉDIO DE MAIS ALTA TECNOLOGIA possível e depois considere a seguinte possibilidade — projetar um prédio que produza oxigênio, destile água, ofereça um habitat para milhares de espécies, colete energia solar como combustível, cultive alimentos e tenha uma aparência magnífica. Parece impossível? Bem, não é. "Cinco anos atrás, se você falasse sobre um prédio 'verde', receberia em troca um olhar de interrogação", comenta Alex Wilson, editor do boletim mensal *Environmental Building News.* "Hoje, esse é um termo conhecido entre uma parcela cada vez maior da população." Alex é presidente da empresa Building Green, Inc. e oferece algumas providências fáceis a qualquer um que queira tornar a sua casa mais "verde" sem gastar muito — e, além do mais, essas mudanças ainda podem economizar dinheiro (www.buildinggreen.com). A University of South Carolina inaugurou recentemente o maior alojamento "verde" do mundo em Colúmbia, na Carolina do Sul, construído com muito material reciclado, desde o teto de blocos de cimento e cobre até o interior acarpetado. Os estudantes e os professores ajudam a plantar e tratar de verduras hidropônicas de crescimento rápido, como parte do seu sistema de tratamento da água. O novo alojamento West Quad custou 30,9 milhões de dólares, não mais do que se fosse construído convencionalmente, e inclui um teto coberto de grama, um centro de aprendizado para os seus quinhentos residentes que é parcialmente alimentado por células de combustível de hidrogênio e uma lanchonete que vende alimentos saudáveis e produtos ambientalmente corretos. O West Quad usa 45% menos energia e 20% menos água (aquecida por energia solar) do que outros alojamentos e não contém substâncias que destróem a camada de ozônio. Com muita luz natural e lavadoras e secadoras de alta eficiência, o complexo, de 16 mil metros quadrados, mostra que os estudantes podem viver confortavelmente em instalações que também não agridem o meio ambiente e ainda economizam recursos e dinheiro. Então, por que os prédios não foram sempre construídos dessa maneira? Porque a mesma economia equivocada que cegou as empresas para economizar dinheiro por meio da eficiência e de uma produção e *design* mais inteligentes também enganou arquitetos e construtores.

Centro de Estudos Ambientais
Adam Joseph no Oberlin College

William McDonough
Arquiteto

O arquiteto ambiental William McDonough tem buscado inspiração na natureza para fazer os seus projetos para clientes como a Nike, a Ford Motor Company, a Gap e o Smithsonian Institute. Bill é o fundador da William McDonough and Partners, de Charlottesville, na Virgínia, e é um destacado arquiteto ecológico em todo o mundo. Ele explica a filosofia da empresa: "A nossa meta é um mundo agradavelmente diversificado, seguro, saudável e justo, com ar, água, solo e energia despoluídos e limpos, em que se possa viver com economia, igualdade, equilíbrio ecológico e simplicidade — ponto final. A qualidade é uma condição fundamental. Como um prédio pode ser agradavelmente simples e elegante se faz você se sentir mal ou então agride o planeta? O que estamos tentando fazer é criar um artifício humano nos mesmos moldes de uma coisa viva. Assim, se pensar no que significa estar vivo, você percebe que é algo que precisa ter crescimento, precisa ter formas de energia livre, que vem com o sol, para se expandir. E é preciso ter um sistema aberto de substâncias químicas que atravessem o metabolismo. Portanto, se considerarmos isso como o mecanismo fundamental e o arcabouço de projeto da biologia, estreamos dizendo como aproveitaríamos isso e o aplicaríamos na tecnologia. Os sistemas naturais só sustentariam cerca de 400 milhões de seres humanos. Assim, precisamos de atividade sintética para poder sustentar os outros 5,8 bilhões. Então precisamos de materiais em ciclos fechados. Assim, quando se trata de um prédio, fazemos a seguinte pergunta: como podemos criar um prédio que seja como uma árvore? E como podemos fazer uma cidade que seja como uma floresta, de modo que ela seja fértil?" Conforme retratado na *Business Week* de 12 de junho de 2006, na qual também foi publicado um perfil de McDonough, as idéias de Bill estão causando uma revolução verde na arquitetura.

Fábrica "verde" da Ford

Hunter Lovins, que escreveu o prefácio para este livro e é co-autora do texto de referência *Capitalismo Natural*, juntamente com Amory Lovins e Paul Hawken, é outra pioneira da arquitetura verde. Hunter chefia a Natural Capitalism Solutions, do Colorado, e ministra cursos sobre sustentabilidade e eficiência ecológica.

Hunter Lovins
Natural Capitalism Solutions

Ela foi chamada de "Heroína do Planeta" pela revista *Time*. Hunter observa: "Pessoas como Bill McDonough dizem que a eficiência ecológica na verdade está errada. O que precisamos ser é ecologicamente melhores. Simplesmente usar menos, ser menos ruins, não significa ser bons. E ele tem razão. Isso dá à empresa a possibilidade de economizar dinheiro, experimentar fazer as coisas de uma maneira um pouco diferente, mas esse é apenas o primeiro passo, o primeiro princípio do capitalismo natural. O segundo passo do capitalismo natural é a concepção arquitetônica verde, mas mesmo nessa etapa precisamos administrar todos os nossos sistemas de maneiras que sejam restauradoras. Esse é o terceiro princípio do capitalismo natural. Acho que, se fizermos tudo isso durante um certo tempo, chegaremos a um ponto em que estaremos bem próximos do melhor conjunto de critérios para um sistema que possa ser chamado de sustentável".

A sustentabilidade — agora uma palavra da moda muitas vezes mal empregada — começou a ser usada em 1989 com a divulgação do relatório das Nações Unidas sobre o desenvolvimento sustentável, *Our Common Future,* presidido pelo primeiro-ministro da Noruega, o dr. Gro Harlem Brundtland, um médico que mais tarde se tornou o chefe da Organização Mundial de Saúde. Esse relatório definia desenvolvimento sustentável como "o desenvolvimento que atende às necessidades do presente sem comprometer a capacidade de gerações futuras de atenderem às suas próprias necessidades". Bill McDonough levou essa definição a sério, aplicou-a a todos os seus trabalhos de arquitetura ecológica e desenvolveu-a no livro *Cradle to Cradle* (2004). Ele explica a obra que fez para uma empresa de varejo, a Gap, nas instalações da empresa, na Califórnia. "O teto é uma campina ondulante de relvas seculares, então tivemos de obter permissão para conseguir sementes nativas para colocá-las ali. É um ato de recuperação. Estávamos tentando projetar um sistema de sustentação à vida para as pessoas que trabalhavam ali. Não um sistema de sustentação ao trabalho para pessoas que não tinham vida. O prédio é cheio de ar fresco. Usamos o período noturno para refrigerar o prédio e ele é repleto de luz natural durante o dia. É realmente um local de trabalho otimizado e foi por isso que os clientes gostaram tanto. Eles obtiveram aumentos expressivos de produtividade e, quando se consegue um aumento de produtividade de 4%, que corresponde a um período de dez a vinte minutos por dia, é possível pagar pelo prédio inteiro. Com dois minutos ganhos por dia, é possível pagar todos os extras por todos esses efeitos maravilhosos." Atualmente, muitas empresas como a Gap, a Ford, a Toyota, a Nike, além de outras, consideram os novos prédios corporativos "verdes" como um instrumento para melhorar a sua imagem. Em muitos casos, essa melhora da imagem verde das empresas é um ponto de partida rumo à direção certa, mas não um substituto à remodelação radical necessária dos produtos, processos de fabricação e de todas as outras operações corporativas em todo o mundo.

Kathleen Hogan dirige o programa altamente bem-sucedido Energy Star, da Agência de Proteção Ambiental americana. Esse selo é familiar a todos os consumidores americanos que buscam no mercado aparelhos de maior eficiência energética e, portanto, mais econômicos. Kathleen explica: "O Energy Star é um programa da Agência de Proteção Ambiental americana para dar às pessoas os instrumentos e as informações de que precisam para tomar decisões fundamentadas em relação à energia. O que isso realmente significa é a possibilidade de optar por soluções eficientes em relação à energia. O selo Energy Star atualmente acompanha cerca de quarenta tipos diferentes de produtos. Muitos deles chegam aos lares — os aparelhos de aquecimento e refrigeração, os utensílios de cozinha, equipamentos para o escritório doméstico, para o entretenimento doméstico. O selo Energy Star, quando é visto em um produto, significa que se está economizando dinheiro e energia e ajudando a proteger o meio ambiente; tudo isso é proporcionado ao mesmo tempo que o desempenho do produto é mantido ou melhorado, portanto esse é um símbolo bom em todos os sentidos".

Kathleen Hogan
Agência de Proteção Ambiental, EU

Uma casa típica do programa Energy Star usa 30% menos energia do que outra construída de modo convencional. A Habitat for Humanity, chefiada por Linda Fuller, tem uma afiliada na cidade de Nova York que assegura que as pessoas que mais precisam cortar custos estão obtendo benefícios com os utensílios classificados pela Energy Star. Uma casa Habitat típica para uma família, com cerca de 140 metros quadrados, tem sala de estar e cozinha conjugadas no térreo, o que une muitos dos elementos de uma casa energeticamente eficiente e saudável. A Habitat for Humanity mantém um sistema de construção ecológica há cerca de dez anos e aplica o padrão básico da Energy Star em todas as suas casas, em todos os

Estados Unidos. Na cidade de Nova York, a empresa constrói casas segundo os padrões da Energy Star desde o ano 2000, com um esforço consciente que começa no projeto e prossegue durante toda a administração da construção. Estão incluídos o aumento da exposição ao sol, aquecedores muito eficientes, acabamento com tintas saudáveis e não-tóxicas e que a construção funcione como um sistema para reduzir o gasto de energia. Maria Sanders, uma feliz nova proprietária de uma casa dessas, entusiasma-se: "Eu estava assistindo a um programa na televisão mostrando como era construir uma casa com a Habitat for Humanity. Percebi a expressão de entusiasmo daquelas famílias em construir a própria casa. Virei para o meu filho e disse: 'Poderíamos fazer o mesmo! Eu conseguiria! Podemos construir uma casa!'" E eles construíram!

Casas da Habitat em Nova York

Kevin Sullivan, que trabalhou para a Habitat for Humanity em Nova York, explica a filosofia da empresa: "Uma casa é muito mais do que tijolos e argamassa. Na verdade, a casa está relacionada com o modo de vida das pessoas e com oferecer-lhes um lar afastando-as da pobreza. Por meio da construção ecológica, descobrimos que uma casa saudável também faz o dinheiro voltar para o bolso das famílias, ajudando-as a sair da pobreza mais depressa. Elas terão mais certeza de que os filhos crescerão mais saudáveis e que esse é um verdadeiro investimento a longo prazo para o futuro. A construção ecológica se preocupa com os resultados, portanto é algo absolutamente bom para todos, seja economizando 20% da sua renda nas contas de consumo, seja economizando apenas 2%. O mais importante, a meu ver, é que isso cria a noção de que estamos todos interligados por meio da nossa comunidade e da maneira como usamos os recursos". Na realidade, grande parte do desenvolvimento da construção ecológica foi motivada por consumidores informados que exigiam equipamentos e casas segundo o padrão da Energy Star. Tanto que as "Diretrizes Ecológicas" da Associação Nacional de Construtores Habitacionais são um resultado da pressão dos consumidores. Isso significa um valor maior de revenda para as casas, custo menor de manutenção, além de ser um benefício verdadeiro para toda família que queira realizar isso. Mas temos de ser muito conscientes do ambiente em que atuamos. Construir enormes mansões e colocar dentro uns poucos utensílios aprovados pela Energy Star não será o bastante. Hunter Lovins acrescenta: "Se for construir nos Estados Unidos, caso o seu prédio seja eficiente em termos de energia, proporcione condições de ocupação saudáveis e utilize relativamente poucos recursos, você pode pedir uma certificação especial relativa à preocupação com o consumo de energia e a defesa ambiental, a LEED (Leadership in Energy and Environmental Design). Para obter os padrões LEED, consulte o website do Green Building Council, em www.usgbc.org/LEED/".

No entanto, os manuais de economia ainda precisam passar por uma revisão no que diz respeito à medição da eficiência energética, porque muitos custos sociais e impactos do uso da energia foram transferidos para a sociedade e eliminados dos balanços dos fabricantes. Kathleen Hogan faz um resumo dos motivos pelos quais a eficiência energética é fundamental para fortalecer a economia. "A energia é uma dessas coisas que não são muito bem monitoradas dentro das empresas. E isso nos leva a perguntar: 'Como se pode administrar o que não é medido com precisão?' Então nós desenvolvemos um sistema totalmente novo e inovador de avaliação do desempenho predial. Assim é possível classificar um prédio segundo uma escala que vai de zero a cem. Se ele estiver próximo do zero, é um consumidor voraz; se estiver próximo dos cem, é um prédio exemplar em termos de eficiência energética. Quando se está próximo à extremidade inferior, significa que há uma grande oportunidade de fazer melhoras eficazes em termos de gastos nesse prédio. No total, as pessoas que compraram produtos com o selo Energy Star ou melhoraram os seus prédios contribuem para uma economia de cerca de 8 bilhões de dólares em contas de luz. Elas possibilitam uma redução na emissão de gases de efeito estufa equivalente a cerca de 18 milhões de automóveis e economizam o montante de energia usado por cerca de 20 milhões de lares."

Enquanto isso, os Estados Unidos ainda enfrentam dificuldades para se tornar menos dependentes da importação de petróleo e reduzir o uso de combustíveis fósseis, cuja combustão cria muitos poluentes assim como o aumento dos níveis de CO_2, que agora contribui para a mudança climática e o aquecimento global. Atualmente, existe uma grande expectativa em relação ao lançamento de um projeto do tipo Manhattan para a adoção da energia renovável — solar, eólica, pelo aproveitamento das correntes oceânicas e da biomassa e, posteriormente, pelo desenvolvimento de tecnologias inovadoras, incluindo as células de combustível e os veículos *flex*, como o Apollo Project, promovido por sindicatos e ambientalistas. Os fortes *lobbies* dos setores industriais de combustíveis fósseis ainda impedem o progresso desses esforços, muito embora, conforme demonstrei em *The Politics of the Solar Age* (1981, 1988), essa enorme transição é inevitável para todas as sociedades. As mudanças interferem nos negócios e ferem interesses especiais, o que explica por que estão sendo adiadas há tanto tempo. Além do mais, subsídios de vários bilhões de dólares têm sido conferidos a companhias de carvão mineral, petróleo, gás e energia nuclear. As tecnologias da nova era solar esperam na fila há décadas, algumas há séculos. Essas tecnologias têm tudo a ver com a informação e a luz. Finalmente, o lançamento e o financiamento dessas tecnologias estão ganhando impulso graças ao apoio de milhares de novas empresas representadas em encontros como o Cleantech Venture Forums (www.cleantech.com), criado por Nick Parker.

Leslie Hoffman
Na Cobertura Ecológica do Earth Pledge, Nova York

Atualmente, os prédios "verdes" são muito bem vistos e estão de acordo com a moda, conforme atesta um encarte publicitário de dezoito páginas patrocinado por grandes empresas na edição de 19 de junho de 2006 da *Business Week*. Temos arranha-céus "verdes", incluindo a torre da Swiss Re, em Londres, o novo centro de convenções de Pittsburgh, o prédio Conde Nast, o Bank of America Tower, além de outros edifícios em Nova York. A Earth Pledge Foundation, em Nova York, mostrou a viabilidade do prédio ecológico ao reformar um casarão em Manhattan. As suas coberturas ecológicas, segundo o projeto Green Roofs Initiative, encorajaram muitos outros a fazer dessa uma transição mundial. Leslie Hoffman, diretora-executiva do Earth Pledge, descreve essa casa maravilhosa: "Conseguimos superar a falsa idéia de que ser favorável ao meio ambiente significa ser menos eficaz, menos agradável esteticamente, além de mais caro. Então fizemos uma demonstração do que há de melhor em termos de projeto arquitetônico contemporâneo e da melhor tecnologia ambiental possível". Leslie é formada em arquitetura e desenho industrial e, de 1979 a 1990, construiu residências "verdes" sob encomenda durante muitos anos no Maine. Ela é a diretora-executiva do Earth Pledge desde janeiro de 1994. "No final da década de 1990, adquirimos um casarão construído originalmente pela neta de Abraham Lincoln. O Earth Pledge decidiu fazer uma reforma ecológica no prédio. Todo o sistema de aquecimento, iluminação e ar-condicionado foi ligado a pequenos painéis de controle distribuídos por toda a casa, para funcionar de acordo com a eficiência energética. Com sensores de movimentos embutidos, todos os ventiladores e luzes são acionados e desligados automaticamente."

Leslie especifica de que maneira a filosofia dela está intimamente envolvida com a tecnologia: "Usamos esse prédio como um meio de inspirar as pessoas a pensar sobre as suas escolhas ao construir um prédio novo ou ao readaptar prédios antigos. Fizemos uma cobertura "verde", o primeiro sistema desse tipo de cobertura com pouco peso e construída segundo padrões de engenharia avançada em um prédio no centro de Nova York. Esse tipo de cobertura resolve diversos problemas ambientais importantes, com destaque para o efeito de ilha de calor urbana, descarga combinada de esgoto, ao mesmo tempo que criamos um espaço verde. Todos esses fatores são valiosos para a biodiversidade e o bem-estar humano, mas também economizam energia e ampliam a vida da camada subjacente à cobertura até duas ou três vezes. Todos os materiais e técnicas que usamos foram considerados em termos de impacto ambiental, desde as empresas de que compramos produtos, o quanto esses produtores são eficientes em termos de energia, até a qualidade do ar interior do prédio e o produ-

Cobertura "Verde" do Earth Pledge, Nova York

to reciclado de alguns dos materiais — tecidos, fibras, peças do mobiliário e assim por diante".

Chicago e muitas outras cidades atualmente apresentam cada vez mais prédios assim. No momento, Bill McDonough está projetando toda uma cidade verde a partir do zero na China. Entre as novas empresas interessadas na filosofia ecológica destacam-se a Consumer Powerline, de Nova York, que modifica prédios de apartamentos e escritórios para capacitá-los a economizar dinheiro poupando energia. Recentemente, a empresa fechou um contrato com a cadeia de lojas Macy's e de hotéis Starwood para o mundo todo.

Os projetos verdes desenvolveram-se a partir de concepções científicas de ecologistas, biólogos e pensadores sistêmicos, que pouco a pouco começam a perceber que a economia tinha se desenvolvido sem essas fundamentais percepções interdisciplinares em relação ao funcionamento do mundo natural — o nosso sistema ecológico de sustentação à vida. Desde a publicação do livro *Silent Spring* (1962), de Rachel Carson, os economistas e as empresas têm adotado uma postura defensiva — na esperança de não somar os custos sociais e ambientais dos seus produtos aos balanços das empresas e aos preços dos seus produtos. Hoje, há um reconhecimento mais amplo de que os preços de custo globais (os custos de manufatura de um artigo, incluindo todos os custos até então considerados externalidades) são a chave para conduzir as sociedades de consumo no sentido da sustentabilidade. A empresa Truecost, sediada em Londres, ajuda as empresas a calcular esses preços de custo globais, remodelar os produtos e identificar oportunidades para economizar recursos e dinheiro. A rede VIA3 (www.via3.net), também de Londres, da qual John Theaker é co-fundador, e também o atual CEO, opera o greenyouroffice.co.uk, que aproxima eletronicamente fornecedores ecológicos de materiais de escritório de empresas em busca dos seus serviços.

O dr. John Todd é um biólogo reconhecido internacionalmente e um líder visionário no campo do *design* ecológico. John e a esposa, Nancy Jack Todd, fundaram o New Alchemy Institute, em que desenvolveram inovadoras "máquinas vivas" que tratam o lixo para produzir alimentos e combustíveis, e restauram ambientes aquáticos deteriorados seguindo sempre o exemplo da natureza. John Todd atualmente é professor da Faculdade Rubenstein de Recursos Naturais e Ambientais da University of Vermont. Ele explica as suas idéias básicas: "Esse é um meio de decodificar a linguagem da natureza e depois criar a partir dessa linguagem ou, se você preferir, guias de orientação para o projeto. Isso é que se chama de *design* ecológico ou, conforme o chamamos originalmente, 'nova alquimia'. O novo conhecimento precisa ser integrado a todas as diversas partes do empreendimento humano, abarcando sistemicamente a produção de alimentos, a captação e o uso da energia, a construção e projeto de construção, o controle paisagístico, até mesmo o transporte. De alguma forma, tudo precisa estar interligado em uma nova totalidade. Na Ocean Arks, começamos a descobrir se é possível criar tecnologias vivas que começariam a sanear as águas poluídas, a eliminar a poluição e a oferecer proteção aos reservatórios de água potável". John recorre a um exemplo hipotético. "Digamos que queremos produzir água pura a partir de esgoto. A primeira coisa que devemos fazer é reunir todas essas formas de vida. Colocamos todas elas em tanques gigantescos, interligados como as contas de um colar, e em cada tanque introduzimos uma quantidade enorme de espécies de formas de vida. Então, na extremidade superior, introduzimos o esgoto, e ele começa a ser conduzido de um reservatório a outro, seguindo passo a passo, e assim neste caso haveria dez etapas de transformação do esgoto em água pura. No papel de engenheiro ecológico, você precisa alimentar cada etapa com oxigênio, na maioria dos casos, e depois disso elas passam a funcionar. Também é preciso introduzir nas etapas as infor-

> Todos podemos aprender com a Mãe Natureza, a maior projetista do planeta. A tecnologia humana imita a natureza. Os projetistas industriais pesquisam diretamente as formas naturais, de conchas de orelha-marinha a teias de aranhas, para aprender como a natureza faz os seus projetos milagrosos.

mações sobre as estações do ano — e como você transmite à tecnologia viva as informações sobre as estações? Isso é óbvio quando você ouve dizer, mas não é muito óbvio *até* ouvir dizer. Você vai à natureza em cada estação e coleta a vida que está ativa naquela estação e a introduz no seu sistema. Assim, de repente, esse sistema — digamos que esteja dentro de uma estufa — adquire o conhecimento do inverno, depois o conhecimento da primavera, do verão e do outono."

Esse tipo de consciência sistêmica profunda caracteriza o pensamento dos melhores projetistas e construtores. A humildade é ao mesmo tempo a genialidade deles — lembrando que todos nós, seres humanos, podemos aprender com a Mãe Natureza, a maior projetista do planeta. Todas as tecnologias humanas imitam a natureza de algum modo. Os melhores projetistas industriais atualmente pesquisam diretamente as formas naturais, de conchas de orelha-marinha a teias de aranhas, para aprender como a natureza faz os seus projetos milagrosos. Essas novas idéias são apresentadas por Janine Benyus no seu livro *Biomimicry** (1997). Kevin Sullivan, da Habitat for Humanity, também aprendeu essas lições mais profundas: "Acho que a questão mais importante no caso da construção verde é que todos estamos interligados, todos estamos juntos neste barco salva-vidas e consumimos cada vez mais os seus recursos não-renováveis. Realmente, podemos reverter essa tendência de longo prazo a ser consumidores de energia em rede. As casas podem realmente ser pensadas como produtoras de energia e podemos realmente mudar a nossa maneira de viver e nos relacionar com o meio ambiente. Então, a longo prazo, podemos reduzir o impacto que causamos sobre o planeta, e sentir-nos mais ligados uns aos outros e também às nossas fontes de energia e matérias-primas do mundo".

Bill McDonough demonstra sentimentos semelhantes: "Precisamos de uma nova consciência. Será como combinar criação com oportunismo. E assim, o que estamos percebendo da parte das empresas mundiais é que finalmente há uma revelação de que as comunidades locais estão cheias de diversidade, biologia e encanto. E a cultura humana precisa se expressar em nível local. Toda a sustentabilidade será local. Queremos quatrocentos tipos de queijo francês, não um tipo de queijo! Queremos a plena diversidade da biologia. Mas mundialmente, queremos padrões mundiais, e as empresas mundiais manterão a sua licença para atuar ao mesmo tempo que continuarão aumentando o padrão de vida para todos".

Hunter Lovins concorda. "O capitalismo, conforme vem sendo conduzido atualmente, está, como se diz, violando a sua própria lógica interna. Não estamos sendo muito bons capitalistas, porque estamos perdendo o capital humano e o capital natural, que são em última instância tão importantes para o bem-estar econômico quanto as

---

* *Biomimética.* Publicado pela Editora Cultrix, São Paulo, 2003.

formas de capital que realmente consideramos importantes. Por exemplo, uma estimativa superficial do valor para a economia do capital natural chega a cerca de 30 trilhões de dólares ao ano — praticamente o mesmo valor de toda a economia que praticamos. E se estamos perdendo isso, deveria haver algum tipo de indicador que dissesse a uma empresa, a uma comunidade, a um sistema econômico: assim vocês estão indo para o buraco."

Hoje em dia, muitas cadeias de hotéis vêm seguindo o exemplo do Fairmont no sentido de uma maior sustentabilidade, melhores condições de saúde para os funcionários e mais economia no resultado financeiro final. Consideramos apenas superficialmente os números crescentes de prédios de escritórios e residências menos poluentes, mais saudáveis e favoráveis do ponto de vista ambiental atualmente disponíveis e vimos que eles também são locais mais bonitos e agradáveis de viver e trabalhar. Esses métodos aprimorados de melhorar a qualidade de vida como um todo e aumentar a produtividade são impulsionados por problemas urgentes: os preços e a dependência cada vez maiores do petróleo importado e dos combustíveis fósseis poluentes. Os prédios capazes de poupar energia podem ser a solução para a imensa quantidade de energia que os Estados Unidos desperdiçam todos os anos. O dr. Skip Laitner, especialista em energia, mostra que, se os EUA consumissem a energia de maneira mais eficiente, poderiam substituir grande parte do petróleo importado — e eliminar a poluição consideravelmente (www.ethicalmarkets.com). Prédios mais saudáveis e áreas urbanas menos poluentes também ajudam a diminuir as despesas com a saúde. A redução dos custos diretos exigidos para manter prédios "doentes" e inferiores são menosprezados quando se calculam os custos gerais de longo prazo. Atualmente, mais economistas são responsáveis por essa relação de custos e benefícios, calculando os custos de manutenção entre outros em relação a vida dos prédios. O resultado disso é uma melhor capacitação dos prédios para captar a energia solar usada no aquecimento e resfriamento, e a adoção de janelas inteligentes que permitem a entrada de mais luz natural. Os padrões superiores de construção de prédios e o selo Energy Star em refrigeradores e outros aparelhos eletrodomésticos e equipamentos de escritórios indicam o caminho a seguir. Atuando com as suas construtoras locais associadas, a Associação Nacional de Construtores Habitacionais e o Conselho para Construções Ecológicas americanas promovem novos padrões de construção ecológica para todo o país. As casas que atendem a esses padrões serão mais fáceis de comercializar desde que sejam construídas de acordo com o modelo verde. Entre esses critérios destacam-se:

Preparação e adequação do terreno
Aproveitamento eficiente dos recursos
Conservação da água, um imperativo crescente em todo o mundo
Qualidade do ar interior
Eficiência energética

Eis algumas medidas que você pode tomar para economizar dinheiro e energia, e reduzir a poluição:

1. Adquirir lâmpadas fluorescentes certificadas
2. Instalar chuveiros que economizem água
3. Sintonizar melhor os seus aquecedores e aparelhos de ar-condicionado
4. Dar preferência a produtos que exibam o selo Energy Star e sigam os novos padrões de construção verdes

Consumidores, trabalhadores, proprietários de imóveis, construtores e fornecedores de materiais, juntos, podemos todos fazer a nossa parte por um futuro mais verde, menos poluente e mais saudável!

MESA-REDONDA
A HORA DA VERDADE

Simran Sethi

George Terpilowski

Simran recebeu George Terpilowski, gerente-geral do Fairmont Hotel, de Washington, DC, e Alice Tepper-Marlin, a nossa analista de entrevistados, para discutir as escolhas dos hotéis. Os hotéis são especialmente importantes e têm uma influência enorme sobre a compra, a eficiência energética, a conservação da água e a minimização do lixo. O Fairmont pertence a uma cadeia de hotéis com sede no Canadá, recentemente adquirida por uma empresa dos Emirados Árabes Unidos, e encontra-se em processo de adaptação aos padrões verdes por meio da sua Parceria Verde entre 44 hotéis localizados em toda a América do Norte — Canadá, Estados Unidos e Caribe — além de um em Dubai.

George Terpilowski: Muitos desses hotéis estão localizados em regiões de preservação dos países em que se encontram, desde as montanhas canadenses até os mares do Atlântico. Os hotéis são marcos territoriais históricos sob muitos aspectos, portanto eles não só são lugares a que as pessoas vão para pernoitar, mas também são construções que têm uma relação muito forte com as comunidades em que são construídos. Um dos objetivos da nossa empresa é assegurar que esses hotéis não só sejam prósperos dentro dessas comunidades, oferecendo emprego e desfrutando de um relacionamento simbiótico, mas também as empresas e os hotéis em si contribuam para manter a qualidade do meio ambiente e a beleza do lugar.

Alice: O que isso significa para você, que administra um hotel aqui em Washington?

George: Acontece que, aqui em Washington, DC, mesmo estando dentro de uma cidade grande, a empresa mantém o seu programa de Parceria Verde, que se aplica a todas as suas locações. Cada uma das locações adapta o programa corporativo de acordo com a sua localização geográfica. Por exemplo, nós compramos parte da nossa energia elétrica de operadoras de geração eólica da Virgínia Ocidental, limitando a quantidade de hidrocarbonetos que são despejados no meio ambiente. Também incentivamos os nossos funcionários a poupar energia, oferecendo-lhes bilhetes do metrô, o que lhes permite usar o transporte público em vez de automóveis, o que contribuiria para o aumento da poluição produzida dentro e fora do cinturão viário da cidade.

Alice: Vocês fazem as suas compras localmente, no sentido de apoiar a agricultura orgânica?

George: Recentemente, acabamos de reformar um dos nossos restaurantes e o inauguramos — ele se chama Juniper. Queríamos transformá-lo em um lugar de visitação autêntico. Uma das maneiras pelas quais procuramos realizar isso foi introduzindo produtos indígenas e agrícolas encontrados nos estados da região central da costa atlântica. E depois que esse alimento é produzido e consumido, e obviamente em algumas ocasiões acaba sobrando, procuramos devolver esse excendente à comunidade, na maioria dos casos para centros de alimentação e casas da sopa que existem na cidade.

Alice: E quanto à maneira como os hotéis são limpos? Uma grande parte dos produtos de limpeza que usamos em casa — marcas que um hotel gasta em grandes quantidades — coloca em risco os nossos mananciais e contém materiais tóxicos nocivos ao meio ambiente e também ao pessoal da limpeza.

George: Um dos programas mais aperfeiçoados que temos é o do Fairmont Orchid, na Ilha Grande do Havaí. O departamento de governança de lá instituiu um programa pelo qual foram removidos todos os produtos químicos tradicionalmente usados na limpeza de quartos de hotel e substituídos por produtos orgânicos baseados em óleos naturais, capim-limão, tomilho, vinagre, coisas assim. E um dos resultados secundários interessantes desse procedimento é que o pessoal da governança encarregado da limpeza dos quartos passou a sentir muito menos reações alérgicas, dores de cabeça e reações semelhantes, que provavelmente poderiam ser atribuídas à natureza insalubre e corrosiva de algumas substâncias químicas usadas tradicionalmente nos hotéis.

Alice: Então, depois de adotar essa prática ideal no Havaí, o que o Fairmont fez para levá-la ao conhecimento dos demais hotéis?

George: Todos os hotéis informam ao pessoal que administra os nossos programas ambientais, nos escritórios da empresa em Toronto, sobre os resultados obtidos com os seus esforços em programas ambientais isolados. Uma vez por ano, simbolicamente, a empresa distribui árvores a cada um dos hotéis, com base na recuperação dos produtos naturais ao meio ambiente que cada um dos hotéis realizou. Como parte do programa anual, os melhores programas pilotos são incluídos numa brochura intitulada "Os Melhores Procedimentos". Depois, essa brochura circula entre as equipes verdes de todos os hotéis. Muitas das idéias que tivemos, na realidade recebemos de outros hotéis da cadeia Fairmont.

CINCO

Investindo na Comunidade

A GLOBALIZAÇÃO DAS FINANÇAS E DA TECNOLOGIA exerceu um impacto sobre as economias locais ao exaurir os recursos ambientais pela prática de atividades comerciais insustentáveis. Trabalhos acadêmicos, inclusive o do redator do *New York Times,* Louis Uchitelle, intitulado *The Disposable American* (2006), tratam da onda crescente de dispensa de trabalhadores nos Estados Unidos e dos prejuízos a vidas e comunidades em conseqüência da terceirização da produção para países onde os salários são mais baixos. Corporações gigantescas mundiais adquiriram o hábito de ameaçar as empresas locais, incluindo os pequenos produtores agrícolas. Além disso, apesar de toda essa nova dinâmica de forças, o melhor investimento pode estar bem ao lado da sua porta.

As políticas econômicas em vigor não calculam o extremo valor das comunidades, famílias e culturas locais coesas, e assim desconsideram como esses grupos locais sustentam a riqueza e o bem-estar de todos os países. As falsas promessas da economia do século XX levaram a enormes levas migratórias humanas, em busca de trabalho e de uma vida melhor, das zonas rurais para as cidades, onde vive atualmente 50% da população mundial — muitas vezes em condições terrivelmente miseráveis. A promessa de emprego descumpriu-se muito rapidamente e os imensos custos dos serviços e da infra-estrutura para a construção das cidades levaram a dívidas governamentais enormes e a inúmeras necessidades não-atendidas. Atualmente, uma tendência contrária cada vez maior leva muitas pessoas a fugirem das metrópoles em favor de micrópoles, cidades menores como Mount

Airy, na Carolina do Norte, conforme a definição de Wanda Urbanska, na sua popular série pela rede de televisão PBS, e por Rich Karlgaara, em *Life 2.0: How People Across America Are Transforming Their Lives by Finding the Where of Their Happiness* (2004). As economias locais ainda são menosprezadas até que entram em colapso. Nessa altura, os imensos custos requeridos pelos serviços sociais, pelo desemprego e o uso de drogas, além do aconselhamento em momentos de crise — sem contar o atendimento às populações sem teto — geralmente recaem sobre os contribuintes. Neste capítulo, conheceremos um grupo de pioneiros que identificam a abundância de oportunidades para novos empregos, negócios prósperos e empreendimentos imobiliários residenciais com que os investimentos da comunidade podem arcar.

São abundantes as indicações no sentido de uma nova tendência para o controle local e o desenvolvimento comunitário. O Projeto de Lei da Soberania, de Ken Bohnsack, apresentado ao Congresso americano em 1999 como HR-1452, a Lei de Autonomia dos Governos Estadual e Municipal, adota uma perspectiva diferente. O projeto devolveria ao Congresso o direito de autorizar empréstimos especiais livres de juros diretamente aos governos locais para projetos públicos aprovados em votação, incluindo escolas, estradas, pontes, áreas públicas, transporte de massa e desenvolvimento ambiental — em lugar das ações que as instituições locais precisam emitir para investidores privados a elevadas taxas de juros (www.interestfreeloans.com). O HR-1452 visa devolver o poder às mãos do governo local, num esforço para apoiar as economias vivas locais.

As economias vivas locais são criadas quando as pessoas lideram iniciativas para reformar e transformar a comunidade. Judy Wicks é uma líder desse tipo. O empreendimento dela, o White Dog Café, na Filadélfia, é um exemplo saudável de um negócio que pensa globalmente e age localmente. O White Dog Café participa da Business Alliance for the Local Living Economies (BALLE), que ela ajudou a fundar, para ajudar as empresas da comunidade a impulsionar a atividade econômica local. A Filadélfia, a exemplo de muitas cidades mais antigas do país, tem perdido população, mas o centro da cidade vem passando por um renascimento, conforme mostra o livro *Edens Lost and Found* (2005), baseado na série da TV PBS.

114 | MERCADO ÉTICO

Judy Wicks conta como e por que abriu o White Dog Café. "Eu percebi que o antídoto para o controle exercido pelas grandes corporações era o controle local. Foi quando comecei a perceber que o que eu precisava fazer era expandir o que já fazia aqui na Filadélfia. Comecei comprando de um produtor rural local. No começo, é preciso ter segurança quanto aos alimentos, mas há também a questão da segurança em relação à energia. Então imaginei um mundo em que todas as comunidades tivessem segurança em relação aos alimentos, à água e à energia. Se toda comunidade tivesse essas certezas, esse seria o fundamento para a paz mundial! Agora, pense nos outros elementos básicos: vestuário, habitação, você sabe...

Judy Wicks e Amigos
White Dog Café

o movimento habitacional verde. Uni forças com um amigo, Laury Hammel, e nós dois fundamos a BALLE. Trabalhamos com 25 comunidades da América do Norte, incluindo o Canadá, onde temos contatos com empreendimentos que desenvolvem o mesmo tipo de trabalho que fazemos na Filadélfia. Eles também promovem a segurança alimentar local, apóiam o setor de produção de roupas local e também a geração de energia alternativa local e assim por diante. Portanto, estamos encontrando meios de interligar essas comunidades. Quando não conseguimos encontrar algo disponível na comunidade local, compramos de uma pequena empresa de outra comunidade, de modo que a compra sirva como um apoio a uma economia local em outro lugar. Há uma porção de coisas que não estão disponíveis localmente. O café, por exemplo, não está disponível localmente, o chocolate não está disponível localmente. Assim, faz parte da economia mundial, e o nosso movimento não defende a compra de tudo localmente. Mas defende a idéia de comprar tudo de maneira que apóie a comunidade local de onde esse projeto se origina: em outras palavras, pagar preços de comércio justo. A BALLE não visa especificamente o dinheiro, mas se preocupa com a vida. Ela se preocupa em apoiar a vida, a justiça, as pessoas. Não tomamos decisões só com base no preço. Desde pequenos, aprendemos que passamos por otários se não procurarmos o preço mais baixo, ou se não conseguirmos o melhor preço quando vendemos alguma coisa ou se não obtivermos o melhor retorno para os nossos investimentos. Na realidade, o que precisamos observar é não só o resultado financeiro final, mas de que maneira a nossa compra, independente de sermos um empresário ou um consumidor, afeta o mundo."

William Drayton
ASHOKA

William Drayton, ex-administrador da Agência de Proteção Ambiental americana no governo do presidente Jimmy Carter, compartilha da visão de Judy. Bill é um dos ganhadores do prêmio McArthur Foundation Genius, e com a ajuda financeira que recebeu com a premiação fundou a ASHOKA (www.ashoka.org) — uma organização que oferece subsídios para praticamente mil bolsistas, ou empreendedores sociais, em todo o mundo. São pessoas inovadoras que, segundo acredita Drayton, "deixarão uma marca na história". Bill resume a sua maneira de pensar: "Em todas as partes, precisamos de pessoas dispostas a ser agentes da mudança. Cada empreendedor social primário aparece com uma idéia que irá mudar o seu campo. Por exemplo, um dos nossos bolsistas na Índia criou uma linha telefônica especial que põe os meninos de rua em contato com um operador de uma central telefônica (também um menino de rua) para atendê-los quando acontece uma crise. Pela primeira vez, oferta e demanda podem se unir. Isso muda a maneira como todo mundo se comporta na sua área. O policial encarregado não pode mais maltratar os meninos de rua porque a responsabilidade está à distância de um telefonema, uma ligação grátis. Esse empreendedor já estendeu essa atividade a 58 cidades da Índia, com um total de 7 ou 8 milhões de ligações realizadas. Essa ação acontece agora em 47 outros países".

Josh Mailman compreende o valor de investir em empreendimentos da comunidade que aumentem o capital tanto financeiro quanto social. Em 1987, ele fundou a Social Venture Network, sediada em San Francisco, atualmente um grupo constituído de quatrocentos capitalistas de risco, investidores sociais, empreendedores e líderes de fundação e instituições sem fins lucrativos, que ajudaram a gerar a Business for Social Responsibility e muitas outras organizações. Josh é também co-fundador da Grameen Phone, em Bangladesh, com Iqbal Quadir (veja o capítulo 7), numa parceria com o famoso Grameen Bank. Josh diz: "Temos uma imensa concentração de riqueza em âmbito mundial. Há pessoas que acabam concentrando imensas riquezas. Quem sabe um dia, por meio das suas próprias experiências de vida, essas pessoas acordem e digam: 'Ei, eu realmente preciso fazer alguma coisa, vou desempenhar um papel histórico, fazer uma grande diferença no mundo com a fortuna que tenho'. Essa concentração de riqueza é um poder que pode ser usado para desenvolver movimentos sociais, para apoiar modelos de mudança inovadores. Eu acredito no processo de crescimento das pessoas". Os dois fundadores da eBay, Pierre Omidyar, o *chairman*, e Jeffrey Skoll, criaram fundações para apoiar empreendimentos locais e empreendedores sociais, a Omidyar-Tufts Microfinance Fund, aliada à Tufts University, e a Skoll Foundation, de Palo Alto, Califórnia (www.skollfoundation.org). Bill Drayton acrescenta: "Os empreendedores sociais precisam de uma sociedade democrática e eles alimentam essa sociedade democrática. Um precisa do outro. E os empreendedores sociais são, em grande parte, a força motriz do surgimento e fortalecimento da democracia".

Esse movimento mundial está ligando investidores e empreendedores socialmente conscientes na América do Norte, Europa, Japão, Austrália e outros países industriais com a sua contrapartida menos rica nos países em desenvolvimento. Esse fato levou ao crescimento do setor microfinanceiro mundial, que ganhou ímpeto graças às mulheres, com a convocação pelas Nações Unidas nas décadas de 1970 e 1980, e que culminou na Conferência Mundial Sobre a Mulher e o Desenvolvimento, em Pequim, China, em 1996. Milhares de círculos de crédito local, abrangendo na maioria mulheres empreendedoras — incluindo o Women's World Banking e o ACCION, que está em operação em muitos países desde 1970 —, reuniram-se para assegurar que as mulheres não fossem mais alijadas do crédito e das finanças. O professor Muhammad Yunus assumiu a liderança em Bangladesh e fundou o Grameen Bank, que emprestou mais de 5,1 bilhões de dólares a mais de 5,3 milhões de pessoas. Grameen Shakti, uma empresa subsidiária, vende cerca de 1.500 sistemas de painéis solares por mês na zona rural de Bangladesh e cresce 15% ao ano sem subsídios.

Susan Davis, *chair* da diretoria da Grameen Foundation nos Estados Unidos, trabalha com Ales Counts (capítulo 2). Susan diz: "Se pudermos encontrar mais pessoas assim, mais empreendedores sociais que tenham idéias inovadoras para resolver problemas sociais, realmente seremos capazes de acelerar o processo de mudança. O que fazemos na Grameen Foundation é criar parcerias com organizações microfinanceiras e colocá-las em contato com pessoas e organizações que queiram trabalhar com elas. O empréstimo médio do Grameen Bank situa-se atualmente em mais ou menos 200 dólares; quando o banco começou era por volta de 67 dólares. Desde o início das suas atividades, o banco teve lucro todos os anos, com exceção de dois, e assim essa instituição é um modelo concreto. Ele representa uma luz no fim do túnel para as pessoas que querem sair da pobreza. Se você observar o maior programa da Índia, três quartos das pessoas foram capazes de sair da pobreza depois de quatro empréstimos ou mais".

Susan Davis
Grameen EUA

Os grandes fundos de investimentos também vêm lançando iniciativas de investimento na comunidade. O Calvert Group, que inclui fundos socialmente responsáveis, explica a necessidade e os benefícios — tanto financeiros quanto sociais — desses tipos de investimento. Shari Berenbach é a diretora-executiva da Calvert Foundation, sediada em Bethesda, Maryland. Ela explica o programa da instituição. "O Calvert Social Investment Fund procurou os acionistas e pediu permissão para destinar 1% dos ativos do fundo mútuo e investi-lo, não em ações e títulos da dívida pública, mas para fazer investimentos diretos em organizações sem fins lucrativos. Esses grupos atuam na comunidade, facilitando o acesso a habitações de baixo custo, financiando creches para filhos de trabalhadores e incentivando novos empregos em pequenas empresas. Em 1995, o Calvert instituiu a Calvert Foundation como uma organização sem fins lucrativos independente, com a meta de popularizar os investimentos na comunidade como uma nova classe de ativos, com toda uma maneira nova de considerar os investimentos. Na realidade, fizemos isso criando um instrumento financeiro especial chamado Título de Investimento na Comunidade (como um certificado de depósito comum, com o qual estamos acostumados). Quando os investidores compram um Título de Investimento na Comunidade, cada dólar investido vai para organizações comunitárias."

Rebecca Adamson, fundadora do First Nations Development Institute (capítulo 3) e também curadora do Calvert Group de fundos mútuos, explica melhor. "Títulos Comunitários... a idéia na realidade partiu do Lakota Fund, e foi a maneira pela qual os povos indígenas projetaram um sistema financeiro que, antes de mais nada, servisse para canalizar o capital para a comunidade." Rebecca ajuda os povos indígenas de todo o mundo a proteger o seu território e os seus direitos. Ela acrescenta: "Tanto no caso do Lakota Fund, que fazia pequenos empréstimos, quanto do Calvert, que era um fundo mútuo na faixa de ativos da ordem de 1 bilhão de dólares, os princípios conceituais foram absolutamente os mesmos. Quase todas as famílias de todas as reservas indígenas americanas fabricavam ataúdes, fundiam cruzes para o cemitério, cortavam cabelo, trabalhavam como babás, faziam refeições para entrega, enfim, toda essa vibrante atividade econômica que passava completamente despercebida. Nós criamos o Lakota Fund com base no que já existia e no que já estava acontecendo na economia das reservas. No Calvert, é claro, precisávamos passar pelos acionistas, que para a surpresa de todos, menos a minha, dispuseram-se a investir 5% da nossa carteira nesses fundos de empréstimos comunitários de baixa renda! Da noite para o dia, o que era um experimento radical no Calvert tornou-se um dos produtos de maior crescimento no mercado de investimentos sociais". Rebecca acrescenta, com certa dose de ironia: "Num sistema indígena, se você precisa de um empréstimo

Shari Berenbach
Calvert Foundation

bancário, você se qualificaria para obter esse empréstimo. No nosso sistema, se *não* necessita de um empréstimo bancário, aí é que você se qualifica, porque a base é o que você já juntou. Todo mundo sabe que os índios compartilham muito e cooperam bastante. Portanto, se você pensa que compartilhar ou cooperar é algo negativo... Mas acreditava-se que esses não eram princípios comerciais, que não poderíamos ter crescimento econômico e capitalismo com pessoas que se ajudam e compartilham tudo!" As comunidades indígenas americanas também têm se beneficiado de jogos e cassinos tribais. Embora esses caminhos para a auto-suficiência econômica tenham sido criticados (e algumas tribos tenham sido "depenadas" pelo lobista Jack Abramoff, atualmente preso), eles ofereciam uma das poucas opções disponíveis. Pelo menos, as novas receitas dessas atividades econômicas levaram à melhora das escolas, dos serviços sociais, do atendimento de saúde e a muitos bancos de propriedade de indígenas, representados pela Associação de Banqueiros Indígenas Norte-americanos. *The Economist* observou esse crescimento nos serviços financeiros como uma conquista positiva (19 de fevereiro de 2005).

Shari Berenbach acrescenta: "Desde o lançamento da Calvert Foundation, financiamos cerca de 20.000 unidades habitacionais. Também oferecemos financiamentos para bancar empréstimos para pequenas empresas. A fundação tem 100 milhões de dólares que vêm de mais de 2.000 investidores, todos interessados em ver esses dólares chegarem ao nível da comunidade e alcançar as pessoas que não têm acesso a financiamentos e que realmente possam usar esse capital para superar as suas necessidades sociais urgentes".

Outro grupo inovador, a Rudolf Steiner Foundation (www. rsfoundation.org), sediada em San Francisco, ajuda a direcionar os fundos de doadores e investidores para empreendimentos locais que visem revitalizar as comunidades urbanas e rurais de todo o mundo, com base na obra de Rudolf Steiner, o filósofo e educador europeu que fundou as escolas Waldorf.

O conceito de investir na comunidade local é atualmente um movimento mundial poderoso. Da Índia à Etiópia, as pessoas estão conseguindo pequenos empréstimos para iniciar uma empresa e assegurar a sua independência financeira. Embora o acesso ao capital financeiro ainda seja limitado, os grandes bancos já oferecem empréstimos pequenos e microempréstimos, porque verificaram que os índices de liquidação entre os tomadores de empréstimos de pequeno porte são maiores do que as das grandes corporações.

A Equal Access realiza um esforço único para incentivar a independência econômica oferecendo *comunicações* em vez de *dinheiro* como um caminho para a liberdade econômica. Dinheiro e informações são equivalentes e geralmente as informações podem revigorar comunidades locais tanto quanto o dinheiro ou até mais do que ele. Ronni Goldfarb, diretora-executiva da Equal Access, explica os seus projetos inovadores. "Estamos realmente visando às pessoas que nunca fizeram um telefonema, que podem ser completamente analfabetas, que têm poucos recursos e na verdade carecem das informações mais elementares que poderiam melhorar a vida delas. Um dos instrumentos que usamos é um receptor digital via satélite. E o motivo para isso é que há muitas regiões nos países em que trabalhamos onde nem sequer chegam ondas comuns de rádio. Cerca de 70% do Afeganistão consiste em zonas rurais e, depois de 23 anos de guerra, o país inteiro foi devastado. Assim, o nosso primeiro projeto no Afeganistão foi um programa radiofônico de formação de professores. Com esse programa-piloto, formamos mais de 3.500 professores, que atualmente beneficiam 150 mil estudantes. Desde essa época, graças ao sucesso do programa, já fomos solicitados a instalar 7 mil receptores via satélite nas aldeias mais pobres e remotas do país. Esses receptores já se encontram instalados no momento. O nosso canal transmite quatro horas de material didático nas línguas *pashtun* e *darreh*, e as pessoas recebem educação básica, formação para o magistério, além de informações sobre o desenvolvimento rural. Também transmitimos programas do Noticiário Mundial da BBC, além do programa educacional afegão, que transmite lindas histórias infantis e apresenta novelas que falam sobre voltar para o Afeganistão e construir uma nova vida. Gostamos de dizer que estamos suprindo a lacuna en-

Amigos de Ronni Goldfarb no Afeganistão

tre a pobreza e a oportunidade." Atualmente, a Equal Access está distribuindo 300 aparelhos receptores no Camboja.

O economista Jeffrey Sachs expõe um caso semelhante no seu livro *The End of Poverty* (2005), mostrando que investir em saúde e educação produz grandes retornos e é "a barganha do século!" A análise de Sach encorajou milhões de ativistas no mundo todo com a sua campanha contra a pobreza intitulada "Make Poverty History", liderada pelo vocalista Bono e outros astros do rock e lançada na reunião de cúpula do G-8, em 2005, na Escócia. No Brasil, também houve algumas iniciativas na luta contra a pobreza na administração do presidente Luiz Inácio "Lula" da Silva. Baseado no sucesso do programa Bolsa Escola, lançado pelo ex-governador do Distrito Federal Cristovam Buarque, que assegurava um salário mínimo às famílias que mantinham os filhos na escola, o novo Programa Bolsa Família é um sistema de transferência direta de renda com condicionalidades, que incentiva famílias pobres a manter os filhos na escola, vaciná-los e levá-los regularmente ao médico, além de poder comprar os alimentos necessários e pagar pelo transporte. O México tem um programa semelhante, chamado Oportunidades, que proporciona transferência de renda a 5 milhões de famílias mexicanas. *The Economist* considerou esses programas de transferência de renda "uma maneira melhor de ajudar os pobres do que muitos programas sociais anteriores" (17 de setembro de 2005). Em conjunto com o microcrédito para empreendedores e a garantia de terras e títulos de propriedade, conforme a idéia original do economista peruano Hernando de Soto, apresentada em *The Other Path* (1989), muitos analistas atualmente concordam que a agenda das Metas de Desenvolvimento do Milênio para reduzir pela metade a pobreza no mundo até 2015 é realizável.

Bill Drayton chama a atenção para o quadro geral. "Em duas décadas e meia, metade das operações mundiais deixou de ser pré-moderna e passou a ser empresarial competitiva. Esse é um grande desafio. Como encontramos maneiras de trabalhar juntos? Quanto mais empreendedores houver, maior o número de agentes de mudanças locais, que acabam se tornando modelos de comportamento. Imagine um mundo em que não apenas 2 ou 3% da população seja de líderes naturais e todo o resto se considere fora do jogo. Imagine um mundo em que todos sabem que podem fazer o que é preciso e sabem como trabalhar em conjunto para conseguir isso. Esse é o passo mais importante para a evolução da nossa espécie." Josh Mailman acrescenta: "A idéia de uma globalização ética *não pode* mais ser um sonho, porque precisa ser um *imperativo*. A verdade é que tudo cai por terra quanto maior a desigualdade que existir entre nós". No seu livro *The Fortune at the Bottom of the Pyramid* (2003), o guru da administração C. K. Prahalad mostra que, na verdade, o mercado mais desguarnecido do mundo são os 2 ou 3 bilhões de pessoas mais pobres. Então, não é só uma questão de ética, mas também de interesse comercial, começar a pensar sobre como podemos atender às necessidades desses 3 bilhões de pessoas no mundo todo. Susan Davis concorda que a hipótese de C. K. Prahalad é bastante consistente, dizendo que realmente podemos considerar as pessoas na base da pirâmide econômica como consumidores não-atendidos — como produtores não-aproveitados. "Toda empresa que não os considere como parceiros, produtores ou consumidores em potencial vai sair perdendo." As empresas estão atentas, inclusive a Intel Corporation, cujo grupo Shangai está concorrendo com a Advanced Micro Devices Inc., da Índia, e com a VIA Technologies, de Taiwan, no projeto de fabricação de computadores pessoais custando 200 dólares ou menos (*Business Week,* 12 de junho de 2006). Ronni Goldfarb lembra que "a informação tem tanto poder quanto o dinheiro, ou até mais. Com a informação certa você pode realmente fazer uma mudança na sua vida". Josh Mailman acrescenta: "O dinheiro pode trazer benefícios consideráveis quando apóia a ação social, mas, sem a ação social, ele é inútil. Então, todos precisamos ser ativistas sociais à nossa maneira... fazemos o que podemos, mas nunca pense que uma pessoa não pode mudar o mundo, porque isso acontece o tempo todo".

> A idéia de uma globalização ética não pode mais ser um sonho, porque precisa ser um imperativo. A verdade é que tudo cai por terra quanto maior a desigualdade que existir entre nós.

Outro aspecto do investimento na comunidade relaciona-se com o acompanhamento das tendências — de modo que tanto as tendências quanto os setores negativos possam ser identificados e as tendências positivas possam ser ampliadas e recompensadas com a cobertura da mídia. A cidade de Jacksonville, na Flórida, liderou o país em 1983 com o seu Relatório dos Indicadores de Qualidade do Progresso, criado originalmente pela falecida socióloga Marian Chambers e patrocinado desde essa época pelo Jacksonville Community Council Inc. (JCCI). Atualmente, o demonstrativo anual do JCCI ainda mensura a qualidade de vida de Jacksonville, além do seu crescimento econômico, com base nas conquistas em educação, saúde, relações raciais, qualidade do ar e da água, conservação da natureza, parques públicos e artes e cultura; e nos progressos em reciclagem e receptividade do poder público local. As comunidades de amparo à saúde requerem investimentos em todos esses setores, os quais contribuem para a qualidade de vida mundial. O prefeito de Jacksonville, a Câmara de Comércio, o JCCI e outras organizações comunitárias que patrocinam o demonstrativo estabelecem objetivos para o aprimoramento contínuo em todas essas áreas. A mídia local noticia os progressos e as situações em que são necessários esforços adicionais. Centenas de cidades em todo o mundo adotaram os indicadores de qualidade de vida de Jacksonville como os seus próprios índices de referência da vitalidade da comunidade.

Os investidores há muito incluíram as ações municipais nas suas carteiras de ações. Os fundos de pensão e fundos mútuos socialmente responsáveis também incluem esses investimentos de longo prazo nas comunidades, para desenvolver moradias mais baratas e financiar pequenas empresas, responsáveis pela maioria dos empregos. Em 2005, o CRA Fund Advisors tornou-se o primeiro Administrador de Investimentos para o Desenvolvimento da Comunidade a receber um certificado da Associação para a Administração e a Pesquisa dos Investimentos americanos, colocando os investimentos comunitários em igualdade de condições com todos os outros produtos de investimento convencionais. De acordo com a legislação americana de reinvestimento na comunidade, os bancos são obrigados a disponibilizar uma porcentagem dos seus empréstimos para os tomadores de empréstimos e empresários locais. Nos mercados financeiros globalizados atuais, com cerca de 1,5 trilhão de dólares em negociações monetárias diárias, o investimento local é ainda mais importante. Conforme vimos, em alguns lugares como o Afeganistão, o rádio é mais útil do que o dinheiro. Embora o dinheiro vivo circule pelo planeta em busca de melhores retornos, muitos investidores atualmente preferem ver o seu dinheiro beneficiar o desenvolvimento da sua economia natal. Michael Porter, guru da administração de Harvard, mostra que as cidades do interior são bons lugares para investir. A empresa de pesquisas sem fins lucrativos de Porter, fundada em 1994, publicou em 2004 o estudo *Competitive Inner City*, que revelou que o gasto no varejo em áreas densamente povoadas alcança a média de 25 milhões de dólares ao dia por milha quadrada, contra apenas 3 milhões de dólares em outras áreas metropolitanas. Porter atualmente pesquisa as dez cidades mais destacadas em que a economia do centro comercial ultrapassa a da cidade como um todo. Atualmente, o investimento orientado para a comunidade tem a mesma qualidade e retornos comparáveis aos de outros ativos dos mercados financeiros — além de oferecer mais benefícios sociais. Hoje em dia, os investidores que querem apoiar os fornecedores de microcrédito a comunidades locais têm um grande leque de escolhas. Para conhecer outras oportunidades de investimento social positivo e de baixo risco, visite o nosso site www.EthicalMarkets.com.

Os investimentos na comunidade atualmente totalizam mais de 4 trilhões de dólares nos Estados Unidos, e esses investimentos economicamente orientados (IEOs) são atualmente uma classe fundamental de ativos. Até os meios de comunicação financeiros estão finalmente voltando a atenção para essa história, há muito tempo desprezada. A edição de 9 de maio de 2005 da revista *Business Week* classificou programas de microempréstimos como um bom investimento com sólidos retornos, com destaque para os Títulos de Investimento na Comunidade do Calvert, que já mencionamos, assim como a ACCION Investments (www.accion.org); a Blue Orchard Microfinance (www.blueorchard.com); o Global Bridge Fund, o U.S. Bridge Fund e o Latin American Bridge Fund (também em www.accion.org); os programas MicroVest I, LP e MPower Investment (todos em www.microvestfund.com); Pro Mujer Loan Fund (www.promujer.org) e o World Partnership Certificate (www.oikocredit.org). *The Economist* chegou a conclusões semelhantes na sua pesquisa, "A Riqueza Oculta dos Pobres" ("The Hidden Wealth of the Poor", 5 de novembro de 2005). Depois que as pessoas pobres da zona rural têm acesso a empréstimos e serviços bancários até então negados, elas se mostram excelentes pagadoras e administradoras do dinheiro. O relatório britânico de 2005 da New Economics Foundation, "Basic Bank Accounts", defende a idéia de que os serviços bancários para todos é uma obrigação universal do setor de serviços (www.neweconomics.org).

O panorama americano ainda tem muitas cidades cujo nome homenageia antigas empresas e os seus fundadores e benfeitores: Alcoa, Tennessee, Kohler, Wisconsin e Corning, Nova York, Kennecott, Alaska e Hershey, Pennsylvania. Essas cidades se desenvolveram graças ao sucesso dessas empresas e se beneficiaram dos sonhos utópicos dos seus fundadores, que construíram áreas de lazer gratuito, zoológicos, hospitais, escolas e orfanatos. Eu investiguei esses esforços utópicos em *Politics of the Solar Age*, desde a origem deles na Inglaterra, quando deram origem a cidades semelhantes a Bourneville, a cidade dos chocolates Cadbury. Hoje em dia, as comunidades não podem depender desses generosos benfeitores nem das corporações maiores, conforme vemos nas ações da General Motors e da Ford — agora provocando crises em Detroit e em outras cidades do estado de Michigan. A indústria automobilística mundial atualmente é dominada pela Toyota, e a China acabará sendo um exportador de carros. Os automóveis fabricados por chineses e indianos variam de 2.000 a 6.000 dólares, entre os modelos mais baratos. No entanto, conforme já demonstramos, as comunidades e os investidores e empreendedores locais estão sendo bem-sucedidos na construção e reconstrução das suas economias de origem, e muitas comunidades menores geralmente oferecem uma qualidade de vida melhor.

MESA-REDONDA
A HORA DA VERDADE

Hewson Baltzell, Simran Sethi e Jean Pogge

Simran Sethi recebeu Jean Pogge, vice-presidente sênior da Mission Based Deposits, pertencente ao banco comunitário mais importante dos Estados Unidos, o ShoreBank, e Hewson Baltzell, o nosso analista de entrevistados, para discutir sobre o impacto social, financeiro e ambiental dos investimentos e do desenvolvimento comunitário.

Simran Sethi: Então, Jean, o que significa ser um banco de investimentos baseado na comunidade?

Jean Pogge: No ShoreBank, isso significa ser uma empresa de "resultado final tríplice", em que os nossos acionistas e a nossa administração executiva valorizam igualmente a lucratividade, o desenvolvimento da comunidade e a preservação. Portanto, emprestamos a comunidades minoritárias carentes de investimentos e tentamos ajudar as pessoas a compreender como salvar o planeta.

Hewson Baltzell: Que tipo de programa de geração de riqueza vocês têm, como empréstimos imobiliários subsidiados, programas educacionais, além de outros programas para ajudar os seus próprios funcionários?

Jean: Nós oferecemos um seguro de saúde pessoal grátis para todos os funcionários, é claro, e o funcionário ainda ganha como prêmio a cobertura familiar. Fizemos uma escala baseada na renda, de modo que os nossos funcionários de menor renda, muitos dos quais são mães solteiras, pagam menos do que os funcionários mais bem remunerados. Além disso, apresentamos aos funcionários seminários sobre assuntos relacionados à geração de riqueza; por exemplo, como comprar uma casa, como obter um financiamento imobiliário, como reaver o seu crédito. Esses seminários são muito procurados e geralmente ministrados pelos próprios funcionários, então é o tipo de situação em que todos saem ganhando. E investimos em treinamento: no treinamento profissional em técnicas de trabalho e em um robusto programa de ensino por reembolso. Dois anos atrás, introduzimos um novo programa chamado "Direcione a Sua Carreira", em que todo ano, cada funcionário recebe 500 dólares para pagar qualquer tipo de treinamento que ele queira — sem que ele precise ter relação com o trabalho. Recusamos o pagamento de aulas de golfe, mas temos aprovado aulas de espanhol e outras atividades que melhoram os conhecimentos úteis para a vida.

Simran: Que medidas o ShoreBank toma em relação à administração ambiental?

Jean: Isso começou com uma preocupação conservacionista por parte do banco, o único em Ilwaco, Washington, que faz de fato empréstimos a pequenas empresas interessadas em criar uma economia conservacionista. Em outras palavras, recuperar em vez de exaurir os recursos dessa linda região do país. Então a nossa diretoria concluiu: "Esperem, não somos duas empresas, somos uma, então vamos levar a nossa missão conservacionista para as nossas áreas urbanas". Francamente, isso tem sido mais do que uma luta. Nós tentamos aumentar a consciência entre os nossos funcionários e os nossos clientes. Fazemos competições para reduzir o uso de papel e conseguimos baixá-lo por volta de 40% ao longo dos últimos quatro anos. E depois fizemos programas especiais sobre o Dia da Terra e introduzimos um programa realmente interessante entre as famílias que compraram a sua casa por meio do nosso banco. Informamos que ofereceríamos de graça uma auditoria do Energy Star na casa dessas famílias, financiaríamos as mudanças recomendadas pela auditoria e, caso o trabalho fosse feito, então daríamos de brinde um refrigerador com o selo Energy Star.

Hewson: Vocês realmente aplicam tudo isso nas suas agências e outras instalações?

Jean: Na nossa agência de Ilwaco e na de Portland, os prédios são "verdes". Não há absolutamente nenhum problema — nós os construímos assim e eles são prédios maravilhosamente ecológicos. Nas áreas urbanas, estamos trabalhando com prédios antigos, então o progresso nesse sentido é mais lento e não está tão bom quanto gostaríamos, mas estabelecemos uma meta, para ver se conseguimos a homologação do Energy Star para um prédio por ano.

Hewson: De que maneira as suas preocupações com a comunidade e o meio ambiente estão embutidas nas suas políticas de empréstimos?

Jean: Somos uma organização reativa, não proativa, e segundo a regulamentação não podemos conduzir negócios com empresas as quais emprestamos dinheiro. Então, fica difícil impor os nossos padrões aos clientes, mas o que realmente tentamos fazer é ajudá-los a melhorar os seus próprios padrões. Assim, por exemplo, do ponto de vista da conservação ambiental, o nosso banco elaboramos uma escala para classificar cada uma das empresas a quem fazemos empréstimos de acordo com o seu impacto ecológico, e concedemos empréstimos com base nessa escala. Mas depois de feito o empréstimo, temos um funcionário especializado que discute com o cliente maneiras de melhorar o seu impacto ecológico. Nas áreas urbanas em que atuamos, reciclamos prédios antigos. E depois nos certificamos de que os nossos clientes compreendam que não se trata apenas de uma reforma cosmética; eles precisam aprimorar os sistemas dos prédios, de modo que estes permaneçam em ordem por algum tempo e sejam melhores para os inquilinos.

Hewson: Então, o seu maior impacto social é basicamente a geração de empregos e a concessão de crédito onde ele normalmente não é oferecido.

Jean: Sem dúvida. Cuidamos de áreas desocupadas que, não fosse pelo banco, seriam terrenos baldios. As histórias são maravilhosas. Temos clientes que começam como porteiros de prédio e depois compram o prédio, em seguida outro e, quando adquirem quatro prédios, normalmente entram para o negócio. Quando chegam a seis prédios, contam com uma equipe de funcionários para reformar os prédios, e alguns acumularam caixa nos últimos anos, 4 ou 5 milhões de dólares no bolso. Esse é realmente um impacto social de primeira ordem, creio eu!

SEIS

Comércio Justo

NESTE CAPÍTULO, VAMOS TRATAR DO COMÉRCIO JUSTO (*Fair Trade*) com relação a uma série de mercadorias, desde café, chocolate, chá e bananas, até trabalhos manuais, envolvendo vestuário, utensílios domésticos e decoração. O movimento pelo Comércio Justo começou de fato durante a "Batalha de Seattle", em 1999, quando milhares de manifestantes protestaram contra a reunião da Organização Mundial do Comércio (OMC) naquela cidade. Fundada após uma sucessão de rodadas de conversações sobre o comércio, a OMC entrou em atividade em janeiro de 1996. Como não poderia deixar de ser, ela baseou os seus regulamentos na economia obsoleta dos séculos anteriores, especialmente nas idéias do economista britânico David Ricardo sobre a "vantagem comparativa", endossadas por Adam Smith. A idéia era um "nicho" estratégico bastante considerável, segundo a qual países cuja força de trabalho, parque industrial e clima os colocavam em vantagem em comparação com outros países, deveriam aproveitar essas vantagens naturais para fazer negócios com países que tivessem outras vantagens especiais. Embora os economistas, em especial Adam Smith, louvassem a competição entre produtores, fabricantes, agricultores e trabalhadores, todos guiados pela "mão invisível" dos mercados, eles pressupunham que a economia de cada país fosse amplamente soberana e que o capital e as finanças permaneceriam dentro das fronteiras de cada país. Em uma época de mercados de capitais eletronicamente acessíveis durante 24 horas, satélites, viagens a jato e outras tecnologias ao redor do mundo, a economia obsoleta de Ricardo e Adam Smith — que ignora os custos ambientais, sociais e culturais — continua orquestrando a desastrosa guerra econômica mundial dos nossos dias, conforme demonstrei em *Construindo um Mundo Onde Todos Ganhem* (1996). Um relatório de 1996 do Programa de Desenvolvimento das Nações Unidas contesta a noção econômica de que o livre comércio é um meio de reduzir a pobreza (www.undp.org).

Selo de Certificação do Comércio Justo

Na economia mundial dos nossos dias, os produtores de pequeno porte até países inteiros podem ser deixados de fora do processo de barganha da OMC. Ao entrar em uma cafeteria e pedir um *cappuccino* de 5 dólares, você talvez presuma que as pessoas que cultivaram os grãos de café ganham o suficiente para também se dar ao luxo de tomar uma xícara de um café de ótima qualidade. A triste realidade é que os vorazes mercados de café despencaram e o preço mundial, que ficava em média por volta de 1,20 dólar na década de 1980, caiu em 2002 para aproximadamente 0,50 dólar por libra (o preço mais baixo em termos reais dos últimos cem anos). Desde essa data, os preços do café se recuperaram, ficando entre 1,11 e 2,14 a libra — ainda muito baixos em termos reais. Isso tem significado a ruína para cerca de 25 milhões de plantadores de café no mundo. As políticas do Comércio Justo remediam amplamente esse problema, dando aos produtores uma oportunidade de manter o seu estilo de vida tradicional e ganhar um salário que lhe garanta o sustento. O Comércio Justo tem recebido um grande apoio dos consumidores, que procuram os numerosos selos atestando que não estão explorando produtores rurais pobres, incentivando o trabalho infantil ou depredando os recursos naturais. De acordo com *The Economist* (1º de abril de 2006), as vendas do café certificado britânico quadruplicaram em escala mundial desde 1998.

A OMC afirma que o comércio mundial é uma conjuntura em que todos ganham e se beneficiam. No entanto, essas declarações, especialmente sobre os pobres, têm sido cada vez mais questionadas — até mesmo pelos seus antigos promotores como *The Economist*, que admitiu que "os benefícios (...) para as populações mais pobres do mundo têm sido exagerados de qualquer modo" (10 de dezembro de 2005). As mesmas tecnologias da informação que aceleram a especulação mundial também permitem que os consumidores escolham produtos do Comércio Justo e os investidores possam julgar o desempenho social, ambiental e ético das empresas pelas novas auditorias mundiais e pelos padrões de produção. Um estudo realizado pelo fundo de pensão dos professores americanos, TIAA-CREF, revelou que, em 2005, a sua posição na classificação de confiança do Índice de Confiança caíra e que 62% dos investidores entrevistados estavam mais cautelosos em conseqüência dos escândalos empresariais e políticos (TIAA-CREF, primeiro trimestre de 2006).

Portanto, vamos conhecer alguns dos inovadores cujos esforços promoveram os mercados do Comércio Justo ao redor do mundo. Paul Rice é presidente e CEO da TransFair USA, que criou os padrões por trás do selo Fair Trade aplicado em todos os produtos que seguem as normas do Comércio Justo. Paul explica: "Eu atuei na América Central; morei na Nicarágua durante onze anos, trabalhando entre os produtores rurais de lá, e tomei contato com o

Paul Rice
TransFair USA

Comércio Justo nessa época. Em 1990, ajudei a organizar a primeira cooperativa de exportação de café da Nicarágua, e tive a oportunidade de aumentar radicalmente os rendimentos das nossas comunidades numa época em que os preços mundiais do café estavam muito baixos. Assim, percebi o impacto do Comércio Justo. Voltei para os Estados Unidos em meados da década de 1990 e lancei a TransFair em 1998.

"A TransFair USA é a única organização de certificação de terceiros para os produtos do Comércio Justo aqui nos Estados Unidos. Nós certificamos as empresas e os produtos que atendem ao padrão internacional do Comércio Justo. Fazemos auditorias em toda a cadeia de abastecimento mundial. Fazemos o rastreamento de sacas de café ou caixas de bananas durante todo o seu trajeto, desde a América Central ou a América do Sul, ao longo da cadeia de abastecimento, passando pelo distribuidor, até chegar ao varejo aqui nos Estados Unidos. Então, quando vêem o selo de certificação Fair Trade, os consumidores podem ter certeza de que os critérios do Comércio Justo foram seguidos, e saber que os produtores rurais receberam o preço justo. Costumamos visitar todas as cooperativas de Comércio Justo ao menos uma vez por ano. Vistoriamos as plantações, auditamos os livros contábeis e verificamos se os padrões do Comércio Justo foram cumpridos no nível da propriedade agrícola e da cooperativa. Estamos trabalhando, principalmente, com pequenas propriedades agrícolas que fazem parte de cooperativas administradas democraticamente. Em seguida, trabalhamos com os importadores que compram o produto, trazendo-o para os Estados Unidos. Por exemplo, trabalhamos com indústrias de torrefação de café, empresas de embalagens, e depois fazemos o acompanhamento detalhado no nível de varejo. Também explicamos aos consumidores por que, no final das contas, o Comércio Justo só será bem-sucedido se desenvolvermos a demanda do consumidor, que está aumentando muito rapidamente em lojas de todo o país.

"No início do ano, tive a oportunidade de visitar algumas cooperativas no México e levei algumas pessoas do setor de café para conhecer os produtores rurais e perceber o impacto que a participação deles no Comércio Justo estava causando. Passamos uma tarde no campo, conversando com um homem chamado Ecedro, que é da quarta geração de plantadores de café e um dentre os oito filhos dessa geração. Antes, eles conseguiam estudar até o segundo ano primário. Na comunidade deles, a norma era que os filhos dos produtores rurais estudassem até o segundo ano primário, aprendendo a ler e a escrever, e depois fossem trabalhar na lavoura. Já a geração dele, nunca teve a oportunidade de estudar ou receber educação. Então, cerca de dez anos antes, a comunidade se organizou e constituiu uma cooperativa. Eles começaram a processar e comercializar o produto diretamente. Depois de três anos começaram a vender para o mercado de preço justo internacional, primeiro para a Europa e agora para os Estados Unidos. E como resultado dessa renda muito maior, os quatro filhos de Ecedro conseguiram concluir o colegial, foram para a faculdade e dois deles se formaram e voltaram para a comunidade com a intenção de trabalhar na cooperativa. Esse é um exemplo de como o Comércio Justo ajuda na educação das crianças. Comércio Justo também significa autonomia e esperança em relação ao futuro. O Comércio Justo é realmente uma nova forma de globalização com um semblante humano. Esse tipo de globalização trabalha a favor dos pobres."

Chris Mann é o CEO da Guayaki Company, produtora de chás que está expandindo os horizontes culinários na América do Norte e na Europa. Chris tem trabalhado com produtores rurais indígenas das florestas tropicais do Paraguai para produzir a erva-mate, com a qual se faz um delicioso chá que dá energia e faz bem à saúde. Ele explica: "A erva-mate, ou *yerba maté*, como eles dizem, é realmente uma planta incrível, um estimulante saudável e um energético nutritivo. Ela tem 24 vitaminas e sais minerais, 15 aminoácidos e um alto teor de antioxidantes. Dá energia, é boa para a digestão e para os sistemas respiratório e circulatório. É uma árvore perene, frondosa, que cresce nas florestas tropicais. Uma vez por ano, nós simplesmente podamos a árvore e tiramos as folhas e ramos tenros, que passam por um processo de secagem para produzir a erva-mate Guayaki. O mate é nativo da floresta, mas tem sido transplantado para grandes plantações banhadas pelo sol. Esse sistema artificial não contribui em nada para a floresta, nem para as pessoas, mas diminui os custos e aumenta a produção — típico da agricultura em larga escala na região, como acontece nos Estados Unidos em relação ao milho, a soja e outros produtos. Nós cultivamos o mate exclusivamente dentro da floresta tropical, onde ele alcança o maior valor nutricional no seu meio ambiente nativo. Seguindo os métodos tradicionais, podemos conseguir um produto de alta qualidade. Na América do Sul, especialmente na Argentina e no Paraguai, é possível ver

Chris Mann
Guayaki Company

erva-mate por toda parte. Ele é o símbolo da hospitalidade desses povos e bebê-lo, um ritual diário para cerca de 30 milhões de pessoas.

"O Comércio Justo é um dos movimentos mundiais mais importantes atualmente. Hoje, vivemos em um mundo praticamente ditado pela economia, em que medimos tudo em dólares e centavos. As pessoas que foram pressionadas para a base desse sistema são os pequenos produtores que realmente detêm o conhecimento ancestral, fazem o trabalho e fornecem o alimento para nós. Perdemos o contato com isso, porque estamos distantes demais. A realidade é que as decisões de compra que fazemos todos os dias têm um impacto enorme sobre o que acontece nas florestas tropicais da América do Sul, da África, da Ásia, em todo o mundo."

A Colheita do Mate

Amber Chand, co-criadora da The Jerusalem Candle, concorda. "Comércio Justo — basta considerar estas palavras: *justo,* respeitoso, franco, generoso; e *comércio,* o comércio é a arte sagrada da troca, a prática mais antiga desde a Rota da Seda, na Ásia. Essa é verdadeiramente a maneira como os seres humanos agem — negociamos, fazemos trocas uns com os outros. O Comércio Justo é a consciência de que devemos tratar as pessoas com grande respeito. Como pacifista, devo me perguntar: 'O que posso fazer, na minha pequenez, para promover a paz no planeta?'"

Amber explica como as transações pelo Comércio Justo podem fazer exatamente isso. "Imagine, por exemplo, produtos sendo feitos por povos em conflito, numa produção conjunta, que acabariam por se tornar um símbolo da pacificação. Como sabemos, palestinos e israelenses não conseguem sequer se reunir para conversar. Há esse incrível desentendimento e esse ódio entre os dois povos. Assim, no ano passado, fui a Jerusalém juntamente com o Business Council for Peace, uma organização sem fins lucrativos de mulheres empresárias, que estão interessadas em apoiar empreendimentos de mulheres em regiões de conflito e de cuja diretoria-executiva faço parte. Criamos a Vela da Esperança de Jerusalém, um produto elaborado tanto por mulheres israelenses quanto por mulheres palestinas. É uma atividade conjunta que nunca, jamais foi tentada antes. A vela, feita por mulheres israelenses que são

Amber Chand
The Jerusalem Candle

imigrantes russas, compõe-se de uma vela flutuante embalada em um saquinho bordado, confeccionado por mulheres palestinas. Portanto, a Vela da Esperança de Jerusalém é um símbolo muito forte do que é possível, quando se consegue aproximar as pessoas. Esse projeto basicamente sustenta uma centena de famílias na Palestina, que atualmente têm comida na mesa. Ele também sustenta 25 mulheres israelenses que, de outra maneira, estariam desempregadas, e esse é apenas o começo do projeto."

Algumas das organizações sediadas nos Estados Unidos que compreendem as deficiências do modelo da OMC buscam parcerias para aumentar a consciência pública sobre o Comércio Justo e questões relacionadas à sustentabilidade, um esforço que parece estar funcionando. O Comércio Justo e os mercados de alimentos orgânicos como um todo estão crescendo 20% anualmente nos Estados Unidos. Kevin Danaher é o co-fundador da Global Exchange, uma organização internacional de direitos humanos especializada em promover a justiça ambiental, política e social por meio dessas parcerias em todo o mundo. Kevin explica por que ele e a esposa, Medea Benjamin, e a sua sócia, Kirsten Moller, fundaram essa organização altamente bem-sucedida. "Nós três fundamos a Global Exchange em 1988. No momento, estamos com uma equipe de cerca de 49 pessoas. O nosso orçamento em 2004 foi de cerca de 8 milhões de dólares. Temos quatro lojas — uma loja virtual e lojas em San Francisco, Berkeley e Portland — que vendem artesanato do Terceiro Mundo proveniente de projetos de desenvolvimento. Fazemos *reality tours* — o inverso do que faz o Club Med —, levando pessoas a outros países para conhecer pessoas de verdade. Fizemos 142 dessas viagens no ano passado. Promovemos campanhas em grandes corporações, para pressioná-las a mudar. Desenvolvemos um trabalho visando à reformulação do FMI, do Banco Mundial e da OMC. Basicamente, tentamos informar as pessoas nos Estados Unidos sobre a nossa responsabilidade como o país mais poderoso do mundo. Assim, essencialmente, somos uma organização educacional, tentando sensibilizar a população para a nossa verdadeira responsabilidade no mundo."

As exposições muito bem-sucedidas de produtos ecológicos promovidas pela Global Exchange — realizada anualmente em San Francisco e Washington, DC, atraem muitos milhares de pessoas. Kevin comenta sobre a exposição. "Os Green Festivals começaram três anos atrás, como um misto de conferência e mostra comercial da economia verde. Contamos com cerca de quatrocentas empresas de economia verde, cerca de cinqüenta ou sessenta palestrantes verdadeiramente inspiradores. São eventos de fim de semana, em que apresentamos música ao vivo nos dois dias. Toda a comida que servimos é vegetariana orgânica, assim como a cerveja e o vinho são orgânicos, de modo que se trata de uma festa, mas de uma festa com propósito. Em Washington, DC, ela acontece em setembro; em San Francisco, em novembro; e em Chicago, em abril. Mais de 30 mil pessoas entraram pelos portões do último Green Festival em San Francisco. Muitas pessoas nos procuraram para agradecer: 'Obrigado pela festa, nós realmente precisávamos de um encontro assim para animar o espírito!'"

Em muitos casos, são os sindicatos e as associações internacionais de trabalhadores que tomam a iniciativa de reivindicar a justiça nos mercados mundiais. Em 2004, a agência mais antiga das Nações Unidas, a Organização Internacional do Trabalho, que também representa trabalhadores e governos, divulgou um relatório da sua Comissão sobre a Humanização da Globalização, *A Fairer Globalization*. O relatório comentava os esforços no mundo todo para reformar os modelos econômicos equivocados e obsoletos, que ignoram os custos sociais, humanos e ambientais.

Neil Kearney é o secretário-geral da Federação Internacional dos Trabalhadores das Indústrias Têxteis, de Vestuário e de Couro, que dá assistência aos trabalhadores, buscando no mundo todo leis que regem as relações trabalhistas. Na opinião dele, a comunidade internacional deve assegurar que todos os governos promovam e imponham o trabalho decente, caso contrário os seus países serão impedidos de participar dos mercados mundiais. Neil explica a filosofia dele: "Nas condições sociais em que os têxteis e os artigos de vestuário são fabricados, essas empresas sabem exatamente o que está acontecendo nas fábricas. As marcas mais importantes e os maiores varejistas mantêm representantes lá o tempo todo, na maioria das vezes verificando a qualidade. Você precisa ser cego para não ver o que acontece. Muitos adotaram códigos de conduta nas empresas para dar conta da responsabilidade social corporativa. Hoje em dia, existem em torno de 10.000 códigos de conduta diferentes. Infelizmente, talvez uns 9.700 não sejam implementados de fato. O custo de mão-de-obra da maioria das camisas que compramos e que são produzidas em países em desenvolvimento equivale a não mais do que 10 centavos de dólar nos Estados Unidos. No entanto, veja o preço que pagamos! Chegamos a pagar de 20 até 50 dólares. Por algumas das marcas mais famosas, chegamos a pagar mais de 100 dólares. Na realidade, o consumidor faz um mau negócio — considerando o baixo custo da produção, da mão-de-obra e, muitas vezes, da matéria-prima. Às vezes, ouço o argumento de que os consumidores deveriam ou poderiam pagar *mais*. Não acredito que os consumidores precisem pagar um centavo a mais para garantir que as condições nesse setor da indústria em todo o mundo sejam mantidas em níveis decentes".

Neil comenta sobre como os regulamentos da OMC (inspirados nos códigos econômicos convencionais) criam enormes transtornos nas indústrias locais. "Atualmente, cerca de 160 países diferentes produzem têxteis e roupas, exportados basicamente para os mercados de apenas cerca de trinta países. Se a China detém 60, 70, 80 ou 90% do mercado, como está acontecendo sob os regulamentos da OMC, não resta muita coisa para os outros 159 produtores. Isso tem implicações radicais sobre as economias nacionais, sobre a estrutura social dos países envolvidos e, na verdade, sobre a segurança internacional. A OMC precisa examinar urgentemente os efeitos da liberalização do comércio em um setor como o dos têxteis e do vestuário, para ajudar o que eu descreveria como setores emergentes e em dificuldades, simplesmente para superar os desafios impostos pelos fornecedores dominantes." A reunião de junho de 2006 da OMC em Hong Kong foi interrompida por um grupo de manifestantes composto de civis e produtores rurais, que protestavam contra uma liberalização maior do comércio.

Alice Tepper-Marlin, presidente da Social Accountability International, concorda. Ela criou o selo SA-8000, que assegura aos consumidores de roupas que não tenha sido usado trabalho infantil na produção.

Conforme descobriram empresas como a Nike, a Reebok, a Kathy Lee e até mesmo a P. Diddy, terceirizar a produção nas fábricas mais baratas do mundo geralmente resulta num custo que está bem acima do preço do item no varejo. As suas marcas e o preço das suas ações foram prejudicados quando grupos de observadores dos direitos civis expuseram os seus erros na Internet e nos meios de comunicação de massa.

À medida que a China ingressa em um período de escassez de mão-de-obra, o jogo de explorar trabalhadores para oferecer ao mundo mercadorias aos menores preços possíveis vai chegando ao fim. Os produtores têm de oferecer a uma classe trabalhadora chinesa cada vez mais instruída salários mais altos e novos benefícios. Para contornar isso, eles transferem as fábricas para as zonas rurais ou para o Vietnã, em uma nova corrida por preços baixos. Enquanto isso, em 2005, as faculdades e universidades chinesas receberam mais de 14 milhões de alunos — acima dos 4,3 milhões de 1999. A OMC, com os seus regulamentos rígidos, baseados nos modelos econômicos obsoletos do livre comércio, agora vem enfrentando uma discordância generalizada entre os seus próprios integrantes de países em desenvolvimento que recentemente adotaram o modelo do Comércio Justo.

Já vimos que as empresas do Comércio Justo tentam ligar os consumidores nos Estados Unidos e Europa com os pequenos produtores dos países em desenvolvimento, para ajudar a tirá-los da pobreza. A boa notícia é que essas empresas do Comércio Justo estão sendo bem-sucedidas. No entanto, o sucesso delas ainda desafia os modelos de livre comércio de duzentos anos de idade da maioria dos economistas e da Organização Mundial do Comércio, o que na realidade exclui muitas iniciativas do Comércio Justo por classificá-las como concorrência desleal! Uma vez que os manuais de economia nos dizem que mais comércio é bom para todos, o Banco Mundial geralmente aconselhava os países a desenvolver as suas economias exportando para mercados mundiais mercadorias de demanda elevada — sejam elas café, chá ou chips de computador. Isso geralmente leva a mercados mundiais vorazes. As receitas dos economistas para o desenvolvimento e o crescimento do PIB instigam os países a abrir as suas fronteiras, reduzir tarifas e permitir que o capital estrangeiro entre e circule livremente — geralmente com resultados infelizes. Muitos países latino-americanos atualmente rejeitam essas receitas econômicas do Consenso de Washington. Os novos países do Grupo dos Vinte, liderados por Brasil, China e Índia, estão questionando os regulamentos da OMC e o protecionismo nos Estados Unidos e na União Européia. Sabemos como os países em desenvolvimento podem perder. As suas empresas e produtores rurais, menores e mais fracos, vão à falência e não podem sustentar os exércitos de advogados e representantes comerciais necessários para negociar com os grandes países ricos nas reuniões da OMC. Hoje sabemos que os regulamentos da OMC são inspirados em políticas de poder em vez de realidades econômicas. David Roodman, do Global Development Institute (além de pertencer ao Conselho Consultivo de Pesquisa do *Ethical Markets*) determina com precisão, no seu índice anual de classificação dos países mais ricos, o modo como as políticas comerciais, de investimentos, migração, meio ambiente, segurança e tecnologia de 21 países ricos ajudam ou prejudicam os pobres dos países em desenvolvimento (www.cgdev.org).

Hoje, o comércio monetário e o grande número de investidores eletrônicos criam ondas gigantescas de dinheiro disponível no mundo — e travam-se verdadeiras batalhas sobre todas essas questões. Os políticos americanos preocupam-se com a invasão de importados baratos, com o fechamento de fábricas e com a terceirização do trabalho de alta tecnologia — até a pesquisa e o desenvolvimento científico, até então a vantagem comparativa dos Estados Unidos. No entanto, os americanos ainda consomem em grande quantidade as mercadorias chinesas — um montante de cerca de 300 bilhões de dólares em 2006.

Até mesmo economistas bem conhecidos do livre comércio e a mídia comercial convencional estão repensando as suas idéias em relação ao comércio e os déficits orçamentários americanos, e sobre o dólar enfraquecido. Em meio a tudo isso, as empresas do Comércio Justo podem continuar a prosperar, e a vantagem para os pequenos produtores rurais às vezes pode vir de novas empresas, como a Grain-Pro Inc., de Concord, Massachusetts, que desenvolve contêineres maiores, mais baratos e mais fáceis de armazenar, além de serem capazes de manter os produtos frescos por até seis meses — permitindo que os produtores rurais tenham mais controle sobre os seus preços. Os novos padrões de aferição de riqueza, progresso e qualidade de vida estão levando as empresas e os responsáveis pela criação de políticas a tipos de exportações verdadeiramente bem-sucedidos, distribuindo os benefícios de modo mais justo.

Conforme observamos, a maior parte do comércio mundial na atualidade é feita por meio de portos, transportes e preços de energia subsidiados pelos contribuintes, que ignoram os custos ambientais e sociais. Se o comércio mundial computasse todos esses imensos subsídios, descobriríamos que o comércio local e regional é mais eficiente. A

Princípios do Comércio Mundial Sustentável

— Aceitação de todos os princípios e tratados das Nações Unidas
— Uma arquitetura financeira global bem regulamentada, transparente e democrática
— Fim da corrupção
— Fim das práticas de realocação baseadas em impostos subsidiados
— Cálculo de todas as mercadorias negociadas e negociações com base em preços de custo global
— Subsídios nivelados por área de atuação
— Correção do PIB per capita com base em medidas do crescimento econômico: Agenda 21 do Rio de Janeiro (1992)
— Correção das avaliações dos mercados de ações e de títulos de dívidas

© Henderson, 2002.

maioria dos países é capaz de produzir internamente muitas das mercadorias e serviços de que precisam. As perversas transações comerciais mundiais dos dias de hoje geralmente levam à comercialização de produtos idênticos, como as 1.500 toneladas de batata que a Inglaterra exportou para a Alemanha e a mesma quantidade que a Alemanha exportou de volta em 2004. De maneira semelhante, navios lotados de automóveis asiáticos cruzam com navios lotados de automóveis americanos semelhantes, no oceano Pacífico, desperdiçando energia e poluindo o planeta. Uma economia mundial humanizada, ecologicamente sustentável, precisará deixar de lado esse embarque desnecessário de mercadorias e voltar-se para o Comércio Justo e a prestação de serviços. Devemos fomentar o intercâmbio de idéias, a música, a cultura, e promover tecnologias, programas de saúde e de educação menos poluentes e mais verdes, além de acordos diplomáticos pacíficos sobre direitos humanos para preservar os recursos da Terra. E à medida que tendemos a nos comunicar mais, não haverá tarefa mais urgente do que reprojetar computadores e centros de informações. Os gigantescos parques de servidores que existem hoje em dia usam enormes quantidades de ar-condicionado para resfriar os sistemas de processamento de dados. Se elas não se tornarem mais eficientes do ponto de vista energético, os sistemas mundiais de dados e comunicações — longe de serem menos poluentes e mais ecológicos — logo consumirão metade de toda a eletricidade do mundo em 2010 (*Wired*, outubro de 2006).

MESA-REDONDA
A HORA DA VERDADE

Simran Sethi

Bob Stiller

Simran recebeu Bob Stiller, presidente e fundador da Green Mountain Coffee Roasters, e o nosso analista de entrevistados Hewson Baltzell, para discutir o Comércio Justo e a estratégia da Green Mountain, inclusive os motivos pelos quais 20% do seu café segue as regras do Comércio Justo.

Bob Stiller: O Comércio Justo é uma prioridade para nós porque representa a certificação de terceiros, com critérios para o cultivo do café, assegurando que os produtores rurais recebam o suficiente pela sua mercadoria. Ficamos muito entusiasmados ao ver a diferença que isso faz no mundo, e muitos funcionários nossos estão se empenhando para aumentar essa porcentagem.

Hewson Baltzell: À parte as questões relativas ao Comércio Justo, a sua empresa também pratica uma série de ações voltadas para a comunidade e está preocupada em dar algo em troca. Vocês têm vários programas, como o Café Program, além de doarem 5% dos lucros antes dos impostos. Poderia nos contar alguma coisa sobre isso?

Bob: Bem, com o Café Program, os funcionários realmente doam parte do seu tempo à comunidade. Nós incentivamos as pessoas a serem ativas. Não achamos que essa seja uma questão de escolha ou que estejamos sacrificando o sucesso da empresa. Achamos que é uma boa prática comercial.

Simran: Os seus funcionários têm alguma oportunidade de entender realmente o que os agricultores e produtores de café passam no dia-a-dia da produção?

Bob: Ao longo de todos esses anos, já enviamos mais de 20% dos nossos funcionários às fazendas. É algo em que estamos trabalhando há quinze anos, para desenvolver critérios de fornecimento segundo um ponto de vista social e ambiental e também e em benefício dos agricultores. Ficamos muito felizes quando acontece uma certificação pelo Comércio Justo, uma vez que isso aumenta a credibilidade junto ao consumidor.

Hewson: Soube que começaram um trabalho com relação à mudança climática mundial, fizeram algumas análises e estão tentando compensar as suas emissões com a compra de créditos por emissões.

Bob: É verdade, começamos a medir as nossas emissões — os nossos resíduos. Já percebemos que existem alguns pontos em que não estamos tão bem quanto gostaríamos. Historicamente, nós nos concentramos mais em questões sociais do que em alguns dos problemas ambientais mais evidentes. Fazer um relatório de RSC (Responsabilidade Social Corporativa) mais abrangente foi uma maneira de abrir os nossos olhos, e realmente estamos muito interessados em melhorar e utilizar esse registro holístico.

Hewson: Do ponto de vista ambiental que acabou de mencionar, qual acha que seja o seu maior impacto e o que estão fazendo para diminuir esse impacto?

Bob: Acho que o nosso impacto positivo tem sido sobre as lavouras de café.

Hewson: Que, por acaso, não são de sua propriedade, certo?

Bob: Elas são os nossos fornecedores — mas conseguimos levar as pessoas a adotarem práticas melhores: como plantar árvores frondosas, que dão sombra, e eliminar o uso de diversos pesticidas e herbicidas. Internamente, a Green Mountain usa a cogeração para reaproveitar o calor dos seus sistemas de energia. Eliminamos algumas dessas emissões, mas acho que ainda não chegamos ao ponto ideal de contenção do nosso impacto ambiental. Além disso, fizemos também algumas plantações, para dissipar as nossas emissões, mas realmente adoraríamos ter um impacto zero sobre o meio ambiente.

Simran: E o que falta para terem 100% do café no Comércio Justo?

Bob: Estamos sempre tentando explicar a diferença ao consumidor. Até vendemos uma parte do café que compramos pelo Comércio Justo nas nossas misturas normais, mas a maior parte do café que vendemos é certificado pelo Comércio Justo. Estamos tentando equilibrar o nosso crescimento — porque entendemos que, quanto maior for o nosso sucesso, maior será a nossa possibilidade de fazer bem ao mundo.

SETE

Empresas que Pertencem a Mulheres

O MODO COMO AS EMPRESAS que pertencem a mulheres estão mudando o cenário dos Estados Unidos é uma das histórias econômicas menos divulgadas do país. As mulheres sempre foram reconhecidas como líderes nas atividades domésticas e comunitárias, e agora elas estão levando os seus modelos de administração e inovação para o mercado, enriquecendo assim a economia mundial. As contribuições econômicas das mulheres têm sido menosprezadas há décadas. A maré está mudando. O número de empresas que pertencem a mulheres nos Estados Unidos está aumentando para quase o dobro da média nacional, respondendo por praticamente 2,5 trilhões de dólares em vendas. As empresas que pertencem a mulheres ou são geridas por elas também empregam mais de 19 milhões de pessoas. No artigo "Um Guia da Economia Feminina" ("A Guide to Womenomics", 15 de abril de 2006), *The Economist* considera que "as mulheres são o motor mais potente do crescimento mundial" e que o aumento de mulheres empregadas nas economias em desenvolvimento tem contribuído muito mais para o crescimento mundial do que a China.

Sharon Hadary, do Center for Women's Business Research, sediado em Washington, DC, fala sobre a dinâmica dessa tendência. "Entre 1997 e 2004, o número de empresas que pertencem a mulheres aumentou o dobro da taxa de todas as empresas. Quando se considera o aumento no número de empresas que pertencem a elas, a expansão do emprego e da receita excede de longe o crescimento em número. Então, o que isso nos diz é que essas empresas são maiores, mais sólidas e estão dando uma grande contribuição para a nossa economia.

As mulheres estão aumentando a sua participação em todos os setores como proprietárias de empresas. E na verdade, o crescimento mais rápido acontece em setores que podemos considerar como não-tradicionais, por exemplo, a engenharia, as telecomunicações e os serviços públicos, além de construção, agronegócio e distribuição por atacado. É onde vemos o crescimento mais rápido de empresas que pertencem a mulheres." Esses números refletem não só o desejo de ganhar a vida, mas também a pressão do empreendedorismo, a necessidade de ter autonomia e flexibilidade, e o desejo de romper as barreiras que impedem as mulheres de progredir em tantos ambientes profissionais.

Deborah Sawyer
Environmental Design International

Deborah Sawyer, presidente e CEO da Environmental Design International (EDI), de Chicago, uma empresa de engenharia civil que faz avaliação de terras, engenharia geotécnica, acompanhamento e recuperação de locais contaminados para reindustrialização e desenvolvimento, dá um exemplo do seu trabalho. "A EDI foi contratada pelo Departamento Ambiental de Chicago em nome da Secretaria de Habitação para examinar o solo e assegurar que não estivesse contaminado antes do início das construções. Temos três contratos diferentes no O'Hare Airport. Temos um contrato de engenharia civil de 3 milhões de dólares no qual recebemos diversas ordens de serviço para pesquisar, drenar etc. Então temos um contrato ambiental, abrangendo as áreas onde ainda ocorrem muitas aquisições imobiliárias. Há sempre muitas construções. Antes de se começar a construir em qualquer lugar, a EDI é chamada para tirar amostras do solo, para ver se o local está ou não despoluído o bastante para que possam dar continuidade ao projeto, seja ele qual for. Ou então, quando são descobertos tanques antigos ou com problemas e querem que sejam eliminados ou saneados." Deborah recorda: "Antigamente, o nosso desafio era financeiro. Começamos em 1991. Catorze anos atrás não havia instrumentos financeiros para pequenas empresas de prestação de serviços. Os bancos simplesmente não as entendiam. Houve um ano em que eu devia 1 milhão de dólares à Receita Federal e não conseguia pensar em outra coisa. Será que eles vão aparecer, lacrar as portas da empresa e me declarar falida? Empresas como a minha têm problemas de fluxo de caixa principalmente porque as agências do governo, muitas das quais são clientes, não pagam as suas contas! E a Receita Federal sabia disso. Quando eu disse *vocês* vão cobrar esse 1 milhão de dólares dessa agência federal, eles puseram o rabo entre as pernas e me deixaram com um modesto plano de pagamento, e tudo se resolveu. Em 1995, fui nomeada a empresária minoritária do ano de todos os Estados Unidos! Assim, venci pelo estado de Illinois, depois pela região do Meio-Oeste, e todos os ganhadores regionais foram convidados a ir a Washington, DC. Meu Deus, eles trataram a minha mãe como uma rainha durante todo o fim de semana! Esse foi provavelmente o meu momento de maior orgulho, levar a minha mãe à Casa Branca!"

Judy Wicks
White Dog Café

Judy Wicks, outra proprietária de empresa pioneira, já foi mencionada neste livro anteriormente, pelo seu destacado sucesso como fundadora e presidente do White Dog Café, da Filadélfia. Judy ilustra as motivações mais amplas das mulheres empreendedoras e permanece à frente do movimento pela incorporação de valores sociais e objetivos comerciais. Transformar uma doceira que faz entregas em domicílio em um instrumento para a defesa de causas sociais, como Judy fez, é um exemplo de como as empresas que pertencem a mulheres geralmente estão aparelhadas para apoiar as comunidades. Judy declarou: "Comecei o White Dog no térreo da minha casa em janeiro de 1983, portanto hoje faz 22 anos. E depois a expandi pouco a pouco ao longo dos anos. Acho que o propósito de uma empresa é prestar serviço. Assim, a missão do White Dog Café é muito simples, pois queremos prestar o máximo de serviços possível em quatro áreas: servimos aos nossos clientes, servimos à nossa comunidade de trabalho (uns aos outros como trabalhadores), servimos à nossa comunidade e servimos à natureza".

Motivações semelhantes estimularam as mulheres a grandes inovações no setor de saúde. A dra. Victoria Hale, CEO e fundadora do Institute for One World Health, desenvolve medicamentos para tratar "doenças órfãs", negligenciadas pelas empresas de medicamentos comerciais, usando fórmulas de medicamentos genéricos, doados ou, de outra maneira, livres de *royalties*, para tratar de pacientes pobres, especialmente em países em desenvolvimento. Kara J. Trott fundou a Quantum Health, em Columbus, Ohio, em 1999, por motivos semelhantes. A Quantum ajuda pacientes a superar as complexidades do sistema de saúde americano. "Eu queria criar alguma coisa e provocar uma mudança na vida das pessoas", contou Trott à revista *Business Week*, na reportagem sobre o sucesso da Quantum (27 de fevereiro de 2006). Ela começou com 400.000 dólares do próprio bolso, ganhos na carreira como advogada. Ginger Graham lançou a Amylin Pharmaceuticals, Inc. para atender diabéticos como ela. "Eu só pensava que não gostava de ver como a vida deles era difícil." Há pouco tempo Amylin lançou dois novos medicamentos para tratar essa doença e abriu o capital da empresa, cujas ações subiram 58% em 2005, chegando a 39 dólares por ação, de acordo com a revista *Business Week* (9 de janeiro de 2006).

Sharon Hadary detalha os resultados das suas pesquisas: "Estamos vendo que as mulheres entram cada vez mais nos negócios com uma experiência semelhante à dos homens. Elas começam trazendo a sua experiência profissional e gerencial, e até mesmo executiva, para a empresa. Mas ainda vemos que existem diferenças na maneira como as mulheres encaram a própria empresa. As empresas masculinas são muito mais propensas a dar importância ao que chamamos de 'pensamento do hemisfério esquerdo do cérebro', que se caracteriza pela lógica, pelos fatos e pela hierarquia. As mulheres proprietárias de empresas são, na realidade, mais propensas do que os homens a usar o 'pensamento do hemisfério direito do cérebro', que se caracteriza pelos valores, pela intuição e pelos relacionamentos. Mas o que nunca constou na literatura comum ou no conhecimento comum é que *as mulheres tendem a ser meio a meio*. Assim, elas querem se preocupar com os valores, os valores são importantes para elas, querem construir relacionamentos, mas também querem os fatos e a lógica. As mulheres são muito mais bem-sucedidas quando tomam uma decisão, não só para obter uma orientação e informações com especialistas de dentro ou de fora da empresa, mas também são muito mais bem-sucedidas ao consultar as pessoas que serão afetadas pela decisão". Outro mito sobre as mulheres atualmente está sendo dissipado. As mulheres se interessam por computadores e eletrônica tanto quanto os homens, e atualmente respondem por 50% de todas as aquisições em tecnologia. Atualmente, nos Estados Unidos, as mulheres comandam 33 milhões de lares — mais de 21 milhões em 1980.

O poder de compra das mulheres chegou a 63% nos últimos trinta anos (muito embora elas ainda ganhem apenas 0,78% de cada dólar ganho pelos homens). As mulheres também parecem administrar os investimentos de maneira diferente dos homens. A extensa lista de mulheres que lideraram o setor de investimentos socialmente responsáveis — atualmente em 2,3 trilhões de dólares só nos Estados Unidos — inclui uma série de empreendedoras de cair o queixo, destacando-se:

Alice Tepper-Marlin, presidente da AS International, que fundou o Council on Economic Priorities, em 1968, e tornou-se a "mãe" do setor de auditoria social e ambiental;

Susan Davis, CEO da Capital Missions, que organizou a comissão de 208 mulheres de elevado patrimônio líquido e fundou o Investors' Circle (capítulo 13);

Geeta Aiyer, fundadora da Walden Asset Management e atual CEO da Boston Common Asset Management;

Joan Bavaria, fundadora da CERES (Coalition for Environmentally Responsible Economics) e atualmente CEO da Trillium Asset Management, de Boston;

Amy Domini, autora do Socially Responsible Investing (2001) e criadora do Domini Social 400 Index (que regularmente apresenta um desempenho superior às 500 do Standard & Poor) e é a CEO da Domini Social Investments, de Boston;

Michaela Walsh, presidente-fundadora do Women's World Banking, atualmente em mais de quarenta países, e **Rebecca Adamson,** presidente do First Nation's Development Institute, ambas pioneiras das microfinanças;

Barbara Krumsiek, CEO do Calvert Group, administra a maior família de fundos mútuos socialmente responsáveis do grupo, totalizando mais de 10 bilhões de dólares, e lançou o Calvert Women's Principles para classificar os desempenhos de empresas segundo critérios de contratação justa, promoção e tratamento das mulheres em todos os níveis da sociedade em todo o mundo (www.calvert.com);

Alisa Gravitz, apresentada no capítulo 9, presidente da Co-op America, que lançou o catálogo National Green Pages de empresas verdes e éticas, e que também administra o Social Investment Forum, a associação comercial do setor de investimentos éticos (www.socialinvest.org);

Tessa Tennant, a primeira gerente de um fundo mútuo ético da Inglaterra, que iniciou a carteira de investimentos verdes na Friends Provident, uma grande corretora de seguros, e mudou-se para Hong Kong na década de 1990 para fundar a ASRIA (Association of Socially Responsible Investors in Asia), que analisa empresas da Ásia, www.asria.org;

Dra. Judy Henderson, pediatra (capítulo 1), que fundou o Australian Ethical Investment Fund e atualmente preside o Global Reporting Initiative (www.globalreporting.org); e

Professora Graciela Chichilnisky, matemática e economista da Columbia University, que inventou as *catastrophe bonds,* usadas para financiar o seguro por danos por desastres naturais, criou o primeiro esquema comercial eqüitativo de emissões mundiais para o Protocolo de Kyoto na área de mudança climática e inventou o International Bank for Environmental Settlements (um FMI "verde"), para assegurar que os "direitos de poluir" sejam distribuídos igualmente a todo homem, mulher e criança do planeta.

Inge Kaul, economista (capítulo 1), pioneira do Índice de Desenvolvimento Humano das Nações Unidas. Diretora dos Estudos sobre Desenvolvimento, UNDP.

Enquanto isso, Wall Street permanece um bastião de privilégios masculinos, conforme mostrado em "Como a América Corporativa Vem Traindo as Mulheres" ("How Corporate America Is Betraying Women", 10 de janeiro de 2005). Até mesmo *The Economist* se perguntou, em reportagem especial: "O Enigma do Telhado de Vidro" ("The Conundrum of the Glass Ceiling", 23 de julho de 2005), por que as mulheres estariam "tão ausentes dos cargos de alto escalão das corporações". A Noruega tomou a dianteira, determinando que, em 2006, todas as empresas devessem ter pelo menos 40% de integrantes do sexo feminino nas suas diretorias ou, depois de um período de tolerância, perderiam o direito de operar e seriam fechadas.

Judy Wicks relembra como foi a própria experiência: "Eu me superei quando decidi *compartilhar* o meu conhecimento e a minha experiência com os concorrentes. Quando você está realmente concentrada em construir uma economia sustentável e justa, precisa pensar na economia como um todo, nas relações entre as empresas. Publicamos um boletim que circula trimestralmente, *Tales from the White Dog Café*, anunciando todos os eventos que acontecerão no café. Eu digo de brincadeira que uso alimentos de boa qualidade como atrativo para envolver os clientes inocentes no ativismo social. Desde que as pessoas venham para experimentar os nossos pratos, por que não fazer mais? O meu primeiro projeto foi o mais ousado, num certo sentido; intitulava-se: International Sister Restaurant Project. Um dia sonhei que entrava em um restaurante e, em vez de pedir uma mesa para dois ou para quatro, pedia uma mesa para 6 bilhões, por favor! Imagino um mundo em que todo mundo tenha um lugar à mesa, todo mundo tenha o bastante para comer, e tenha um lugar na mesa no sentido político e econômico. Tinha ouvido falar da idéia das 'cidades irmãs' e pensei: 'Por que não um restaurante irmão?' Então, acabei indo para a Nicarágua, onde estabeleci um relacionamento fraternal com um restaurante de lá. Isso também me deu um instrumento de marketing, num certo sentido, ou um foco para um programa internacional, a que chamamos 'Uma Mesa para Seis Bilhões, Por Favor'. Depois que comecei a fazer essas viagens internacionais, pensei: por que não ter um restaurante irmão *local,* aqui mesmo em Filadélfia? Então inauguramos um aqui, desenvolvendo relacionamentos fraternais com restaurantes de propriedade de minorias, em regiões mais isoladas, em guetos da cidade, como um meio de fortalecer a comunidade, melhorar o diálogo, a compreensão entre as pessoas da nossa região". Esses exemplos de empresas bem-sucedidas que conseguem "agir certo fazendo o bem" proliferaram nos últimos 25 anos. A mídia tradicional, cujo paradigma de "sucesso" ainda é permeado de preconceitos contra as mulheres, tem ignorado esse desenvolvimento. No entanto, o relatório de 2006 do Center for Women's Business Research, intitulado "Women-

Owned Firms Doing Business Without Employees" ("Empresas Chefiadas por Mulheres que Funcionam sem Funcionários"), revelou que a maioria dos 5,4 milhões de empresas que pertencem a mulheres nos Estados Unidos gera 167 bilhões de dólares em vendas anualmente na maior parte dos serviços, incluindo consultoria, serviços na agricultura, construção, transporte, comunicações e utilidade pública. Para mais informações sobre esse e outros estudos, visite www.womensbusiness research.org.

Paul H. Ray, PhD, co-autor com a dra. Sherry Anderson do livro *The Cultural Creatives* (2000), comenta esses assuntos. "Os Criativos Culturais são uma população que descobrimos ao longo de quinze anos de pesquisas sobre os valores e estilos de vida das pessoas. Os valores e estilos de vida são palavras-chaves no ramo da pesquisa de mercado. Os valores, no caso, significam os valores relativos ao ambientalismo, valores envolvendo as preocupações das mulheres com a vida, valores relativos a salvar o planeta, valores sobre o tratamento de saúde alternativo, sobre a saúde em geral. Os Criativos Culturais também são pessoas que assumem a liderança nas questões ligadas ao movimento das mulheres, de cada aspecto das questões em prol das mulheres e das crianças em todo o planeta. Essa visão mais ampla mostra que as preocupações ambientais exemplificam essa visão que abrange muitos novos avanços na cultura americana moderna. Nos Estados Unidos, a melhor estimativa que temos sobre os Criativos Culturais é de que existem 50 milhões de adultos nessa categoria, e, na Europa Ocidental, 80 a 90 milhões de adultos são Criativos Culturais. Além disso, os Criativos Culturais têm um poder de compra que é simplesmente superior à média dos americanos. Com 50 milhões de pessoas, isso significa 1,2 trilhão de dólares. Basicamente, os Criativos Culturais acreditam que os valores das mulheres, as perspectivas das mulheres, são realmente importantes. Esses Criativos Culturais são as pessoas que estão criando a nova cultura."

Paul Ray
Co-autor, *The Cultural Creatives*

Uma pesquisa nacional de 2003 do National Women's Business Council sobre o Empreendedorismo das Mulheres no Século XXI revelou que mais da metade das mulheres pesquisadas achavam difícil conseguir capital para começar um negócio. O Women's World Banking tem reagido a esse desafio desde 1975. Essa rede mundial de instituições de microfinanciamento, discutida no capítulo 5, há muito tempo reconhece o papel estratégico que as mulheres empreendedoras de baixa renda ocupam dentro das famílias e das comunidades ao redor do mundo. As instituições de microfinanciamento estabelecem relações com associados locais e instituições financeiras mundiais, como o Deutsche Bank e o CitiGroup, para oferecer serviços de crédito direto a mais de 14 milhões de mulheres de baixa renda desde Bangladesh até o Marrocos. Michaela Walsh, uma ex-corretora de ações que passou a se dedicar à filantropia, além de ser co-fundadora do Women's World Banking, conta essa história inspiradora. "Nós fundamos o Women's World Banking a partir da compreensão de que o meio ambiente e os sistemas naturais do nosso mundo não serão sustentáveis a não ser que as pessoas da camada mais baixa, mais próxima da terra, sejam capazes de administrar esse sistema e preservá-lo. Contribuir com o aspecto financeiro da força produtiva também acabará ajudando a criar um meio de sustentar o ambiente natural. Falando sobre economias em desenvolvimento, como é possível desenvolver uma economia que não permite que 50% da força de trabalho e dos produtores dessa economia tenham acesso aos mesmos instrumentos de produção disponíveis aos outros 50%? Precisamos encontrar um meio de adaptar o sistema do mercado e adaptar os sistemas financeiros para criar taxas eqüitativas e justas não só de juros, mas também de serviços e preços dos serviços, para todos que queiram ser um produtor de qualquer espécie na sua própria economia."

Nancy Barry, presidente do Women's World Banking, acrescenta: "Nos últimos 25 anos, trabalhamos em mais de cin-

Nancy Barry
Women's World Banking

qüenta países, com 15 milhões de mulheres de baixa renda. Seja na Colômbia, no Quênia ou em Gujarat, na Índia, o que se vê é que, ao longo do tempo, as mulheres de baixa renda, com o apoio de uma instituição de microfinanças ou de um banco que lhes dêem crédito, acabam conseguindo desenvolver as suas empresas. As filhas delas agora podem freqüentar uma universidade e, mesmo em lugares tão difíceis como a Colômbia, em meio aos antagonismos civis e a recessão, elas podem dizer: 'Hoje a minha vida está melhor do que há cinco anos, e a vida da minha filha será ainda melhor do que a minha'. Portanto, tudo é uma questão de oferecer às pessoas uma possibilidade de subir na vida, de realizar os próprios sonhos".

Michaela Walsh
Women's World Banking

Michaela recorda: "Quando começamos o Women's World Banking, discutíamos sobre como poderíamos obter uma taxa de juros uniforme e justa para as mulheres tomarem dinheiro emprestado, em vez de precisar recorrer a um agiota, esse sim capaz de ir a uma instituição financeira e tomar emprestado. Hoje, passado esse processo evolutivo, chegamos ao ponto em que as microfinanças estão aí para quem quiser ver, e há um setor enorme à nossa espera".

Nancy continua: "O que se chama de setor de microfinanças realmente começou cerca de 25 anos atrás. Hoje, são atendidos mais de 60 milhões de clientes. A nossa rede de relacionamentos atende a 15 milhões desses clientes. Existem 500 milhões de mulheres de baixa renda e suas famílias que ainda precisam ter acesso a esses serviços financeiros. Depois de ter participado disso do zero até atingir 60 milhões, sinto-me muito mais confiante de que conseguiremos chegar aos 500 milhões!"

Michaela recorda: "Uma das primeiras pessoas com quem trabalhamos no Women's World Banking foi a primeira mulher africana a ser vice-presidente e gerente do Barclay's Bank, na África. Ela convenceu o banco a permitir que as mulheres abrissem contas-poupanças para os filhos. Com essas contas, eles se tornaram os primeiros fiadores de empréstimos para as mulheres do Quênia. Hoje, o negócio do Women's World Banking no Quênia é um dos maiores entre os afiliados do Women's World Banking".

Nancy acrescenta: "Cerca de 25% dos 15 milhões de clientes atendidos pelos bancos e instituições de microfinanças na nossa rede de contatos são homens. O motivo pelo qual todo o movimento do setor de microfinanças tenha migrado para as mulheres é, antes de mais nada, o fato de que as mulheres pagam melhor os seus empréstimos. O que aprendemos é que as *mulheres* pobres, de certo modo, pagam os empréstimos melhor do que os *homens* pobres, mas as *pessoas* pobres pagam os seus empréstimos muito melhor do que a média, geralmente mais do que os clientes ricos. Também é verdade que, quando uma mulher empreendedora recebe 100 rúpias, 92 rúpias vão para a alimentação, medicamentos e os livros escolares dos filhos. Na Índia, as estatísticas indicam que, se um homem tem essa renda elevada, apenas 40 rúpias vão para a economia doméstica. Portanto, se o seu caso for consolidar ativos econômicos e sociais para uma família, é mais eficiente emprestar às mulheres. Cerca de um terço desses empréstimos vai para empresas que pertencem a mulheres, um terço vai para empresas familiares, e um terço, especialmente em culturas mais tradicionais, é contratado pelas mulheres e repassado para a empresa de um homem. A diferença é que, mesmo nesse último caso, a mulher conquista mais poder. A mulher começa a ter mais poder em casa e o banqueiro torna-se mais confiante, porque ela vai garantir que o empréstimo seja pago". Conforme

Susan Davis
Grameen, EUA

observado no capítulo 5, há muitas maneiras pelas quais os investidores e doadores podem apoiar todos os programas de microfinanças que relacionamos.

Susan Davis, diretora-presidente da Grameen Foundation dos Estados Unidos, explica uma inovação da Grameen Phone Company, fundada por Iqbal Quadir, um visionário de Bangladesh, e Josh Mailman. "Fazemos questão de destacar um dos parceiros muito bem-sucedidos do Grameen Bank, a Grameen Phone Company. Eles também criaram uma instituição sem fins lucrativos, a Grameen Telecom, para dotar os vilarejos de um serviço telefônico. Atualmente, existem 80.000 'telefonistas' nos vilarejos, oferecendo um serviço telefônico movido a energia solar, oferecido pela Grameen Solar. Levamos esse modelo a Uganda. Mostramos o modelo de negócio à MTN, um provedor local de serviços telefônicos. Eles não estavam necessariamente interessados em ser úteis mas, quando viram a previsão de receita, acharam que poderiam atingir um nicho de mercado em que ainda não haviam pensado." Os serviços de telefones celulares sem fio estão se espalhando por todo o mundo porque não requerem a infra-estrutura complexa das linhas convencionais. Além disso, as empresas de pequeno porte e os empresários podem ter acesso a esses serviços com muito pouco investimento, geralmente um microempréstimo que logo se paga.

Nancy Barry resume o caso das microfinanças. "Hoje podemos ver que o sistema funciona e os agentes do sistema tradicional também vêem que está funcionando. Agora, só o que precisamos fazer é continuar inovando, e assegurar que o processo não se torne mecânico demais. Precisamos nos assegurar de estar sempre ao alcance das mulheres de baixa renda que sabem do que precisam. Do ponto de vista das necessidades delas, a evolução será no sentido de cortar os custos das transações e consolidar os mercados de capitais domésticos. Portanto, simplesmente saia da frente! Porque realmente esse é um motor para a mudança."

A Starbucks e a DELL estão entre as muitas empresas que apóiam as mulheres, cada uma à sua maneira — endossando os princípios do Calvert em relação às mulheres, o código de conduta corporativo mencionado anteriormente. As mulheres continuam a fazer grandes conquistas no ambiente corporativo. Diretoras-executivas administram divisões de muitas das 500 maiores empresas da revista *Fortune* (*Fortune*, 16 de outubro de 2006).

O que explica o impressionante aumento no número de empresas que pertencem a mulheres ou são administradas por elas? Uma das razões está relacionada com as recompensas em potencial. Em 2005, a revista *Fortune* observou que "ainda existe uma enorme lacuna entre remuneração e promoção". As mulheres continuam se deparando com muitos desafios, mesmo depois que a discriminação sexual se tornou ilegal, quarenta anos atrás. Um estudo recente, conduzido pela professora de psicologia Hilary Lips, revela que, quanto maior o nível de instrução da mulher e a escala de salários no seu campo, maior é a lacuna de rendimentos! Entre as 500 empresas da *Fortune,* as mulheres atualmente ocupam metade de todos os cargos gerenciais e especializados, mas constituem apenas 8% dos vice-presidentes-executivos ou acima. No entanto, de acordo com uma pesquisa da AFL-CIO, cerca de 62% de todas as mulheres da força de trabalho remunerada contribuem com metade ou mais da metade do que ganham para a renda familiar. Diversos estudos citados pela revista *Business Week* relatam que, em muitos cargos administrativos e de liderança, as mulheres apresentam um desempenho melhor do que os colegas do sexo masculino. As pessoas que responderam à pesquisa de Celinda Lake e Kellyanne Conway, para o livro *What Women Really Want* (2005), revelaram que as empresas de mulheres incluem-se entre as mais ativas do ponto de vista filantrópico; mais da metade contribuem com 25.000 dólares ao ano ou mais para as instituições de caridade, ao passo que 70% prestam serviços voluntários nas suas comunidades pelo menos uma vez por mês. Lake e Conway citam um estudo realizado entre 353 empresas integrantes da lista das 500 da revista *Fortune* segundo o qual as empresas com um número superior de mulheres em cargos administrativos de alto escalão apresentam um desempenho financeiro superior ao das empresas em que menos mulheres estão no topo. Portanto, enquanto a desigualdade e os preconceitos persistirem na América corporativa, as mulheres continuarão a aproveitar as oportunidades e a liberdade do empreendedorismo. Tendo em vista os 19 milhões de empregos que as mulheres criaram até hoje, esse é um benefício para a economia e para a sociedade.

MESA-REDONDA
A HORA DA VERDADE

Alice Tepper-Marlin, Simran Sethi e Amy Hall

Simran recebeu Amy Hall, diretora de consciência social da Eileen Fisher Company, uma empresa de estilistas de roupas femininas, e a nossa analista de entrevistados, Alice Tepper-Marlin, presidente da Social Accountability International, para analisar o impacto social, financeiro e ambiental da empresa.

Simran Sethi: Vamos falar sobre o envolvimento da Eileen Fisher com a comunidade — por que a empresa é tão preocupada com isso?

Amy Hall: Há muito tempo, a Eileen procura apoiar a comunidade de mulheres tanto internamente, em todo o país, quanto internacionalmente. Por ser uma empresa de roupas femininas, a Eileen se preocupa em apoiar as causas femininas, especialmente das mulheres que estão em posição de desvantagem — ajudando-as a se emancipar economicamente, prevenindo a violência contra as mulheres, estimulando a auto-estima feminina e incentivando a saúde e o bem-estar das mulheres.

Alice Tepper-Marlin: Qual é realmente a visão da empresa? Você pode nos dizer, em termos práticos, por que os seus funcionários têm mais vantagens trabalhando na Eileen do que em outra empresa qualquer do mesmo setor?

Amy: Nós seguimos quatro princípios básicos, que estão incluídos na nossa declaração de missão: saúde e bem-estar individual, atmosfera alegre, consciência social e trabalho em equipe com colaboração. E essas quatro diretrizes são evidentes em todos os setores e filiais da nossa empresa.

Simran: Fale um pouco sobre o programa de bem-estar dos funcionários, porque isso realmente fomenta o tipo de ambiente que favorece as mulheres, tanto no trabalho como em casa. Que ligação tem o trabalho que vocês fazem com Yoga e reflexologia com a missão da empresa?

Amy: A Eileen acredita que as pessoas — seja na empresa seja em qualquer outro lugar — precisam cuidar de si mesmas. Então, procuramos evitar que ocorram problemas de saúde ou quaisquer que sejam posteriormente. Assim, trazemos profissionais para os nossos escritórios e para as nossas lojas, e além disso oferecemos aos funcionários um reembolso de até 1.000 dólares por ano para tratamentos que visem o bem-estar. Na nossa comunidade, patrocinamos programas que permitem às mulheres de baixa renda e desfavorecidas o acesso a terapias holísticas e integradas.

Alice: A costura propriamente dita, a produção na fábrica, a montagem das roupas — tudo isso é feito em fábricas, cerca de vinte delas ao redor do mundo, das quais a Eileen Fisher não é proprietária. Nem as administra diretamente. Esse setor emprega em sua maioria mulheres, que nos Estados Unidos tendem a ser imigrantes que não têm um bom conhecimento do idioma. Na China, essas mulheres vêm das camadas mais pobres, das zonas rurais. Na visão da Eileen Fisher, como isso se encaixa na maneira como vocês tratam os funcionários?

Amy: Cerca de sete anos atrás, a Eileen Fisher assumiu o compromisso de compreender, desenvolver e melhorar as condições de trabalho nas fábricas com que trabalhávamos. Decidimos adotar o SA-8000, ou Social Accountability 8000, um padrão de responsabilidade social mundialmente reconhecido para o ambiente de trabalho, desenvolvido por Alice Tepper-Marlin, da Social Accountability Internacional. O SA-8000 estabelece nove princípios fundamentais, ou condições para o local de trabalho, que são padrões mínimos reconhecidos mundialmente sobre como deve ser qualquer local de trabalho. Eles variam desde o trabalho infantil e o trabalho forçado até práticas disciplinares, horas trabalhadas, saúde e segurança, esse tipo de coisa. Nós compreendemos que não poderíamos simplesmente chegar e impor esse padrão, depois ir embora e esperar que as fábricas fossem capazes de segui-lo, então fizemos parcerias com várias organizações — as três maiores são a Business for Social Responsibility, a Verite e a Social Accountability International — para oferecer diversos tipos de treinamento tanto aos gerentes das fábricas como aos operários, para ajudá-los a desenvolver uma cultura, uma cultura de ambiente de trabalho que seguisse o padrão adotado por nós.

Simran: Como a Eileen Fisher administra os impactos ambientais da sua cadeia de abastecimento?

Amy: O meio ambiente, para nós, é um desafio muito novo. E digo desafio porque, no momento, estamos dando início a um programa que nos levará a assumir um compromisso com o meio ambiente, independentemente do nosso produto e da nossa prática. Pela própria natureza das pessoas que contratamos, a empresa já tem feito muita coisa informalmente; por exemplo, a própria maneira como mobiliamos as nossas lojas. Também temos um produto de algodão orgânico, na nossa linha, que recebeu muita atenção — portanto, já fizemos muita coisa, embora seja a primeira vez que estamos considerando o assunto de maneira formal.

OITO
Energia Renovável

A ALTA DOS PREÇOS DO PETRÓLEO, as novas provas científicas do aquecimento global e a elevação dos níveis de CO_2, em conseqüência da queima de combustíveis fósseis, estimularam o interesse crescente por formas alternativas de energia que reduzam a nossa dependência dos combustíveis fósseis e nos conduzam a um futuro com menos poluição e mais harmonia com a natureza. Um estudo da revista *Science* (março de 2006) prevê que as temperaturas mundiais subirão em média 3 graus centígrados até o fim deste século. Esse estudo prevê também um aumento de 6 metros no nível do mar (ao contrário da previsão anterior, de um aumento de 1 metro, feita pelo Painel Intergovernamental sobre Mudança Climática), o que provocaria a inundação de grande parte das maiores cidades do mundo, incluindo Bangcoc, Londres, Miami e Nova York. Uma pesquisa da BBC mundial em dezenove países mostrou que 81% desses países se preocupam com o impacto das políticas vigentes sobre o meio ambiente e o clima (julho de 2006). O alvoroço provocado pela cobertura da mídia sobre o aquecimento global está apressando a adoção de novas políticas e tecnologias viáveis, bloqueadas até agora pelo setor de combustíveis fósseis e pelos seus lobistas. Enfim, muitas empresas começam a considerar as oportunidades e a economia de custos proporcionadas pela mudança para um tipo de energia menos poluente (*Business Week*, 17 de julho de 2006). Entre as mudanças estratégicas nas políticas destaca-se o corte dos enormes subsídios que beneficiam os setores de combustíveis fósseis e de energia nuclear, e reduzem a competitividade das tecnologias renováveis; o uso do poder de compra dos governos para impulsionar os seus mercados e ajustar as políticas de impostos; a promoção de padrões de desempenho como o Energy Star; e a elevação dos padrões CAFE (Corporate Average Fuel Economy), que aumentam a eficiência de automóveis e caminhões. Segundo a pesquisa da BBC, uma maioria de 80% dos países apóia essas mudanças.

Neste capítulo, vamos tratar de algumas dessas iniciativas — desde os programas para levar a energia solar às comunidades rurais, até os esforços corporativos no sentido de reduzir a emissão de gases de efeito estufa, melhorar a sua eficiência *e ao mesmo tempo* aumentar os seus resultados financeiros. Depois que os líderes dos poderosos países industrializados do G-8, inclusive o próprio presidente George W. Bush, reconheceram no seu encontro mundial na Escócia, em julho de 2005, que os gases de efeito estufa (CO_2 e metano), resultantes de atividades humanas, contribuem para o aquecimento global, a pressão vem recaindo sobre a mudança para sistemas de geração de energia alternativos, renováveis e sem interferência climática. Atualmente, o capital de risco vem sendo canalizado para empresas de tecnologia limpa, "verde". Com 1,6 bilhão de dólares de investimentos em 2005 e aumentando a uma taxa anual de 36%, a maior oferta pública inicial foi de 5,5 bilhões de dólares destinada à chinesa Suntech Power Holdings, na bolsa de valores de Hong Kong (*Environmental Finance*, junho de 2006). Desnecessário dizer que os setores de carvão mineral, petróleo e de uso intensivo de combustíveis fósseis tentam reagir como podem. Enquanto isso, o congressista americano Bob Inglis, um republicano da Carolina do Sul, prepara um projeto de lei oferecendo uma verba de 100 milhões de dólares para um "Prêmio do Hidrogênio", com vistas a substituir o motor de combustão interna (*The Economist*, 20 maio de 2006).

Cada vez que o nosso automóvel queima um galão de gasolina, muitos poluentes, incluindo mais de 2 quilos de carbono, são liberados na atmosfera. Se esse carbono fosse sólido, você veria realmente a exaustão do seu carro. Em vez disso, o carbono é liberado na forma de partículas tóxicas e CO_2 — o gás de efeito estufa que, segundo a maioria dos cientistas, contribui principalmente para o aquecimento global. Os combustíveis fósseis queimados para movimentar automóveis e caminhões, aquecer residências e empresas, e as usinas de ge-

162 | MERCADO ÉTICO

ração de energia que poluem o ar das nossas cidades contribuem para o surgimento de uma grande quantidade de doenças respiratórias e constituem cerca de 98% das emissões americanas acumuladas de CO_2.

Uma crença disseminada, alimentada pelos modelos econômicos obsoletos, de que a mudança para uma sociedade despoluída, posterior aos combustíveis fósseis, seria excessivamente dispendiosa, eliminaria empregos e reduziria o crescimento econômico ainda bloqueia a discussão pública de que tanto precisamos. Na verdade, muitos estudos recentes indicam que essa mudança para sociedades baseadas em energias renováveis, limpas, menos poluidoras e mais saudáveis estimularia não só a criatividade e as inovações, como também o crescimento econômico, além de gerar milhões de novos empregos. O artigo do especialista em economia de energia John A. "Skip" Laitner, "Hora de Reavaliar a Economia da Mudança Climática" ("Time to Reassess the Economics of Climate Change", de 23 de março de 2006, no nosso website www.EthicalMarkets.com), analisa sumariamente essas oportunidades. Skip observa que os modelos econômicos obsoletos ignoram os meios pelos quais a mudança para modalidades de energia renovável e cada vez mais eficientes aumentaria a produtividade da economia americana. Muitas dessas tecnologias se pagam em três a cinco anos e têm um tempo de vida de dez a quinze anos. Um banco de dados analisado apresenta cerca de 1.500 estudos que mostram uma economia global de recursos da ordem de 10 a 40% pelo uso dessas tecnologias. A redução do consumo de energia em muitos setores reduziria o desperdício atual de 5 a 25%. Essas e outras eficiências poderiam economizar aos consumidores e às empresas de 50 bilhões a 75 bilhões nas contas de consumo de energia. A União Européia introduziu o "custeamento das externalidades", que força os fornecedores de combustíveis fósseis a incluir todos os seus custos ambientais. A União Européia detém atualmente a liderança mundial do aproveitamento da energia eólica, que no momento teria condições de competir com os combustíveis fósseis sem subsídios. A Agência Internacional de Energia estima que, por volta de 2030, mais de 1 trilhão de dólares será investido em tecnologias de energia renovável não-hidrelétrica em todo o mundo. Nos Estados Unidos, a Lei da Energia de 2005 destinou a maior parte dos seus 80 bilhões de subsídios para o petróleo, o carvão mineral e a energia nuclear, em vez de para as empresas de energia eólica e solar. Estados isolados, liderados pela Califórnia, juntamente com o setor privado tanto dos Estados Unidos quanto do Canadá, vêm atuando de muitas maneiras para promover a energia renovável. A Whole Foods, a empresa mais bem-sucedida na sua especialização, atualmente na lista das 500 maiores da revista *Fortune*, comprou créditos de energia eólica para sustentar 100% do seu uso projetado em 2006, o que a torna o maior comprador da América do Norte (*USA Today*, 10 de janeiro de 2006).

O desenvolvimento pioneiro pelo geofísico canadense Geoffrey Ballard da tecnologia da célula de combustível está revolucionando os transportes — o maior usuário do petróleo — e a maneira como muitos setores industriais planejam reduzir os riscos e reverter o impacto tóxico. O dr. Ballard mora em Vancouver, onde fundou a Ballard Power Company. "Não estamos falando sobre os bilhões de dólares a serem transferidos para a economia do hidrogênio. Estamos falando sobre a pesquisa fundamental que nos dará uma célula de combustível, que é mais capaz de competir com os motores de combustão interna. A célula de combustível é extremamente simples. Ela se constitui basicamente de três partes. Uma parte que introduz o combustível, o hidrogênio, que vai para um lado da célula. E há um veículo para introduzir o ar do outro lado, então usamos o oxigênio do ar e o hidrogênio. E no meio há o que chamamos de uma membrana montada por eletrodos, que se parece com a membrana Saran Wrap ou uma folha de plástico claro. Essa folha especial de plástico só permite a passagem do núcleo de hidrogênio e rebate os elétrons. Os elétrons são forçados a sair para um circuito externo e, quando os elétrons são pressionados para o circuito externo, produz-se uma corrente elétrica. Essa corrente elétrica é então usada para mover os motores elétricos. Um automóvel movido a células de combustível é na verdade um carro elétrico. O motor a célu-

Geoffrey Ballard
Ballard Power Company

la de combustível em um carro proporciona um meio de produzir eletricidade. Observando os carros da Califórnia, sobre os quais por acaso eu tenho informações, descobre-se que 4% dos que circulam nas ruas representam mais capacidade de geração do que toda a capacidade do estado."

Mindy Lubber é a diretora-executiva da CERES, sigla da Coalition for Environmentally Responsible Economies, fundada em Boston depois do vazamento do petróleo do cargueiro Valdez, da Exxon, no Alasca, por Joan Bavaria, atualmente presidente da Trillium Asset Management, uma empresa de administração de ativos socialmente responsável. A CERES criou os seus Princípios para a Administração Ambiental e persuadiu mais de 68 corporações a assiná-los. A CERES também atua junto a muitos fundos de pensão e gerentes de ativos, insistindo com as empresas das suas carteiras de ações para que revelem os seus planos para reduzir as suas emissões de gases de estufa. Mindy expressa essa preocupação com a indústria americana dizendo: "A Toyota e outras empresas japonesas têm conquistado uma participação cada vez maior no mercado híbrido de veículos. As empresas americanas também precisam obter parte desse mercado. Queremos que haja mais empregos para os americanos, mas até certo ponto, à medida que os preços da gasolina aumentam, os padrões de economia de combustível acabam sendo ultrapassados. Ocorrendo mudanças nas leis, será necessário que as fábricas de automóveis produzam veículos menores. Elas precisam fazer isso já, não mais tarde. A decisão de não agir gera um custo financeiro para essas empresas e os acionistas começam a protestar em alto e bom som, exigindo que as empresas façam alguma coisa".

Mindy Lubber
CERES

Esse tipo de atuação dos acionistas, respaldada em vários trilhões de dólares de ativos, não existia até o final da década de 1960, quando alguns nacionalistas isolados enfrentavam as administrações das empresas. A campanha de 1968 para responsabilizar a General

Motors mudou tudo isso, quando Ralph Nader organizou grupos de cidadãos para colocar diretores externos na direção da GM. Como co-fundadora do grupo Citizens for Clean Air, da cidade de Nova York, participei desses esforços — cujo resultado foi obrigar a GM a admitir na sua diretoria o reverendo Leon Sullivan, um líder visionário afro-americano. A preocupação dos acionistas, o assunto do próximo capítulo, com a defesa de um ar e uma água mais limpos, menos emissões tóxicas, melhores condições de trabalho, igualdade, justiça social, direitos dos povos indígenas e muitas outros problemas sociais, passou a ser um assunto constante nas reuniões anuais das corporações americanas. Os acionistas ativistas também fazem pressão em favor da energia renovável limpa e da adoção de mudanças de atitude em relação aos veículos emissores de gases, para termos carros mais limpos — desde veículos híbridos a elétricos e flexíveis, que rodam com qualquer tipo de combustível líquido e que possam ser facilmente convertidos para hidrogênio e células de combustível. Os veículos híbridos são uma ponte entre os carros atuais e os veículos do futuro, quaisquer que sejam eles — muito possivelmente movidos a células de combustível. Os experimentos da Toyota na questão das células de combustível estão avançados, alinhando-se de perto com os seus veículos híbridos, como o bem-sucedido Prius. A Honda também tem uma boa liderança no setor de híbridos, enquanto a Ford só em 2005 anunciou o seu próprio híbrido, um utilitário esportivo. Os híbridos representam um passo considerável na direção de um consumo menor de combustível e um ar mais limpo, indicando a realidade dos automóveis do futuro em todo o mundo. Geoffrey Ballard prevê: "À medida que o motor por célula de combustível começar a substituir o motor de combustão interna, chegará muito rapidamente o momento em que você ligará o seu carro no seu acampamento de pesca. Depois, em vez de usar as linhas de transmissão terrestres, você irá se conectar de uma outra maneira. Digamos que você tenha uma cabana na floresta. Você simplesmente irá até lá de carro e, quando ligá-lo, ele iluminará a sua casa".

O Protocolo de Kyoto, que estabelece objetivos para as emissões de gás de efeito estufa, ganhou força em 2005, quando a Rússia, juntamente com 132 outros países, ratificou o tratado. Os Estados Unidos e a Austrália ainda precisam assiná-lo. A Rússia lança cerca de

17% do total dos gases de estufa do mundo; os Estados Unidos, porém, com 5% da população mundial, produzem 25% de todas as emissões de CO_2 (*Time,* 26 de março de 2006). No entanto, corporações americanas e européias muito importantes, incluindo a Dow Chemical, a GE, a BP britânica, entre outras, estão atualmente comprometidas em reduzir as suas emissões de gás de estufa menor — geralmente porque isso economiza dinheiro. Até mesmo o Wal-Mart aderiu, depois de descobrir quanto dinheiro poderia economizar com um uso mais eficiente de tecnologias de energia. Mindy Lubber acrescenta: "Kyoto passou. Com tanta coisa acontecendo em torno do aquecimento global, considerando a gravidade do problema, a regulamentação nesse caso favorece as empresas". Em uma audição no Senado em abril de 2006, a Duke Energy, o Wal-Mart, a General Electric e a Shell integravam um grupo de empresas que pressionava o Congresso americano a impor limites máximos obrigatórios com relação às emissões de carbono.

> Kyoto passou. Com tanta coisa acontecendo em torno do aquecimento global, considerando a gravidade do problema, a regulamentação nesse caso favorece as empresas.

As empresas não observavam a eficiência porque estavam operando com um código de fonte econômico defeituoso. Ao considerar os custos sociais e ambientais como externalidades que podiam ser omitidas da sua contabilidade, elas não viam o desperdício que saía pelas suas chaminés, entrava nos pulmões das pessoas e nos sistemas de abastecimento de água, até a imensa oposição dos consumidores e dos movimentos ambientais forçaremnas a despoluir. Ironicamente, os Estados Unidos patrocinaram a maioria dos estudos originais sobre o aquecimento global na década de 1970 e ainda são líderes em pesquisas climáticas. Hoje, muitas empresas americanas estão colhendo os benefícios desse aumento na eficiência e na economia proporcionada por fontes de energia mais limpas como a energia eólica e solar. Michael Marvin, ex-presidente do Conselho Comercial para Energia Sustentável, de Washington, DC, faz uma retrospectiva. "O Conselho foi criado em 1992, imediatamente depois da Reunião de Cúpula da Terra, no Rio de Janeiro, por executivos da área energética que não aceitavam a teoria de que se precise escolher entre crescimento econômico e proteção ambiental. Até o ano 2000, os Estados Unidos queriam permanecer próximos aos seus

ENERGIA RENOVÁVEL | 167

aliados internacionais e tratar das questões ambientais, independentemente de qual partido estivesse no poder no Congresso ou na Casa Branca. Nos últimos cinco anos, enquanto o país se desgastava com algumas dessas negociações, especificamente a Convenção Estrutural sobre a Mudança Climática das Nações Unidas (como é chamado o Protocolo de Kyoto), vemos a liderança americana ser questionada e alguns desafios econômicos virão a partir disso." O conhecido filme *Who Killed the Electric Car?* (Quem Matou o Carro Elétrico?) mostra ações defensivas do setor industrial para impedir a mudança para a energia limpa. Enquanto isso, as vendas de sofisticadas bicicletas com marchas aumentaram 25% em 2005 e cerca de 50% em 2006 (*Business Week*, 12 de junho de 2006).

Geoffrey Ballard reflete sobre o futuro mundial: "Acho que não podemos continuar a queimar combustíveis fósseis. O nosso grande problema atualmente é o fato de que a China, a Índia e a Malásia integraram-se na economia, querendo o mesmo padrão de vida que temos. Se escolherem usar a gasolina e os motores de combustão interna, a Mãe Terra vai ter dificuldade de enfrentar toda a poluição que isso acarretaria. Apenas cerca de 12% da população do mundo tem acesso ao transporte, enquanto os outros 88% ainda estão de fora. Mas esses 88% têm atualmente comunicações muito boas, assistem aos programas de televisão americanos e vêem a maneira como se vive na Europa Ocidental e na América do Norte. Eles são humanos. O que eles querem são as mesmas oportunidades que temos".

Mindy Lubber visualiza um quadro semelhante. "Na medida em que há mais indústrias criando emissões, podemos nos ver diante de um problema ainda maior. Por outro lado, estou esperançosa com as mudanças em todo o mundo, em muitos países industrializados, na Europa e até mesmo na China. Existe uma compreensão cada vez maior de que precisamos produzir menos poluição, não mais, de que precisamos fabricar carros que sejam mais eficientes, de que precisamos construir prédios mais eficientes em termos de energia. Vemos a postura ética em toda a Europa de que o pequeno é bom, de que carros maiores não são a única resposta à felicidade, conforme parecemos pensar aqui nos Estados Unidos. Estamos fazendo progressos. Agir agora é um *dever* porque, se esperarmos cinco anos, será vinte vezes mais difícil conseguir controlar o problema. Não agir nos custará caro e isso é ruim para os negócios, portanto precisamos nos mexer."

Michael Marvin observa os investimentos cada vez maiores em energia renovável. "Acho que, do ponto de vista da energia renovável no momento, considerando apenas a curva de custos e a penetração de mercado, você precisa pensar na energia eólica. A energia eólica passou de apenas uma fração percentual no estado da Califórnia para atualmente uma geração de mais de 10 bilhões de quilowatts-hora nos Estados Unidos. Os Estados Unidos foram o líder mundial em geração de energia eólica durante a década de 1980 e no começo da década de 1990. E atualmente somos o terceiro maior usuário de energia eólica do mundo." A capacidade de geração de energia eólica global aumentou 24% em 2005, para 59.100 megawatts, e está crescendo por volta de 29% anualmente, de acordo com o boletim de Lester Brown, o *Earth Policy News*, de 28 de junho de 2006 (www.earth-policy.org).

Em termos de energia solar, estamos começando a observar avanços feitos na Alemanha, na China e no Japão, em particular, e as vendas mundiais chegam atualmente a 11 bilhões de dólares — mais que os 7 bilhões de dólares de 2004. Na realidade, a demanda mundial de silício para as células solares excede atualmente o fornecimento, e a capacidade dos produtores, incluindo a Hemlock Semiconductor Corporation, de Michigan, que está construindo uma nova fábrica de 400 milhões de dólares para expandir a produção em 50% (*Business Week*, 6 de fevereiro de 2006). Dentre os dez maiores fabricantes de turbinas eólicas, um deles encontra-se nos Estados Unidos: a General Electric. Em 2006, a GE, comandada pelo seu novo CEO, Jeffrey Immelt, assumiu um importante compromisso de investimento em meios alternativos, incluindo turbinas eólicas e solares (capítulo 4). Michael Marvin observa: "O futuro é encorajador. A questão é como adotaremos essas tecnologias de modo que elas salientem a mensagem de que promovem um crescimento econômico sustentá-

Susan Davis
Capital Missions Company

vel para as futuras gerações. Observando as empresas de energia sustentável do ponto de vista do investimento, realmente podemos considerá-las da mesma maneira que uma empresa de biotecnologia, em que o potencial é extraordinário".

Susan Davis, presidente da Capital Missions Company, de Winsconsin, uma das pioneiras em capital de risco socialmente responsável, também criou uma simulação on-line para demonstrar como os investimentos socialmente responsáveis superam muitos pontos referenciais em Wall Street (www.capitalmissions.com). "Na verdade, investir em energia e no social é perfeitamente correto hoje em dia, porque os investimentos sociais têm mostrado que correspondem aos referenciais ou os superam, e a energia está no centro das atenções, pela confluência entre a importância cada vez maior da questão do aquecimento global e da segurança da nossa terra natal. Surgiram três novos fundos importantes, envolvendo alguns dos investidores mais experientes do mundo, que partem da faixa de várias centenas de dólares, especialmente em energia solar, mas geralmente em energia limpa." Essas foram as palavras de Susan. Em 2006, observou-se o surgimento de novos índices de ações de tecnologia limpa, com destaque para o Ardour Global Index (AGI), o Next Generation Index (NGEX), o índice americano Nasdaq Clean Edge, o Cleantech Venture Index entre outros (*Environmental Finance*, junho de 2006).

Amory Lovins
Rocky Mountain Institute

Inovações como os "medidores inteligentes", em pouco tempo obrigatórios em toda a Europa, recompensam os consumidores por ajustar o seu consumo de energia de modo a reduzir a demanda total no horário de pico. Outras são proporcionadas pelo grande número de novas empresas oferecendo "etiquetas verdes" e certificações que permitem às pessoas reduzir o consumo total de energia de origem fóssil pela aquisição de energia renovável, mesmo quando esta não está disponível localmente. Por exemplo, a Terra-Pass, Inc. vende etiquetas verdes por até 80 dólares ao ano para os motoristas de SUVs (os carros gigantes americanos) que se sintam culpados. A Starbucks comprometeu-se a comprar 20% da sua eletricidade anual de fontes renováveis por meio da 3phasesEnergy, a intermediária que interliga a Starbucks, a IBM e a Johnson & Johnson a essas fontes. A NativeEnergy.com vende certificados a consumidores de modo que os seus casamentos e comemorações possam ser "neutros em relação ao clima", e o seu custo, calculado sobre a milhagem de viagem dos convidados, é repassado para ajudar a construir geradores eólicos nas reservas indígenas americanas. Distribuí esses certificados aos nossos 65 convidados em uma recente reunião familiar. Eles ficaram interessados e encantados.

O Rocky Mountain Institute tem exercido um papel de liderança na mudança para a eficiência ecológica e a energia renovável desde a década de 1970 e introduziu um modelo funcional de sustentabilidade no prédio da sua sede no Colorado assim como na sua estratégia organizacional. Amory Lovins, juntamente com Hunter Lovins, são co-fundadores do Rocky Mountain Institute, que há décadas vem afirmando que a eliminação do desperdício de energia pode representar uma economia de bilhões de dólares. Eles lançaram o conceito de que a conservação é o mesmo que um novo abastecimento — tão vantajosa quanto encontrar um novo poço de petróleo ou construir uma nova fábrica — e têm efetivamente mudado o pensamento dos legisladores em muitos países. Amory idealizou um novo tipo de rede de energia em que as casas e as empresas podem gerar a sua própria eletricidade e economizar essa energia. Amory explica: "No primeiro século do setor da eletricidade, as usinas de geração de eletricidade eram mais caras e menos confiáveis do que os fios — a rede —, que levam a eletricidade das usinas para os consumidores. Atualmente, as novas usinas elétricas são mais baratas do que a rede e muito mais confiáveis. Entre 98 e 99% das quedas de energia originam-se na rede; cerca de 95%, na distribuição. Agora, para fornecer uma energia acessível e confiável aos consumidores, é preciso aproximá-la deles. Isso se chama geração distribuída. Os maiores benefícios vêm da economia financeira. Por exemplo, é muito menos arriscado construir uma *pequena* usina energética *rapidamente* do que uma *grande* usina *lentamente*. Podemos usar os instrumentos de gerenciamento de *portfolio* para quantificar o valor disso — tipicamente, o valor aumenta próximo a um fator de três. O prédio da nossa sede realmente exemplifica isso. Nós *produzimos* cinco a seis vezes mais energia com as células solares, enquanto uma casa *consome* energia. A maior parte dessa energia usamos no escritório. O resto vendemos de volta para o serviço público, ao mesmo preço. É bem divertido receber uma ligação da distribuidora de energia elétrica da sua região, dizendo que não tem nada para lhe cobrar há meses. Usamos cerca de 5 dólares de eletricidade por mês para abastecer 372 metros quadrados. Isso é cerca de um décimo da norma americana e nós de fato sabemos como economizar dois terços do que sobra, assunto pelo qual ninguém se interessava antes. Pode fazer 40 graus lá fora ou congelar num dia qualquer do ano, mesmo assim o prédio não tem um sistema de aquecimento convencional. Na verdade, é mais barato construir dessa maneira. Com isso economizamos 99% da energia normalmente usada para o aquecimento interno e da água. Assim economizamos 90% da quantidade normal de eletricidade e metade de água. O custo adicional de toda essa economia se paga em dez meses, usando uma tecnologia de 1983".

Rocky Mountain Institute, Colorado

Amory tem mostrado ao mundo que os produtos supereficientes também podem reduzir a poluição e reduzir as emissões dos gases de estufa. "O calor vem das janelas, que são cerca de duas vezes maiores, e de filmes especiais que permitem que a luz entre sem deixar o calor sair. Entre as vidraças ainda há gás criptônio, que também isola o ar duas vezes mais. Também obtemos calor das pessoas, das luzes e dos utensílios. O verdadeiro truque é, antes de mais nada, não perder calor; então não se precisa de muito calor para compensar essa perda. O percentual final de calor perdido pode ser compensado com o uso de um forno a lenha, se for preciso. Além disso, coletamos energia no átrio central do prédio de cinco maneiras diferentes. Obviamente, coletamos calor, que se armazena em todo o solo, no concreto, no solo embaixo do concreto, nas paredes, no reboco, nas 50 toneladas de vigas de carvalho e assim por diante.

Na verdade, o calor acumulado é tanto que, se simplesmente perdêssemos calor durante um eclipse total — até mesmo em janeiro, sem nenhuma entrada de calor — perderíamos cerca da metade de um grau centígrado por dia. O uso conjunto das tecnologias certas e de maneira eficiente resulta em uma grande economia de recursos, além de em geral ter um custo de construção menor e funcionar melhor."

Amory é um pioneiro do projeto do Hypercar, que começou a desafiar Detroit a apresentar resultados melhores demonstrando que era possível produzir um automóvel que rodasse 45 quilômetros com 1 litro de combustível. Atualmente, até mesmo os politiqueiros de Washington, DC, estão entrando nessa onda. Fareed Zakaria escreveu um artigo de tirar o fôlego na edição de 10 de abril de 2005 da revista *Newsweek*, intitulado "Imagine 500 Milhas por Galão". Até mesmo as companhias de petróleo hoje em dia nos incentivam a usar os renováveis. A BP atualmente usa o *slogan* "Beyond Petroleum" ("Além do Petróleo") para divulgar os seus próprios investimentos em renováveis, e os anúncios da Chevron nos dizem que "O Mundo Consome Dois Barris de Petróleo para Cada Um que é Descoberto". A China acaba de promulgar leis para aumentar a sua produção de energia renovável de 1% para 10% em 2010 e os seus padrões de emissão admitidos são superiores aos dos Estados Unidos. Em 2006, a febre por biocombustíveis levantou novas questões. Será que plantações inteiras, como as de milho e de soja, deveriam ser cultivas para abastecer automóveis enquanto tantas pessoas passam fome? Também se usa uma grande quantidade de energia e água nessas lavouras. Só os biocombustíveis de celulose como aparas de madeira, hastes de cana-de-açúcar e forragem podem evitar esses conflitos.

Geralmente menosprezada, a força do mar também pode ser aproveitada para gerar energia. Por exemplo, o uso de turbinas submarinas desenvolvidas pela Blue Energy Canada (de Vancouver) propõe aproveitar o fluxo das marés em muitos estreitos em todo o mundo, como em Puget Sound, em Washington, DC. As turbinas marinhas assemelham-se às turbinas de vento, captando o fluxo da água, que contém oito vezes mais energia do que o vento. As turbinas podem ser adaptadas para aproveitar rios e atender a zonas rurais. Uma estratégia fundamental para a sustentabilidade é oferecer energia localizada nas zonas rurais, em vez de depender das linhas de

Grade de Maré da Blue Energy Canada

transmissão, caras e ineficazes, que partem de grandes usinas energéticas centralizadas.

Bob Freling chefia o Solar Electric Light Fund (SELF) e leva eletricidade para áreas rurais que jamais teriam um gerador central ou linhas de transmissão de energia elétrica, mas têm uma abundância de energia solar para ser aproveitada. "O SELF é uma organização sem fins lucrativos sediada em Washington, DC. A nossa missão é levar a eletricidade solar para os 2 bilhões de pessoas do mundo que ainda não têm acesso à energia elétrica convencional. Atuamos basicamente no mundo em desenvolvimento, na África, Ásia, América Latina e Pacífico Sul. A nossa preocupação é oferecer soluções com energia sustentável para as comunidades rurais que têm pouca chance de ser ligadas à rede de energia num futuro previsível. As pessoas que vivem sem eletricidade costumam usar o querosene como fonte de iluminação. O querosene é perigoso, é poluidor e faz muito mal à saúde. As pessoas que vivem em contato com o querosene inalam o equivalente a dois maços de cigarros por dia. As doenças respiratórias em todo o mundo em desenvolvimento são muito comuns. A BBC recentemente publicou uma reportagem sobre o grande número de pessoas que morrem todos os anos por causa da poluição do ar dentro de casa. Levar a eletricidade limpa, a iluminação limpa para dentro de casa realmente ajuda a prevenir esse problema, portanto essa iniciativa traz um benefício muito imediato para a saúde. Além do mais, isso dá às pessoas a oportunidade de se dedicar a atividades produtivas depois que o sol se põe. Como sempre acontece, nos vilarejos onde não há eletricidade, depois das seis da tarde, a noite cai e todos ficam às escuras. As pessoas se retiram para as suas casas, que são mal iluminadas por lamparinas a querosene, e não há praticamente nada que possam fazer de

Bob Freling
Solar Electric Light Fund

maneira produtiva. A iluminação das casas permite aos pais envolver-se em atividades produtivas. O mais importante é permitir que os filhos leiam e estudem à noite — o que faz uma grande diferença na educação das crianças."

Bob comenta outra iniciativa do SELF: "Fizemos um projeto dois anos atrás no Brasil. Trabalhamos com a Amazon Association e um grupo de índios de uma parte muito primitiva e remota da floresta Amazônica. Levamos energia solar àquelas pessoas, que atualmente está sendo usada para bombear água, iluminar escolas e o posto médico, e ligar uma antena de recepção via satélite que distribui a Internet de alta velocidade para a comunidade. Isso na verdade foi um enorme benefício para essas pessoas em termos de desenvolvimento sustentável. Elas podem ter uma qualidade de vida superior, com acesso a uma educação melhor, melhor tratamento de saúde, além do fato de continuarem vivendo na floresta. Esse é um experimento da Amazon Association para mostrar como esses índios podem viver de maneira sustentável na floresta sem destruí-la".

Assim, 33 anos depois de a OPEP ter quadruplicado pela primeira vez os preços do petróleo em 1973, os Estados Unidos finalmente levam mais a sério a energia limpa e renovável. Muito embora os preços tenham chegado ao limite máximo de 70 dólares o barril, o petróleo ainda é menos caro em dólares estáveis do que era em 1973 — atualmente, a tendência para reduzir a dependência do petróleo está ainda mais forte. Empreendedores visionários, pequenas empresas e capitalistas de risco estão agindo nesse sentido. A Associação de Indústrias de Energia Solar americana relata que a energia solar atualmente é uma indústria que movimenta 5 bilhões de dólares ao ano no mundo todo — expandindo-se a 40% ao ano.

A maioria dos especialistas em sustentabilidade concorda em que, se os atuais subsídios injustos que estimulam a insustentabilidade fossem revogados, a energia solar e as demais modalidades renováveis poderiam concorrer em níveis equivalentes. Eu trabalhei no final da década de 1970 como conselheira no Departamento de Avaliação de Tecnologia das Nações Unidas, ao lado de um ex-administrador da NASA, James Fletcher. Ele nos garantiu que, se esses subsídios desarrazoados fossem dados à energia renovável e eficiente, os Estados Unidos já teriam se tornado esse tipo de economia sustentável.

A energia eólica é a modalidade de geração de eletricidade que mais cresce atualmente. Na Europa, o vento fornece mais do que 25% da eletricidade em algumas regiões. Embora a energia eólica gere muito menos eletricidade nos Estados Unidos, o centro do país — as grandes pradarias — são abençoadas com uma verdadera OPEP de energia eólica contínua, suficiente para gerar toda a energia elétrica de que o país precisa. O Texas e a Califórnia estão na liderança, enquanto os estados do Meio-Oeste e os seus produtores rurais pressionam pelo uso de biocombustíveis. Tanto a energia eólica quanto os biocombustíveis, assim como a energia solar, dão uma nova perspectiva futura aos produtores rurais.

É fundamental cortar os enormes subsídios para os combustíveis fósseis. Os produtores rurais estão se tornando fornecedores de energia; as grandes empresas de energia estão entrando em cena. O grupo FPL, que movimenta 9 bilhões de dólares ao ano, opera 40% das usinas eólicas americanas em quinze estados. A General Electric ganha cerca de 2 bilhões de dólares em vendas anuais e prestação de serviços com seus geradores eólicos. A questão principal é que os custos começam a ficar competitivos em comparação aos dos combustíveis fósseis — assim como da energia nuclear — uma vez que os custos sociais de lidar com o lixo radioativo e os enormes subsídios do governo estão sendo repensados. A eficiência energética atualmente está rendendo grandes dividendos. As inovações em tecnologias de energia solar, eólica, automóveis híbridos, células de combustível e outras modalidades renováveis no setor privado estão todas levando a essa mudança. Uma rede nacional inteligente ajuda, sem dúvida — mas o governo ainda tem muito que progredir. Um estudo para o Climate Stewardhip Act (uma política integrada para cortar as emissões de gases de estufa nos Estados Unidos) apresentado no Congresso americano pelos senadores Joe Lieberman, de Connecticut, e John McCain, do Arizona, em 2005, estima que essa legislação criaria mais de 800.000 novos empregos nos Estados Unidos, com as maiores porcentagens em Michigan, Minnesota, Nevada, Nova York, Ohio, Dakota do Sul e Wisconsin. Os prefeitos de mais de duzentas cidades assinaram o Acordo de Proteção Climática entre os Prefeitos Americanos, pleiteando, entre outras coisas, que atendam às metas de Kyoto nas suas cidades em 2012 (*Time*, 26 de março de 2006). Agora sabemos que a mudança para a energia renovável pode reduzir os gases de estufa e o aquecimento global, fortalecer a economia e produzir milhares de novos empregos, ao mesmo tempo aumentando a geração de riqueza e protegendo o meio ambiente. Muito embora os preços do petróleo tenham diminuído no final de 2006, em razão de fatores sazonais e do desenrolar de contratos futuros de muitos especuladores, a maioria dos especialistas concorda que a produção mundial de petróleo está chegando ao limite e os preços permanecerão no seu patamar atual — a menos que acontecimentos e crises mundiais os forcem a atingir patamares ainda mais altos.

Por fim, não vamos nos esquecer da energia humana amplificada por projetos cientificamente precisos: desde novas bicicletas até bombas de pedal e outras inovações da tecnologia rural, atualmente usadas por milhões de pequenos produtores rurais e produzidas por empresas como a International Development Enterprises, da Índia.

MESA-REDONDA
A HORA DA VERDADE

Simran Sethi com Mark Farber

Simran recebeu Mark Farber, vice-presidente e co-fundador da Evergreen Solar Corporation, e o nosso analista de participantes Hewson Baltzell, para discutir sobre a Evergreen Solar, uma empresa que projeta e fabrica módulos fotovoltaicos que são os motores dos sistemas elétricos solares usados na produção de energia remota e em mercados incipientes conectados à rede.

Simran Sethi: Como a Evergreen usa a energia solar em benefício dos seus acionistas e clientes assim como do meio ambiente e das comunidades em que atua?

Mark Farber: Atendemos basicamente dois mercados — os chamados "fora da rede" e "dentro da rede". O mercado fora da rede se refere aos lugares em que há telecomunicações sem fio e em que as pessoas não têm acesso à eletricidade. Dentro da rede refere-se a residências e empresas em que vivemos e trabalhamos, onde a energia solar oferece energia complementar àqueles que querem usar eletricidade limpa.

Hewson Baltzell: Por um lado, vocês têm muito boas características ambientais, no campo fotovoltaico em geral e na energia solar em particular. Mas e quanto à *produção* — que tipo de problemas aparece durante o processo de fabricação?

Mark: A tecnologia própria da Evergreen tem como objetivo baixar o custo de fabricação das células solares e dos painéis solares. Conseguimos isso de três maneiras: usando *menos* silício, o ingrediente fundamental na fabricação de células solares, usando *menos* ácidos na fabricação do produto e tendo, portanto, *menos* efluentes para limpar e, em terceiro lugar, usando *menos* energia.

Hewson: Mark, recentemente vocês anunciaram que fariam um consórcio com uma empresa alemã e que pretendiam construir uma fábrica onde trabalhariam de trezentos a quatrocentos funcionários. Pode nos contar sobre isso e se foram considerados aspectos ambientais nessas instalações?

Mark: Estamos nos expandindo muito na Alemanha. Isso praticamente triplicará a nossa capacidade. A Alemanha, como vocês sabem, é ainda mais voltada para o meio ambiente do que os Estados Unidos e, portanto, as questões energéticas e ambientais serão um componente fundamental no projeto e funcionamento da fábrica.

Simran: Pode nos dizer alguma coisa sobre a cultura corporativa em que o seu pessoal trabalha? O setor de vocês é de manufatura primária, ainda assim é um setor em que se vê muito entusiasmo.

Mark: De fato, somos uma empresa manufatureira, 70% dos nossos funcionários são operadores de produção, mas eles realmente gostam do fato de que estamos fabricando, não mais um equipamento qualquer, mas painéis solares que geram energia elétrica limpa para as pessoas do mundo todo.

Hewson: Grande parte do setor da indústria solar atualmente é subsidiada, tanto nos Estados Unidos — em alguns estados — como em muitas regiões da Europa. Como isso ficará no futuro e como afeta o seu negócio? A questão dos subsídios como um todo é decisiva para o futuro e para a transição para sociedades sustentáveis com base em formas de energia renovável.

Mark: É verdade que muitos dos subsídios existentes para os combustíveis fósseis e para a energia nuclear criaram um cenário que tende a ser desfavorável para a energia solar. Existem diversos mercados que são naturais, que não são subsidiados, basicamente os mercados fora da rede, mas há políticas e programas por parte dos governos locais e nacionais para apoiar esses mercados em favor da energia solar e de outras modalidades renováveis. Eles são muito importantes para impulsionar o crescimento do mercado. A Alemanha e o Japão são os dois maiores mercados atualmente por causa desses programas.

Hewson: Estou interessado em saber como as energias solar e renovável podem beneficiar especialmente os pobres — aqueles 2 bilhões de pessoas com renda inferior a 2 dólares por dia, que se encontram na base da pirâmide da renda mundial. O que você acha das oportunidades para a base da pirâmide? É aí que se vê mais pessoas fora da rede, que algumas das pessoas mais pobres do mundo vivem e não têm acesso à energia.

Mark: É impressionante que um terço das pessoas do planeta — 2 bilhões de pessoas — não tenha acesso à eletricidade atualmente. Esse é um mercado estratégico para a energia solar. Obviamente, é um desafio levar painéis solares a esses clientes, mas essa é também uma oportunidade estratégica. Na realidade, a nossa primeira venda foi o fornecimento de um painel solar e de duas lâmpadas para cerca de 120 escolas de uma sala só, na zona rural da Bolívia. O mundo *precisa* da energia solar!

Simran: E depois de instalados, qual é o ciclo de vida de cada painel e que tipo de política de manutenção, como aquelas que vigoram na Europa, você tem para recuperá-los?

Mark: Os painéis solares duram muito tempo. Oferecemos uma garantia de 25 anos para os nossos produtos e eles precisam de pouquíssima manutenção. Não esperamos problemas a esse respeito, uma vez que a maior parte da matéria-prima que utilizamos é muito benigna.

NOVE

Ativismo dos Acionistas

NESTE CAPÍTULO, ANALISAREMOS EM PROFUNDIDADE o surgimento dos acionistas conscientizados, que investem no mercado de ações e em fundos mútuos em troca de retornos financeiros sobre os seus investimentos, mas que *também* estão interessados em promover melhorias na vida das pessoas e no planeta. Como proprietários individuais adquirindo a participação de fundos mútuos socialmente responsáveis, os acionistas ativistas estão provocando a mudança para a sustentabilidade. Muitos também exigem que os seus planos de aposentadoria usem critérios mais amplos, a exemplo dos novos padrões de contabilidade com resultados financeiros triplamente integrados. Tais mudanças afetam a responsabilidade da corporação em relação a todos os seus interessados, não só os acionistas. Milhares de acionistas ativistas, juntamente com centenas de gerentes de ativos de fundos mútuos socialmente responsáveis e agentes fiduciários de planos de aposentadoria, estão motivando a redefinição de sucesso no mercado mundial. Todo ano, por meio desses acionistas ativistas, milhares de propostas são apresentadas nas reuniões anuais das corporações, abrangendo uma vasta gama de questões sociais e ambientais. Nas reuniões anuais de 2006, os acionistas preencheram as suas procurações de voto envolvendo mais de trezentos problemas sociais. As maiores preocupações foram com o meio ambiente, a igualdade de oportunidades e as contribuições políticas (*Business Week,* 17 de abril de 2006). O Interfaith Center on Corporate Responsibility (ICCR), que representa cerca de 30 bilhões de carteiras de ações de igrejas e planos de aposentadoria, divulga informes sobre essas empresas e as resoluções que são apresentadas nas suas reuniões anuais em www.iccr.org.

Em 1970, o economista Milton Friedman, da University of Chicago, afirmou, com uma frase que ficou famosa, que as empresas só têm uma responsabilidade social — envolver-se em atividades destinadas a aumentar os seus lucros ou maximizar a lucratividade dos acionistas. Embora alguns economistas ainda apóiem esse ponto de vista de resultado financeiro único, muita coisa mudou. Os últimos trinta anos testemunharam o desenvolvimento de mercados de capitais mais éticos para o século XXI — em grande parte, conseqüência da democratização, da maior transparência na circulação das informações e do surgimento de organizações de utilidade pública na economia mundial. Essas mudanças com certeza teriam surpreendido Adam Smith, o pai do capitalismo, que escreveu o famoso livro *The Wealth of Nations* (A Riqueza das Nações), publicado na Inglaterra em 1776. Hoje em dia, os acionistas ativistas usam a sua posição de proprietários parciais das empresas para pressionar a administração e as diretorias das corporações a assumirem maior responsabilidade social e ambiental. Depois da descoberta da onda de crimes empresariais com o colapso da Enron, o público apóia amplamente uma fiscalização mais atenta das corporações — levando ao surgimento de defensores famosos na luta contra o crime empresarial, a exemplo de Eliot Spitzer, um herói conhecido de Nova York. A Lei Sarbanes-Oxley, promulgada em 2002, exerceu uma ação severa contra muitos abusos das empresas, tais como receitas superestimadas, o que obrigou cerca de 1.200 empresas a refazerem as suas contas. Os salários altíssimos dos CEOs — que em 1980 eram 33 vezes maiores do que o salário médio do trabalhador e, em 2004, passaram a ser 104 vezes maiores — estão revoltando os acionistas, os trabalhadores e outros interessados (*Fortune*, 10 de julho de 2006).

A acionista ativista veterana Alisa Gravitz, diretora-executiva da Co-op America (capítulo 2), tem um MBA da Harvard e é especialista em organização corporativa e legislação dos mercados de valores mobiliários. "Este é um momento muito favorável, se você está preocupado com essas questões sociais e ambientais, para tornar-se um acionista ativista. Como proprietário de ações, participante de um fundo mútuo ou beneficiário de um fundo de pensão, você é literalmente o proprietário da empresa. Assim, tem tanto o direito quanto a responsabilidade de dizer à administração como quer que sejam conduzidos os negócios da empresa."

Tim Smith (capítulo 1), outro acionista ativista de longa data, fundador do Interfaith Center on Corporate Responsibility (ICCR), é atualmente vice-presidente do Walden Asset Management, sediado em Boston, e presidente do Social Investment Forum. Tim começou como um pastor profundamente interessado nos ensinamentos cristãos sobre a justiça e os pobres. O ICCR continua a acompanhar de perto o desempenho social das empresas, ao passo que Tim passou a chefiar o grupo de empresas que administra carteiras de ações de empresas analisadas por auditores preocupados com aspectos sociais, ambientais e éticos. Tim recorda: "Há quase 35 anos, os investidores vêm participando das empresas usando as resoluções dos acionistas, o diálogo, e incentivando as empresas a agir como boas cidadãs corporativas. Por exemplo, um grupo religioso, uma fundação, um fundo mútuo, um administrador financeiro como o Walden, todos eles podem afiançar a resolução de um acionista. Sendo votada por todos os envolvidos em uma reunião de acionistas, essa resolução produz uma repercussão imensamente significativa do ponto de vista estratégico. Ao longo dos anos, temos visto as empresas darem cada vez mais atenção às contribuições dos investidores atuantes. As empresas entendem que os consumidores, os funcionários, os estudantes, que vão se tornar funcionários no futuro, os seus diversos interessados, enfim, também estão preocupados com o seu modo de proceder. Todos querem que também sejam boas cidadãs corporativas. Portanto, cada vez mais, veremos empresas às centenas fazendo relatórios sobre responsabilidade social corporativa, ou relatórios de cidadania corporativa — contando a sua versão da história sobre como estão tentando ser boas cidadãs corporativas. E elas fazem isso não porque simplesmente acreditem que tenham uma obrigação social, mas porque sabem que isso é um bom negócio!"

O ativismo dos acionistas ajudou a desmantelar o *apartheid* na África do Sul por meio do desinvestimento, a retirar de circulação as embalagens de poliestireno do McDonald's, a aumentar a quantidade de materiais reciclados e de fibras alternativas no papel vendido pela Staples e a persuadir o Home Depot, por exemplo, a só trabalhar com madeira produzida de modo sustentável. Os cidadãos *podem* fazer a diferença. Linda Crompton, até recentemente a CEO e atualmente conselheira do IRRC, um grupo de pesquisas sediado em Washington, DC, explica: "A sigla IRRC traduz-se por Investor Responsibility Research Center (Centro de Pesquisas sobre a Responsabilidade do Investidor). Às vezes, as pessoas confundem o IRRC com uma empresa de acionistas ativistas. Ao contrário, o IRRC é simplesmente o fornecedor, para toda uma imensidão de pessoas interessadas nessas informações, de todos os dados relativos a empresas de capital aberto. O IRRC é usado por investidores institucionais como um auxílio na tomada de decisão e por administradores de fundos de pensão, tesoureiros estaduais, por todos aqueles que buscam uma fonte de dados não-tendenciosa. A outra metade da organização está ligada às procurações de votação dos acionistas. Se você é responsável por assegurar a participação dos acionistas nas votações como um administrador de fundos ou de um fundo mútuo — você pode fazer isso por si mesmo, o que exigiria a contratação de funcionários para fazer esse trabalho, ou então terceirizar esse trabalho para grupos como o IRRC. O IRRC pode receber instruções muito genéricas, por exemplo: que todos os votos acompanhem os interesses da administração (alguns anos atrás essa era uma atitude muito comum). Ou, atualmente, com o aumento das votações e o maior interesse por elas, os clientes podem dizer quais são as prioridades que consideram importantes, e o IRRC vai trabalhar em função delas, para elaborar um tipo de estrutura de votação, dependendo do assunto em pauta.

Linda Crompton
Investor Responsibility Research Center

"A organização foi constituída pouco tempo depois que se tomou a decisão de permitir, efetivamente, que os acionistas opinassem sobre os tipos de problema a ser votados. Essa mudança seguiu-se aos protestos em relação à guerra no Vietnã. A primeira área de pesquisa ou investigação do IRRC foi a África do Sul, sobre a questão do *apartheid*. Havia um determinado número de grandes fundações que estavam preocupadas em obter uma fonte de informações imparciais e objetivas para ajudá-las a tomar decisões com relação aos seus investimentos na África do Sul. Assim elas investiram uma soma de dinheiro e constituíram o IRRC".

O Calvert Group foi um dos primeiros fundos mútuos envolvidos no desinvestimento das empresas que faziam negócios na África do Sul. Ainda me lembro daquele dia, na década de 1980, em que a África do Sul renunciou ao *apartheid*. Eu participava de uma reunião do conselho consultivo do Calvert e os repórteres das três maiores redes de televisão americana chegaram para entrevistar os executivos do Calvert sobre o papel que haviam desempenhado no processo.

Gary Brouse, um acionista ativista criativo, descendente de indígenas americanos, além de diretor administrativo do ICCR, na sede da organização em Nova York, divide um escritório com líderes religiosos do Conselho Nacional das Igrejas de Cristo dos Estados Unidos. Gary explica: "Acho que os casos mais graves — como o da África do Sul, em que houve um impasse junto às empresas — tiveram como resultado o surgimento de organizações como a nossa. As empresas estavam deixando de prestar atenção a essas questões. As pessoas diziam que a única maneira de comunicar essa mensagem era começar a desinvestir nas empresas que não atentavam para o problema. Posso lhe afirmar que, desde o desinvestimento na África do Sul, isso passou a indicar, no radar das corporações, que era hora de elas começarem a se preocupar. O que se vê hoje em dia é que estão sendo usados critérios mais sociais para os investimentos. Assim, as corporações estão observando esses novos critérios sociais para estabelecer políticas e procedimentos que não as

Gary Brouse
Interfaith Center on Corporate Responsibility

levem a ficar de fora de algumas dessas carteiras de ações. Essa é uma das preocupações delas. E esse foi um dos benefícios que nos trouxe o desinvestimento na África do Sul. Hoje em dia, e no futuro, a atuação junto às corporações por meio do ativismo dos acionistas é levada muito mais a sério, por causa da vitória sobre o *apartheid* na África do Sul, que contou com o apoio dos investidores americanos.

"Se você observar as crises que vêm ocorrendo nas corporações desde o vazamento de petróleo do *Valdez,* a serviço da Exxon, crises como a da WorldCom, da Enron, mais os casos de discriminação racial, a guerra no Iraque e as questões sobre os contratos comerciais, verá que organizações como o ICCR e os movimentos de acionistas existem para tratar dessas questões *antes* que se tornem uma crise. É por isso que é importante que a responsabilidade e a transparência existam nessas empresas. Esse é um dos nossos principais objetivos. Não importa se estamos envolvidos numa comunicação escrita com a empresa ou num diálogo com a empresa ou preenchendo a resolução de um acionista, o que interessa é que estamos nos comunicando com as corporações em si. Dessa maneira, os acionistas, os funcionários, os consumidores e o público em geral sabem o que a empresa está fazendo e o que deveria estar fazendo."

Gary Brouse acrescenta: "É responsabilidade de todos; não só dos acionistas ou dos executivos da empresa, mas dos interessados também. Todo mundo tem algum tipo de interesse na empresa — seja porque paga impostos, seja porque a corporação encontra-se na sua comunidade e a afete de alguma maneira, ou gerando empregos ou poluindo os mananciais. Como interessado na corporação, todo mundo tem o direito de opinar e pode ter algum tipo de influência nas suas decisões. Com muita freqüência, as pessoas tentam resolver os problemas considerando apenas um aspecto da nossa sociedade, seja o sistema político, o governo ou as leis, em vez de tratar de alguns dos nossos problemas diretamente com as próprias corporações".

Gary também liderou esforços para tornar as empresas conscientes do modo como a sua propaganda e a aquisição de espaço na mídia geralmente contribuíram para criar ou fortalecer estereótipos pejorativos em relação aos índios norte-americanos e muitas vezes para a completa apropriação dos nomes e ícones tribais.

Alisa apresenta outros exemplos de sucesso. "Os investidores socialmente responsáveis conseguiram que empresas como a J. C. Penney não fabricassem mais termômetros feitos de mercúrio, o que é um risco terrível nos lares e para as próprias pessoas que trabalham na produção dos termômetros. Os investidores sociais estão ponderando sobre a questão do HIV/AIDS e têm conseguido que empresas como a Chevron/Texaco e a Exxon/Mobil mudem as suas políticas nos países em que atuam e passem a ajudar as pessoas com os terríveis problemas da AIDS. Graças à pressão que exercem, os investidores sociais estão conseguindo que as empresas se preocupem mais com a mudança climática — como aconteceu com a American Electric Power and Synergy."

Às vezes, os acionistas ativistas aliam-se aos estudantes, às ONGs e aos sindicatos em campanhas como a que foi feita contra as operações da Coca-Cola na sua engarrafadora na Colômbia, onde uma ação de grevistas resultou em quatro mortes. O International Labor Rights Fund uniu-se ao United Steel Workers e processou a Coca-Cola, ao mesmo tempo que muitos alunos da New York University, da University of Michigan, do Carleton College, do Bard College e outros conseguiram retirar as máquinas automáticas de Coca-Cola dos campi (*Business Week*, 23 de janeiro de 2006).

No Canadá, diversos grupos, inclusive a Coalition to Oppose the Arms Trade, a Physicians for a Smoke-Free Canada e o InterPares (um grupo de juízes), questionaram a Câmara de Investimento em Previdência Social do Canadá, que mantém ativos de mais de 90 bilhões de dólares, por investir na Lockheed Martin, na Raytheon, na Northrup Grumman, na Halliburton e em outras empresas contratadas por instituições militares, assim como as empresas de tabaco (*Toronto Star*, 22 de dezembro de 2005).

O maior fundo de pensão dos Estados Unidos é o TIAA-CREF, que apregoa na sua propaganda: "Serviços Financeiros para o Bem Maior". Uma coalizão de grupos civis fez piquetes diante da reunião anual de 2005 do TIAA-CREF, exigindo saber por que as suas carteiras de investimentos incluíam a Phillip Morris/Altria, que detém a marca de cigarro Marlboro, o Wal-Mart, a Unocal, a Coca-Cola, a Costco e outras empresas que não atendem às qualificações exigidas para empresas socialmente responsáveis.

Os sindicatos, incluindo o AFCSME e líderes de acionistas ativistas como Rich Ferlauto (capítulo 2), estão cada vez mais adotando estratégias semelhantes, usando o poder dos seus fundos de pensão para aumentar o poder do seu capital. Os líderes do AFL-CIO estão expandindo os seus próprios serviços financeiros para incluir o ULLICO, Inc., a empresa seguradora de propriedade dos trabalhadores, o Amalgamated Bank e o Union Privilege, que detém 31 milhões de crédito do sindicato de proprietários de veículos (*Business Week*, 28 de março de 2005). Embora a associação aos sindicatos americanos tenha caído para 13%, os seus esforços coordenados ainda exercem influência, e o movimento sindical está longe da obsolescência. Os 84 milhões de trabalhadores não-sindicalizados geralmente falam de intimidação e 47% dizem que votariam por um sindicato na empresa (*Business Week*, 13 de setembro de 2004). Os salários mensais de trabalhadores em posição inferior à de supervisor permanecem estacionados ou caíram mais da metade nos últimos 65 meses desde janeiro de 2001, de acordo com o Departamento do Trabalho americano.

Outro participante de peso é o estado da Califórnia, por meio dos seus CALPERS, além de outros fundos de pensão de funcionários públicos. O tesoureiro estadual da Califórnia, Phil Angelides, é um dos muitos em outros estados que estão preocupados com o desempenho social das empresas. Phil lançou a Green Wave Initiative, ou "Iniciativa Verde" — desenvolvida para amparar os retornos financeiros *e também* gerar empregos, *além de* despoluir o meio ambiente. No seu imponente escritório no prédio da assembléia legislativa estadual em Sacramento, Phil explicou a sua filosofia. "A minha responsabilidade como um curador dos nossos fundos de pensão é simples, obter bons retornos, retornos sólidos a longo prazo, de modo que possamos pagar pelas nossas aposentadorias. Mas acontece que eu — como alguém que esteve no setor privado durante quinze anos antes de ser eleito tesoureiro — sou uma pessoa que acredita muito que é possível ter um bom resultado financeiro *e também* ajudar a sociedade. Assim, temos feito investimentos importantes em tecnologia ambiental e energia renovável. Nós chamamos a isso de Iniciativa Verde, porque acreditamos que podemos ter um bom retorno *e também* fomentar a energia limpa, criar novos empregos e tornar o nosso país indepen-

Phil Angelides
CALPERS

dente em matéria de energia. Esse é um meio pelo qual podemos obter os nossos retornos, mas também fazer mais pela nossa economia e a nossa sociedade como um todo. Eu parto do seguinte princípio: você só pode ser bem-sucedido como investidor se atuar em uma economia e em uma sociedade bem-sucedidas a longo prazo".

Phil Angelides fala sobre a reação negativa dos profissionais tradicionais da Wall Street, que ainda acreditam, juntamente com economistas conservadores como Milton Friedman, que a única preocupação das empresas deve ser o aumento dos resultados financeiros finais para os investidores. "Os reacionários querem rotular isso como investimento social, em vez de simplesmente considerar os fatos. Acho que não devemos desprezar os bons investimentos que, por conseqüência, também são bons para a nossa sociedade! A nossa Iniciativa Verde recebeu o mesmo tipo de julgamento reacionário — sendo rotulada antes da análise dos fatos. Os fatos demonstram que o aquecimento global é um grande problema econômico. Os fatos também indicam que a energia renovável e a tecnologia ambiental estão onde os Estados Unidos precisam chegar no século XXI. Assim, o risco é sempre o da ignorância e da reação. Mas você supera isso se continuar avançando, fazendo a sua lição de casa e conseguindo provar os seus argumentos. Acho que o que mais me orgulha como tesoureiro é que tratamos tudo o que fazemos de um ponto de vista empresarial." Os fundos de pensão CALPERS são muito mais seguros até mesmo que os das empresas mais lucrativas, incluindo o da Exxon Mobil, que é subvencionado por 11,2 bilhões de dólares, e o da Lockheed Martin, por 4,5 bilhões de dólares (*Business Week*, 29 de maio de 2006).

Ariane van Buren é gerente sênior do Investor Outreach, em parceria com a CERES (capítulo 8). Ariane explicou que a CERES (Coalition for Environmentally Responsible Economies) foi fundada em 1989 para usar a alocação de ativos — ou seja, o dinheiro dos investidores — como um meio de influenciar o comportamento das empresas em benefício da Terra e dos seus habitantes. "Trata-se de uma coalizão de mais de oitenta organizações, fundos de pensão, organizações de investimentos, fundos de pensão de sindicatos e organizações ambientais — assim como de uma vasta gama de investidores e organizações de interesse público (www.ceres.org). O grupo usa a postura desses investidores para tentar motivar o comportamento das empresas. Sustentabilidade significa viabilidade econômica das empresas a longo prazo nesse país e no exterior, com base no uso que fazem dos ativos do mundo. A Terra e os seus recursos, não só o dinheiro dos acionistas e a maneira como as empresas esgotam esses recursos, afetam a todos nós. Numerosos fundos de pensão vêm tomando a dianteira entre os integrantes da CERES, como acontece no estado de Connecticut, no de Nova York e na cidade de Nova York. Outros, do governo do estado da Califórnia, têm liderado a coalizão da CERES há muitos anos. Eles começaram com uma iniciativa dos tesoureiros dos diferentes estados porque esses tesoureiros são curadores dos fundos de pensão públicos, que acumulam trilhões de dólares. Esses tesoureiros vão direto ao centro do problema e da estrutura de poder. Sendo aqueles que controlam a situação, dizem então aos fundos o que fazer e depois os fundos transmitem essa informação aos administradores do dinheiro em Wall Street."

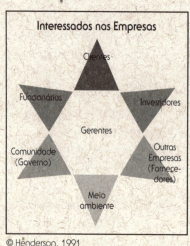

© Henderson, 1991

Phil Angelides está profundamente preocupado com a recente onda de crimes empresariais. "Ao longo dos últimos anos, os Estados Unidos enfrentaram a pior onda de escândalos empresariais desde a Grande Depressão. Os nossos dois fundos de pensão perderam 850 milhões de dólares só na fraude da WorldCom. Temos a responsabilidade, perante os pensionistas que representamos e perante a economia como um todo, de fazer tudo que está ao nosso alcance para sanear as diretorias das empresas dos nossos mercados financeiros. É por isso que estabelecemos novos padrões rígidos para os bancos de investimentos e fundos mútuos que fazem negócios conosco. É por isso que estamos tentando trazer o pagamento da execução das dívidas para a esfera da realidade, em que recompensamos o desempenho real — não pelo fato de os CEOs ganharem 10, 20, 30 milhões de dólares ao ano, enquanto roubam das empresas. Essa é a nossa obrigação, como proprietários, e seremos negligentes se não exercitarmos a nossa responsabilidade e a nossa obrigação", continua Phil.

"No âmbito da reforma corporativa, acho que não se discute que há todo um corpo de liderança que compreende que os mercados confiáveis, em que milhões de americanos se dispõem a aplicar o seu dinheiro, são os melhores tipos de mercado para as suas empresas e para a economia. Ainda existem alguns que querem se apegar ao estado atual das coisas. Mas o fato é que não podemos recuar até os tempos pré-Enron, pré-WorldCom, isso não é sustentável. Encontramos algumas pessoas que resistem, mas acho que a imensa maioria dos empresários progressistas deseja explorar as fronteiras da responsabilidade tanto financeira quanto social."

Em uma economia mundial como a nossa, esse modelo expandido de interessados afeta empresas nos Estados Unidos, na Europa e em outros continentes. Os gerentes vêm assumindo a responsabilidade desse grupo de interesses mais amplo como parte do contrato social da empresa com a sociedade. Por exemplo, um consórcio de grupos de direitos humanos, que inclui a Social Accountability International, chefiada por Alice Tepper-Marlin, nossa analista de participantes, e empresas como a Nike, a Gap e a Patagonia, criou um conjunto único de padrões de mão-de-obra mundial e um sistema de inspeção nas fábricas. Juntamente com a Fair Labor Association, sediada em Washington, DC, e a Ethical Trading Initiative, sediada em Londres, esse consórcio fornece ao setor privado padrões mundiais nos moldes da agência das Nações Unidas e da Organização Internacional do Trabalho (OIT) (*Business Week*, 23 de maio de 2005).

Os consumidores geralmente se mostram a favor de empresas que praticam a responsabilidade empresarial em âmbito mundial — o poder está nos bolsos deles. Conforme comenta Alisa Gravitz, todas as compras que fazemos são investimentos no nosso futuro. "Podemos votar com o nosso dinheiro na hora da compra e apoiar as empresas de produtos e serviços que têm bons procedimentos, ou podemos escolher guardar o nosso dinheiro, o que é tradicionalmente chamado boicote. É possível fazer isso de maneira organizada, que uma organização nacional poderia chamar de boicote, ou simplesmente se recusar a comprar os produtos. Eu sempre digo: vote com as suas escolhas econômicas, vote com o seu dinheiro *e também* vote com a sua opinião, o que pode significar enviar um e-mail ou ligar para o número 0800 da empresa. Você pode dizer: 'Sabem de uma coisa? Não vou comprar mais os seus produtos enquanto não melhorarem essa prática ambiental ou de trabalho, ou essa prática de justiça social'. E as empresas ouvem! Se apenas 2% dos seus clientes disserem a mesma coisa sobre um problema, elas vão parar e escutar, porque não podem se dar ao luxo de perder um cliente."

As reuniões anuais das empresas costumavam ser um assunto rápido, discreto, e os gerentes de ativos rotineiramente administravam as suas procurações de voto em favor da administração e do seu quadro de diretores. As mudanças nas expectativas dos acionistas com relação à responsabilidade social vêm ganhando impulso desde a década de 1970. As primeiras preocupações com a paz no Vietnã e a justiça social na África do Sul pegaram as empresas desprevenidas, assim como os gerentes de ativos. Ao longo das décadas de 1980 e 1990, as preocupações dos acionistas estenderam-se à segurança no trabalho, à diversidade de raças, aos salários dignos, ao respeito aos direitos humanos, à proteção ambiental e à mudança climática. Essa nova "política por outros meios" era depreciada pela administração tradicional, pelas escolas de economia e administração e pelo pessoal da Wall Street. Os manuais ainda afirmavam que as empresas deviam se ater aos negócios — cuja única responsabilidade social era maximizar os retornos financeiros dos acionistas. Alguns reacionários, incluindo *The Economist*, em pesquisa intitulada "A Boa Corporação" ("The Good Corporation", publicada em janeiro de 2005), prendia-se a esse ponto de vista, lamentando que definições mais abertas de responsabilidade social das empresas estivessem ganhando adeptos e alegando que tais esforços tiram dinheiro dos acionistas. Eles ignoravam o fato de que as empresas socialmente responsáveis têm um desempenho melhor do que as suas correspondentes convencionais e que os acionistas também têm outras metas além das recompensas financeiras. As empresas, os fundos de investimentos com contribuição definida e os planos de aposentadoria deveriam refletir os pontos de vista dos seus investidores. Os acionistas também têm o direito de se organizar, seja como beneficiários de pensão, sindicatos ou ambientalistas — para definir os seus rendimentos no mercado —, assim como as igrejas convencionais fazem há décadas. Atualmente, os investidores e consumidores da China também têm uma participação ativa. As questões sobre responsabilidade social das empresas são discutidas semanalmente nos endereços da Internet ChinaCSR.com e www.EthicalMarkets.com. Os consumidores chineses se organizam através de telefones celulares em equipes de compra com centenas de compradores exigindo e obtendo imensas reduções de preços em televisores, móveis e outros itens (*The Economist*, 1º de julho de 2006).

A maioria das empresas admite essas novas responsabilidades como interesse pessoal esclarecido. Elas sabem dos benefícios que obtêm ao melhorar as suas marcas, economizar energia, matéria-prima e dinheiro. As empresas sabem que os estatutos limitando as suas obrigações são contratos privilegiados com a sociedade. Elas também sabem que muitos grupos estão exercendo influência política para reformular esses estatutos, com a intenção de tornar as empresas mais responsáveis (*ODE*, janeiro-fevereiro de 2005). Embora as empresas não sejam democracias, e as procurações dos acionistas não sejam o mesmo que votos — os sinais de problemas são evidentes. A exigência, por parte dos acionistas de todos os lugares, para que as empresas sejam mais democraticamente estruturadas e responsáveis espelha a disseminação das democracias em todo o mundo. Assim como aconteceu no passado, os mercados estão evoluindo para atender às novas necessidades e metas humanas neste novo século.

MESA-REDONDA
A HORA DA VERDADE

Jennifer Barsky, Simran Sethi e Roberta Karp

Simran recebeu Roberta Karp, vice-presidente sênior da Corporate Affairs e conselheira-geral da Liz Claiborne, ao lado de Jennifer Barsky, mais o nosso analista de participantes e conselheiro sênior da SustainAbility, para discutir todas essas questões relativas à sustentabilidade.

Simran Sethi: A Associação Internacional de Contadores Profissionais calcula que mais de 2.000 empresas em todo o mundo produziram relatórios anuais diferenciados sobre questões sociais, ambientais e éticas. *Ethical Markets* está interessado em discutir detalhadamente esses relatórios e descobrir quais empresas estão realmente cumprindo o que prometeram. A empresa varejista de roupas Liz Claiborne foi incluída na lista das empresas mais admiradas da revista *Fortune*, em março de 2004. Então, Roberta, poderia me dizer que procedimentos tornam a Liz Claiborne uma empresa líder nesse setor tão considerado?

Roberta Karp: Atuando em todo o mundo, a Liz Claiborne percebeu que precisávamos conhecer melhor as condições de trabalho nos diversos lugares. Sempre pensamos que devíamos procurar as melhores fábricas de cada região, mas descobrimos que, na verdade, precisávamos nos informar melhor e trabalhar em conjunto com as ONGs e governos locais. Começamos a fazer isso e assumimos alguns riscos com essa iniciativa.

Jennifer Barsky: Realmente, deve ser difícil acompanhar as fábricas de perto. Como vocês fazem isso? Por acaso têm alguma parceria que torne isso mais fácil?

Roberta: Nós mesmos fazemos o acompanhamento. O que realmente funciona é o fato de sermos integrantes da Fair Labor Association. Monitores independentes indicados por essa associação vão às fábricas e depois basicamente recebemos um boletim, que é publicado no website e traz relatórios e resumos.

Simran: Com que freqüência as fábricas são inspecionadas?

Roberta: Temos um programa anual para inspecionar cerca de metade delas (aqui no nosso país a freqüência é maior). Então, a Fair Labor Association faz uma análise de risco para saber que fábricas visitar e fica tudo sob controle. Portanto, não são inspecionadas todas as fábricas — trabalhamos com centenas delas — mas existem outras empresas que fazem parte desse processo e as suas fábricas também são fiscalizadas.

Jennifer: Uma das empresas que apresentou um relatório realmente consistente em 2004 foi a Gap. Pela primeira vez, temos uma empresa que fala sobre os desafios que enfrenta e basicamente assume: "Muito bem, não somos perfeitos e, na realidade, provavelmente há uma porção de coisas que não sabemos e temos dificuldade de controlar". Isso estabeleceu um novo padrão para a divulgação de informações no setor. A Liz por acaso planeja dar continuidade a esse tipo de atividade?

Roberta: Eu dei um enorme crédito à Gap por ter feito isso, porque eles não precisavam fazê-lo. Isso é muito parecido com o trabalho da Fair Labor Association, porque há assuntos sobre os quais informamos, e são observados e comentados pelos outros.

Jennifer: Há um outro fato registrado no final de 2004, e que passou a vigorar de fato em 2005, que é o fim das cotas têxteis nos Estados Unidos e na Europa. Obviamente, isso causou um impacto bem significativo em diversos países, como o Sri Lanka ou a Mongólia, que tinham indústrias nascentes nesse setor e agora estão competindo com a China, o Paquistão e a Índia. O que vocês têm feito para fomentar alguns desses relacionamentos com essas fábricas, nos países que podem ter sofrido um impacto maior por causa dessa medida?

Roberta: No nosso caso, sendo uma empresa de moda, procuramos fábricas que possam produzir produtos de ótima qualidade, que tenham um conjunto de especialidades exclusivas. Portanto, nós nos concentramos mais no nível de fábrica. Durante pelo menos cinco anos, também nos reunimos com funcionários dos governos, ministros da Economia, perguntando sobre o que estariam fazendo para ajudar esses setores da indústria. Porque não se trata de um problema só nosso, mas de toda a comunidade.

Simran: Um dos países que mais se beneficiaram com essa nova regulamentação da OMC é a China. As indústrias do país são muito competitivas, em função dos salários baixos que pagam, e tendem a pressionar a baixa dos salários nos demais países. Como vocês encaram esse desafio e qual o impacto desse procedimento sobre outros países com que trabalham?

Roberta: Bem, esse é um assunto relativo aos produtos primários, em que só se compete pelo preço. Os salários estão subindo, mas nós operamos no mundo todo, com produtos diversos.

Simran: Vocês têm padrões de salários estabelecidos, de modo que possam dizer: "Temos certeza de que pagamos um salário digno ou um salário justo"?

Roberta: Fazemos esse acompanhamento para nos assegurarmos de que os trabalhadores estejam recebendo o que lhes foi prometido no contrato de trabalho, que os salários estejam sendo pagos de modo justo e que as horas extras estejam sendo remuneradas. Esse acompanhamento é por si só um desafio. Vemos que, em alguns relatórios, algumas empresas vendedoras têm duas contabilidades. A nossa obrigação é assegurar que isso não aconteça e que paguem os seus funcionários. Eles sabem que levamos isso a sério. E é bom ter mais empresas fazendo o mesmo, para não sermos uma voz isolada. Com certeza, a nossa presença é forte nas fábricas com que trabalhamos, porque as dividimos com outros vendedores também.

Jennifer: Parece que vocês estão sempre enfrentando o problema de equilibrar as necessidades dos acionistas, a motivação para o lucro, com os esforços que fazem no sentido da responsabilidade social corporativa.

Roberta: Realmente, a responsabilidade social corporativa é parte integrante das atividades comerciais como um todo. Somos uma corporação, temos uma reputação, e portanto precisamos desenvolver bons produtos e precisamos fazer isso de modo responsável. Não queremos ter surpresas, precisamos proteger os nossos bens e, assim, esse é um dos muitos fatores que entram na avaliação. Para nós, isso faz parte de um conjunto e tem um porquê.

Simran: Que tipo de código de conduta vocês seguem?

Roberta: O nosso primeiro código de conduta é de 1994 — talvez até mesmo 1993 — e foi redigido por mim, com a ajuda de colegas, e depois disso ele tem sido aprimorado. A Fair Labor Association tem um código de conduta padrão. Os códigos são apenas parte da história. O fundamental é usá-los como base nos acompanhamentos, nas discussões, nas reuniões com os trabalhadores, mantendo canais de comunicação seguros para entender o que está acontecendo. Daqui a cinco anos, acho que teremos avançado bastante, e espero ser uma das pessoas que verão o mundo caminhar nesse sentido.

DEZ

A Transformação do Trabalho

AO LONGO DAS TRÊS ÚLTIMAS DÉCADAS, os americanos têm passado um tempo cada vez maior no trabalho. De acordo com a agência americana de estatísticas do trabalho, o Bureau of Labor Statistics, em 2002, o americano médio trabalhava 1.801 horas, cinco semanas e meia a mais do que em 1976. Acrescente-se a isso o fato de que o americano médio tira apenas pouco mais de dez dias de férias por ano. E com os aparelhos de e-mail sem fio, telefones celulares e computadores portáteis, o trabalho encontra-se a apenas um clique de distância.

Embora essas tecnologias de comunicação prometam nos libertar do escritório e economizar o nosso tempo, na reportagem de capa da revista *Business Week* "Os Verdadeiros Motivos para Você Trabalhar Tanto — E o que Pode Fazer a Respeito" ("The Real Reasons You're Working so Hard — and What You Can Do About It", de 3 de outubro de 2005), o economista Michael Mandel chama a atenção para a necessidade de as corporações reestruturarem a hierarquia administrativa para viabilizar essa liberdade — especialmente no caso dos funcionários especializados. Tudo isso é um sintoma da organização corporativa que não funciona como deveria e ainda está presa à era industrial. Verna Allee (capítulo 1), autora do livro *The Knowledge Evolution*, observa que, na era da informação atual, produtividade e inovação geralmente são o resultado de redes de geração de conhecimento e informações úteis entre os funcionários dentro das empresas. Tudo isso valoriza os funcionários que, para ser bem-sucedidos, prestam a sua colaboração em todos os departamentos, ainda a norma nas hierarquias antiquadas das empresas — significando horas extras nos e-mails por computador e nos aparelhos de e-mail sem fio. Assim, as pressões do tempo aumentaram a tal ponto que, de acordo com uma pesquisa recente de McKinsey, entre mais de 7.800 gerentes em todo o mundo, 25% dos gerentes de grandes empresas dizem que os seus e-mails, correios de voz e reuniões tornaram-se virtual ou totalmente incontroláveis. Pior ainda, praticamente 40% dos entrevistados relataram que gastam de meio dia a um dia inteiro, toda semana, em comunicações inúteis (*Business Week,* 3 de outubro de 2005). Em 2006, a empresa Career Innovation, de Oxford, fez uma pesquisa entre os trabalhadores sem especialização do Reino Unido, a qual revelou que 55% não se sentiam realizados no trabalho; 54% não gostavam do modo como os seus conhecimentos eram aplicados; e 56% não conseguiam conciliar muito bem a vida profissional e pessoal. Nella Barkley, especialista em equilíbrio entre vida pessoal e profissional, sediada nos Estados Unidos, diz que as grandes empresas estão começando a compreender o problema, "mas muito lentamente" (*The Economist,* 17 de junho de 2006).

Muitos americanos podem achar que não conseguem sair de férias por causa do aumento da carga de trabalho terceirizada e do fato de que os salários para os cargos que não sejam de chefia mal acompanham a inflação. Embora os salários da gerência tenham aumentado cerca de 30% desde a década de 1980, os salários dos trabalhadores permaneceram na mesma. Um experimento recente para aumentar as contas nacionais do PIB com o objetivo de aferir melhor a contribuição dos intangíveis, como pesquisa e desenvolvimento, considerando esses desembolsos como investimento de capital, praticamente não deixa dúvida: os trabalhadores dos Estados Unidos estão sendo passados para trás e a fatia da renda que vai para os lucros corporativos aumentou. Tais mudanças também indicariam que, de acordo com um recente estudo feito pelos economistas americanos do conselho do Federal Reserve, Carol A. Corrado, Daniel E. Sichel e Charles R. Hulten, economista da University of Maryland, "Os lucros ocultos decorrentes desses investimento em conhecimento não foram divididos igualmente com os trabalhadores" (*New York Times,* 9 de abril de 2006). A tecnologia e a automação tornaram muitas tarefas obsoletas e a legislação fiscal americana estimula esse desvio ao tornar os equipamentos de produção relativamente baratos em comparação com o trabalho humano. A terceirização, como no caso dos produtos baratos do Wal-Mart, beneficia os consumidores. Mas os acordos comerciais como os da NAFTA (Associação Norte-americana de Livre Comércio), entre os Estados Unidos, Canadá e México, que prometiam mais empregos nos EUA, foram responsáveis pela perda de 500.000 empregos nos Estados Unidos entre 1994 e 2002, de acordo com o Departamento do Trabalho americano.

Jeremy Rifkin, presidente da Foundation on Economic Trends, já começou a tratar dessas questões complexas. "Vamos direto ao resultado financeiro final. Temos todas essas tecnologias sofisticadas, tecnologias da informação, tecnologias da inteligência, e elas estão cada vez mais substituindo a mão-de-obra humana em todas as especialidades, em todas as indústrias, em todos os setores. Quando escrevi o meu livro, *The End of Work*, havia 800 milhões de pessoas subempregadas e desempregadas no mundo. Isso foi há dez anos. Hoje, há 1 bilhão de pessoas subempregadas e desempregadas no mundo. O subemprego é um problema mundial. Assim como também é uma oportunidade mundial. Estamos ultrapassando um daqueles grandes limites, uma daquelas mudanças na história em que vamos precisar redefinir o trabalho. Os trabalhadores mais baratos do mundo, em fábricas, escritórios, consultórios, não ficam mais baratos que a tecnologia inteligente que pode substituí-los. Quarenta anos atrás, quanto eu estudava na Faculdade Wharton da University of Pennsylvania, onde atualmente leciono, um terço da força de trabalho americana era de trabalhadores não qualificados, os operários. Hoje, menos de 17% dos americanos ocupam postos em fábricas. Mesmo assim, os Estados Unidos ainda são o número um do setor manufatureiro. Daqui a trinta anos, os empregos em fábricas serão praticamente eliminados em todo o mundo. Até mesmo a China eliminou 15% de todos os seus trabalhadores das fábricas em sete anos. Por quê? O trabalhador chinês mais barato, e eles são bem ba-

Jeremy Rifkin
Foundation on Economic Trends

ratos, não é tão barato ou tão eficiente quanto a tecnologia inteligente que está automatizando as fábricas em toda a China.

"A era industrial caracterizou-se pela mão-de-obra humana em massa trabalhando lado a lado com a tecnologia mecânica. A tecnologia mecânica continua substituindo aquela mão-de-obra e estamos caminhando para forças de trabalho exclusivas. É verdade que desenvolvemos novos produtos, novos serviços, novos níveis de especialização, e deve haver novas oportunidades. Mas a mão-de-obra em massa nunca mais existirá outra vez. É uma enorme mudança para a raça humana, e não estamos preparados para ela."

Também tratei desse problema em todos os meus livros, uma vez que ele se desenvolveu ao longo dos últimos trinta anos. E. F. Schumacher previu a queda de empregos em conseqüência da automação no seu livro de grande popularidade, *Small Is Beautiful* (1973), que chamava a atenção, assim como eu, para o fato de que a industrialização tinha a ver com *economia* de mão-de-obra — e acabaria impossibilitada de empregar pessoas suficientes para ser um modelo viável de desenvolvimento em países mais pobres. Discípulo de Mahatma Gandhi, Schumacher afirmou: "Não precisamos tanto da produção em massa quanto da produção pelas massas".

A Revolução Industrial economizou na mão-de-obra aumentando a produtividade *per capita* ao investir cada vez mais capital em tecnologia e inovação. Schumacher previu corretamente o assomo do problema do desemprego mundial nos Estados Unidos: primeiro a agricultura seria mecanizada e a força de trabalho do campo seguiria para as fábricas e as cidades. Então as fábricas se tornariam cada vez mais automatizadas e os seus trabalhadores migrariam para cargos burocráticos, nos setores de serviços em desenvolvimento nos Estados Unidos e em outras sociedades industriais em processo de maturação. Hoje, os serviços estão sendo automatizados em bancos, supermercados, empresas de comunicação e em suas intermináveis ramificações telefônicas — ou terceirizadas para a Índia ou outros países onde os salários são menores. Os países do norte da Europa terceirizam esses empregos em centros telefônicos para a Espanha — um membro da União Européia onde os salários são mais baixos. O Japão terceiriza para uma cidade no norte da China em que a maioria das pessoas fala japonês. Ainda assim, as normas sociais, os manuais de economia e as políticas governamentais não se atualizaram com relação a essas mudanças. Patricia Kelso, que com o falecido marido, Louis O. Kelso, inventou o Plano de Participação Acionária para Funcionários (Emplooyee Stock Ownership Plans — ESOPs), está trabalhando para aumentar as oportunidades para os funcionários participarem dos lucros das empresas. Esse tipo de inovação social em geral segue a inovação tecnológica — normalmente com consideráveis defasagens de tempo. Visionários como Patricia e Louis Kelso geralmente têm as suas propostas e idéias rejeitadas por parecerem estranhas demais ou porque vão contra estruturas estabelecidas ou interesses especiais. Fui alguém que apoiou as propostas dos Kelso desde a década de 1970 e posso confirmar a sua rejeição generalizada — não só por empresas e agências do governo, mas até mesmo por sindicatos, cujos economistas foram formados nas mesmas faculdades daqueles que trabalhavam para as empresas e para o governo.

Patricia Kelso e Louis O. Kelso
Kelso Institute

Patricia Kelso é hoje a presidente do Kelso Institute, de San Francisco, que promove o controle acionário dos funcionários, a democracia econômica e os novos modelos de capitalismo para o século XXI na Europa Oriental, Rússia e China. Patricia explica: "A pergunta básica na economia é: como as pessoas ganham a vida? Os economistas convencionais respondem: como mão-de-obra, pelo trabalho e pelos salários. A resposta de Louis Kelso é: por meio do trabalho até o ponto em que a economia *precisa* da sua força de trabalho, mas também por meio da propriedade de capital até o ponto em que ela *não* precisa. Observe uma plataforma de prospecção de petróleo no golfo do México ou no mar do Norte, no lado europeu. Você verá um instrumento imponente, dispendioso em termos de capital, e *poucas* pessoas. As pessoas trabalham em troca de salários, mas aquele capital está trabalhando para os seus *proprietários*. Agora, a pergunta é: onde os clientes obtêm dinheiro para comprar? Eles só podem obtê-lo por meio do seu *trabalho* ou por meio do seu *capital* — ou, conforme Kelso aconselharia, por meio de *ambos*. No frigir dos ovos, o que os trabalhadores precisam é aumentar a sua renda do trabalho com a renda do capital. Continuamos tentando distribuir os lucros dos dois fatores por meio de um fator, ou seja, o trabalho, e isso simplesmente não funciona. Louis Kelso começou a pensar sobre como o capital era financiado, ou seja, pela poupança. Na realidade, ele não é financiado pela poupança; ele é financiado pelo *crédito*. Mas esse crédito só é dado às pessoas que *têm* poupança".

No seu livro *Two Factor Theory: How to Turn 80 Million Workers into Capitalists on Borrowed Money* (1967), Louis e Patricia Kelso prognosticavam como a necessidade contínua da produtividade da mão-de-obra (isto é, mais produção por trabalhador) levaria a mais automação *e também* ao desemprego. Como o poder de compra seria reciclado de modo que as pessoas desempregadas pudessem comprar todos os produtos despejados pelas linhas de produção? As sociedades industriais dificilmente se depararam com esse problema — muito menos precisaram resolvê-lo. Kelso previu que isso continuaria a ser enfrentado pelos governos que se tornariam empregadores como último recurso, o que levaria a ainda mais conflito, trabalho e previdência — em vez de assegurar que todo trabalhador tivesse a oportunidade de se tornar um capitalista.

Rich Ferlauto (capítulo 2) refletiu profundamente sobre como essas questões afetariam os associados do seu sindicato, o AFSCME. "Quando aconteceu o escândalo da Enron, o nosso presidente compreendeu que era preciso fazer alguma coisa imediatamente para proteger o pecúlio das aposentadorias dos associados do AFSCEME. O escândalo da Enron e os dois anos subseqüentes a ele fizeram com que os sistemas públicos de aposentadoria, exclusivamente, perdessem 300 bilhões em ativos. Isso se traduz em cerca de 15% do total dos seus ativos. E significa que os sistemas públicos de aposentadoria, como no caso dos fundos pessoais de contribuição definida e fundos mútuos, receberam um golpe enorme do qual ainda não se recuperaram." O sindicato dos trabalhadores do aço, o United Steel Workers, atualmente se aproxima de grupos "verdes" como o Sierra Club para promover "Um Trabalho Melhor e um Meio Ambiente Despoluído".

Atualmente, parece mais difícil do que nunca para os trabalhadores aumentar a sua participação no bolo da produtividade para poupar ou assegurar benefícios na aposentadoria. As empresas de setores em dificuldades, incluindo as linhas aéreas, aço, telecomunicações e empresas automotivas, foram à falência. Os seus planos de aposentadoria foram transferidos para a instituição federal Pension Benefit Guaranty Corporation, que assumiu os pagamentos aos beneficiários. Os trabalhadores perderam porcentagens significativas desses benefícios. Enquanto isso, centenas de empresas mudaram de planos de aposentadoria com benefícios definidos para planos de contribuição definida, financiados largamente pelos trabalhadores por meio dos planos de contribuição definida, IRAs e assemelhados. O sistema dos Kelso permite que os trabalhadores adquiram o controle acionário das empresas em que trabalham *valendo-se dos ganhos de capital dessas empresas* — em vez de ter de economizar para comprar as suas ações. Patricia explica: "Não tínhamos nenhum mecanismo até que Louis Kelso inventasse o ESOP, que permite a compra de ações a pessoas que não têm economias. O ESOP é esse mecanismo. Ele permite que os trabalhadores de empresas bem-sucedidas tornem-se grandes acionistas da empresa e paguem pelo capital deles com os rendimentos produzidos a partir desse capital". Esse método revolucionário para expandir a propriedade do capital exigiu muitos anos de esforço paciente por parte dos Kelsos e daqueles que os incentivavam, até que os ESOPs foram convertidos em lei na década de 1980. Hoje, as empresas em que os funcionários têm o controle acionário são a prova do seu valor, conforme documentado no livro *Equity*, de C. Rosen, J. Case e M. Staubus (2005).

Bernie Glassman
Greyston Bakery

Bernie Glassman integrou com sucesso as suas crenças espirituais em sua iniciativa de beneficiar os trabalhadores. Natural do Brooklyn, em Nova York, Bernie é um sacerdote zen graduado e o fundador da Greyston Bakery, uma padaria da cidade de Yonkers que promove o progresso da sociedade "à base de um biscoito de cada vez". Bernie fala sobre a missão dele: "Na época em que lançamos a Greyston, o maior problema em

Yonkers era o das pessoas sem moradia. Yonkers tinha a maior taxa per capita de sem-teto dos Estados Unidos. No entanto, ela fazia parte do condado de Westchester, que é um dos condados mais ricos do país. Então eu perguntei: podemos pôr um fim ao problema dos sem-teto em Yonkers? O mais óbvio sobre as pessoas sem moradia é que elas precisam de uma casa para morar! Nos dez anos que precederam o meu trabalho, o condado de Westchester passou por muitas mudanças nas normas de zoneamento, tornando o tamanho dos terrenos cada vez maior. Isso significava que havia cada vez menos moradias. Nesses dez, não havia apartamentos novos de nenhum tipo no condado de Westchester. Portanto, o número de moradias disponíveis caiu. Aquele também foi um período em que sofríamos as conseqüências da administração Reagan, que cortou os orçamentos do governo para as casas populares. Assim, inúmeros fatores contribuíram para aumentar rapidamente a falta de moradia em Yonkers.

"Qual foi a filosofia que deu início à Greystone Bakery? Oferecer empregos para as pessoas com quem trabalhávamos. Não só os sem-teto. Muitas das pessoas que contratamos inicialmente não eram sem-teto, mas estavam desempregadas havia muito, muito tempo. Talvez algumas delas estivessem traficando drogas e tivessem desistido disso com medo de ser mortas, ou por outras razões. A maioria das pessoas que trouxemos para a Greyston Bakery não tinha experiência nenhuma em padaria, nem em manter um emprego. Assim, a Bakery servia para gerar empregos e também era um lugar onde as pessoas, que passavam a ganhar dinheiro com o próprio trabalho, podiam começar a enxergar além de si mesmas, além da própria família, e pensar na sociedade, para ter objetivos maiores. A padaria era um lugar onde ganhar dinheiro. Assim, o objetivo financeiro final desde o começo era dar lucro e servir à comunidade. Ambos faziam parte do nosso objetivo final."

Wendy Powell trabalhou no setor administrativo da Greyston Bakery e apresenta aqui o seu ponto de vista. "Fazia dez anos que eu estava empregada na Greyston — como também fazia dez anos que eu havia conseguido um endereço fixo. Eu tinha acabado de me formar no colegial. Tinha um filho de quatro anos e não tínhamos onde morar. Na Greyston, eles ofereciam um processo bem específico para se conseguir uma casa para morar. Era preciso passar por um exame para assegurar a sua seriedade quanto a fazer algumas mudanças na vida. Então eu me submeti ao exame e fui aprovada! Passei por uma série de promoções muito boas enquanto trabalhei na creche da Greyston. Eu me sinto realmente orgulhosa de dizer que, durante aquela fase de transição, consegui me estabelecer e manter a minha vida organizada. E só fui capaz de fazer isso porque a empresa confiou em mim. Eles me deram a responsabilidade porque sabiam que eu seria capaz. Sinceramente, na época eu não acreditava que fosse. Na Greyston, eles davam oportunidades a pessoas que normalmente não conseguiriam esse tipo de oportunidade. Não era um emprego que pagasse muito bem, ao contrário do que algumas pessoas poderiam pensar. Mas realmente era uma oportunidade para ter aonde ir todos os dias e sentir-se respeitado e ganhar um salário honesto."

> Ao longo do último século, os Estados Unidos, o Canadá, o Japão e os países industrialmente desenvolvidos da Europa se transformaram em economias baseadas predominantemente na prestação de serviços. Essas economias passaram a se pautar na informação e no conhecimento intensivo. Assim, o conhecimento tornou-se uma nova forma importante de capital.

Ao longo do último século, os Estados Unidos, o Canadá, o Japão e os países industrialmente desenvolvidos da Europa se transformaram em economias baseadas predominantemente na prestação de serviços. Essas economias passaram a se pautar na informação e no conhecimento intensivo. Assim, o conhecimento tornou-se uma nova forma importante de capital. Poucos manuais de economia e de protocolos administrativos disponibilizam idéias de como valorizar corretamente a informação e o conhecimento. A informação e o conhecimento não se ajustam aos modelos de escassez dos velhos manuais de economia. Os economistas pressupõem que a competição fundamental por recursos materiais escassos é o que impulsiona o crescimento. Essa maneira de ver a economia ainda faz sentido no plano material: vai faltar petróleo neste novo século, os suprimentos de peixe estão ameaçados em todos os oceanos do mundo, a mineração nas áreas mais remotas torna-se cada vez mais dispendiosa e assim o preço dessas mercadorias sobe. Mas a informação não escasseia. Se você me dá informações, eu enriqueço — e você continua a ter a posse delas também! À medida que as economias industriais amadureciam em termos de informação e serviços, a revolução necessária na economia não aconteceu. Enquanto esperamos essa revisão na profissão de economista, outros métodos, tais como os dos Kelsos, de Dana e Dennis Meadows, de Amory e Hunter Lovins, de Fritjof Capra, de Elisabet Sahtouris, de Riane Eisler, de mim mesma e de muitos outros analistas de sistemas vêem preenchendo o vazio. Nos Indicadores de Qualidade de Vida Calvert-Henderson, eu trato das "Políticas de Medida de Produtividade" e ainda defendo a necessidade de mudanças nos modelos econômicos, incluindo a reclassificação da educação do consumo para o investimento (clique em "Current Issues" no endereço www.Calvert-Henderson.com). Michael Mandel, economista da *Business Week*, chega à mesma conclusão na reportagem de capa "Desmascarando a Economia" ("Unmasking the Economy", 13 de fevereiro de 2006).

No livro *The Future of Knowledge; Increasing Prosperity Through Value Networks* (2003), Verna Allee também se preocupou com essa grande transição industrial para uma economia baseada no conhecimento. Ela relata que as empresas inovadoras provocaram imensas mudanças sociais — e também mudaram o jogo para muitas outras empresas. "Essa é uma transição que muitas empresas deixaram de fazer. Elas ainda estão tentando obter a sua vantagem competitiva com base na tecnologia, com base no corte de custos, com base na eficiência, com base na linha de produção, na cadeia de investimentos e na lucratividade. Elas estão deixando de lado o montante fenomenal de inovações sociais que acontecem nas redes de conhecimento, nas atividades comunitárias, no surgimento das organizações da sociedade civil — todos se encontrando e se relacionando de maneiras que vão muito além das velhas limitações. Essas empresas ignoram totalmente os aspectos intangíveis do modelo comercial e a maioria delas realmente passa por dificuldades. Se você quiser criar uma empresa que resista ao tempo e especialmente se a sua empresa depende da inovação e de novas idéias, então você precisa que as pessoas confiem em você para procurá-lo e oferecer as suas boas idéias.

"Fizemos um estudo em 1997 usando o método Value Network Analysis para analisar algumas das empresas de comércio eletrônico que então despontavam. Vimos que elas usavam a troca de conhecimento de modo muito consciente e deliberado com todos os interessados nos seus grupos comerciais. Utilizavam o conhecimento dos clientes, o conhecimento dos fornecedores, compartilhando as suas próprias metas estratégicas entre todos, com os seus parceiros. Três empresas que compreenderam o novo espaço foram a Cisco, a eBay e a Amazon. Na época, a Amazon estava começando a conseguir algum espaço na imprensa comercial, mas até então ninguém falava da Cisco nem da eBay. No entanto, ficamos absolutamente impressionados com o número de trocas intangíveis que elas aplicavam aos seus modelos comerciais. O que é verdadeiramente interessante é que essas três empresas sobreviveram muito bem à derrocada das empresas ponto-com."

Estamos todos aprendendo que as sociedades com abundância de informações e intercâmbio de idéias e os seus mercados trabalham com a *confiança*, outro fator decisivamente valioso que os economistas ignoram nos seus modelos. Além do mais, o novo fator, o conhecimento da produção, está na cabeça dos trabalhadores — não em algum cofre na sede da empresa. É por isso que tantas empresas inovadoras esforçam-se para manter a confiança dos funcionários e torná-los felizes e produtivos de tantas maneiras novas, desde o sistema de participação acionário às creches, academias de ginástica, ginásios esportivos e demais formas possíveis de benefícios adicionais.

Gary Erickson
Clif Bar Company

Gary Erickson, CEO da Clif Bar, um fabricante da Califórnia de barrinhas orgânicas para atletas, explica a política que adota. "As pessoas observam que trabalhamos de maneira diferente, que cuidar do nosso quadro de funcionários é um dos nossos objetivos financeiros mais importantes, além de nos preocuparmos com a nossa comunidade e darmos algum tipo de retribuição a ela. Permitimos que os nossos funcionários façam trabalho comunitário durante o expediente e projetamos uma meta de 2.080 horas por ano, o que é o equivalente às horas trabalhadas de um funcionário em expediente integral. Doamos muitos dos nossos produtos alimentícios para diferentes bancos de alimentos. Acreditamos que um dia de trabalho pode ser muito mais do que simplesmente vir aqui e exercer a sua função na empresa. Assim, temos uma academia de ginástica de padrão mundial e ao lado um lindo salão de dança onde mantemos aulas de Yoga, caratê, *kickbox* e *hip-hop*. Uma porção de empresas vizinhas tem salões de ginástica, mas a freqüência na nossa é tão alta que sabemos que está dando certo. E os nossos treinadores são do tipo que estimula as pessoas. Eles procuram os funcionários e os convencem a dedicar um tempo para as atividades físicas. As pessoas precisam se recuperar durante o dia. É isso o que os atletas fazem, você estressa o seu corpo e então se recupera. Se você trabalhar direto durante oito horas ao dia, vai acabar se esgotando.

"Também promovemos testes de saúde na empresa. Oferecemos um serviço de atendimento personalizado, em que você pode lavar o carro, a roupa suja, cortar o cabelo às quintas-feiras, usar o serviço de lavanderia (mas num processo sem os produtos químicos que agridem o meio ambiente). Oferecemos viagens em que praticamos canoagem em corredeiras, escalamos montanhas ou vamos esquiar na neve. Fazemos festas comemorativas no nosso auditório amplo e agradável, que comporta até trezentas pessoas. Toda semana, nós nos reunimos no auditório como uma empresa, uma ocasião em que todos podem se manifestar abertamente. Por sermos uma empresa privada, não oferecemos participação acionária, portanto a maneira como oferecemos esse tipo de participação é tendo um plano de incentivos anual, em que oferecemos um programa de participação nos lucros."

Gary certamente sabe como conduzir uma empresa e ser bem-sucedido em uma sociedade permeada pela informação e os relacionamentos em rede. A Clif Bars concorre com sucesso com os gigantescos conglomerados alimentícios. Praticamente 85% dos americanos acreditam que viver em uma sociedade justa e igualitária é a melhor definição para a sua concepção do sonho americano, e o aumento da desigualdade nos Estados Unidos foi o tema de uma reportagem especial em *The Economist*, na edição de 17 de junho de 2006. As pessoas querem fazer diferença no mundo e buscam trabalhos que ofereçam um salário digno tanto quanto uma atividade que faça algum sentido.

O sociólogo Paul Ray (capítulo 7) comenta sobre os mais de 50 milhões de americanos das mais diferentes camadas sociais que ele e a co-autora do seu livro, Sherry Anderson, chamam de Criativos Culturais. Ele são de todas as idades e níveis de renda, e definem-se mais amplamente pelos *valores que compartilham*. Paul explica melhor: "Os Criativos Culturais fazem parte da população que a mídia noticiosa parece não querer reconhecer. Assim, você não vê o rosto deles na televisão, não ouve falar deles nos jornais, não ouve falar dos valores deles no seu local de trabalho. Uma das grandes empresas petrolíferas, por exemplo, junto à qual fiz um trabalho de consultoria sobre uma campanha de interesse público, aproveitou o questionário ambiental que usei para estabelecer o grupo de interesse. Eles o distribuíram entre os funcionários e descobriram, chocados, que mais de 70% dos seus funcionários *concordavam* inteiramente com os Criativos Culturais sobre as questões ambientais! Então aos poucos começaram a mudar, porque entenderam que, se os funcionários nem sequer concordavam com a administração, talvez houvesse algo importante a que deveriam prestar mais atenção."

Esse influente grupo de 50 milhões de pessoas entre a população americana está começando a mudar os políticos antiquados dos partidos Republicano e Democrata. Seu conhecimento e experiências mais profundas sobre a vida em sociedades interligadas com base na informação estão influenciando os eleitores independentes, atualmente cerca de 40%, que questionam abertamente os pressupostos econômicos industriais obsoletos. Atualmente, republicanos e democratas são ambos partidos minoritários com menos de 30% de eleitores, de modo que estão ansiosos em atualizar as suas respectivas mensagens para influenciar na prática a vida da maioria dos eleitores americanos. O pesquisador canadense Michael Adams explica essas realidades no seu livro *American Backlash* (2005).

Lynne Twist, autora do livro *The Soul of Money* (2004), é outra líder de opinião. "Você sabe que mantemos esse tipo de diálogo constante na nossa cabeça de que *nunca é o bastante*. Nunca o tempo é o bastante, assim como o dinheiro nunca é o bastante, nem o amor, e também não dormimos o bastante, não existe o bastante disso nem daquilo. Esse tipo de mentalidade justifica os comportamentos horríveis na nossa sociedade. Essa cultura de consumo está realmente acabando com a nossa capacidade de saber quem somos e de viver dentro de determinados limites. O que eu recomendo é o que chamo de a verdade surpreendente, desconcertante e chocante da *suficiência* ou *do bastante!* E em uma sociedade mundial que vem se tornando uma sociedade monetarizada pelo consumo, todo mundo é público-alvo, é estudado, tratado e considerado como consumidor, nada mais do que isso. Há um forte desejo por maneiras mais centradas de entender o nosso relacionamento com o dinheiro. Há um impulso desesperado — que é sufocado pela publicidade — para sair dessa cultura centrada no consumo!"

Lynne Twist
The Soul of Money Institute

Lynne demonstra exatamente os mesmos sentimentos revelados nas diversas pesquisas realizadas pelo Center for a New American Dream, de Betsy Taylor (capítulo 1). Sou da opinião de que essas preocupações com um novo estilo de vida para o crescimento pessoal e a consciência ambiental estão criando aquela Economia Atenta em que o tempo é mais valorizado do que o dinheiro, o que discuto nos meus livros *Além da Globalização* (1999) e *Planetary Citizenship* (2004).

Os locais de trabalho mudaram. Não existem mais empregos para a vida inteira, com benefícios ou lealdades vinculados a uma única empresa. Os americanos conheceram o meio período, o redimensionamento das atividades e a conseqüente redução de pessoal, além das revoluções temporárias. Agora é a vez da terceirização, na qual os empregos no setor manufatureiro migram para o México, a China e outros países onde os salários são mais baixos. Em março de 2006, a Confederação Internacional de Federações de Livre Comércio calculou que mais de 25 milhões de trabalhadores civis das empresas privadas e 6,9 milhões de funcionários federais, estaduais e municipais dos Estados Unidos estão excluídos da legislação americana das Relações Trabalhistas. Para os trabalhadores que desfrutam do direito de se organizar, a proteção legal é insuficiente contra a discriminação contra os sindicatos. O secretário-geral dessa confederação, Guy Ryder, observou no relatório: "A credibilidade dos Estados Unidos, que adotam uma posição internacional firme em favor dos direitos humanos, está gravemente prejudicada pela falta de proteção aos trabalhadores, especialmente dentro das nossas próprias fronteiras. Isso apenas encoraja outros governos a buscar uma vantagem competitiva nos mercados mundiais violando os 'direitos fundamentais dos seus próprios trabalhadores' (InterPress Service, 15 de março de 2006). Atualmente, os empregos de alta tecnologia e especializados nos Estados Unidos estão deixando o país — até mesmo a pesquisa e desenvolvimento está indo para o exterior, onde os PhDs indianos e chineses ganham menos do que um décimo dos seus correspondentes americanos.

No entanto, os americanos são um povo flexível e empreendedor. Alguns se dispõem a percorrer um trajeto de três horas por dia para chegar ao trabalho (*Business Week*, 21 de fevereiro de 2005). Eles trocam de emprego, melhoram os seus conhecimentos e mudam de carreira. Em 2004, de acordo com o Departamento do Trabalho americano, cerca de 14 milhões de trabalhadores americanos realizaram algum tipo de teletrabalho (trabalho à distância) pelo menos durante meio período e outros 7 milhões dirigem empresas domésticas. Outros iniciaram empresas pela Internet e as novas empresas fazem dos Estados Unidos ainda a economia mais dinâmica do mundo. Entre as vinte profissões de maior crescimento destacam-se a de prestação de serviços de alto nível, como engenheiros ambientais, analistas de redes de relacionamento e de dados, consultores financeiros pessoais, engenheiros de software, profissionais da área médica, conselheiros e profissionais do serviço social (*Fortune*, 21 de março de 2005). Milhares de empreendedores dos Estados Unidos e da Europa dirigem negócios na eBay (*Business Week*, 3 de abril de 2006). Em 2005, a tendência ao trabalho doméstico, uma alternativa à contratação no exterior, cresceu 20%, atingindo 112.000 empregos, e chegará a 330.000 empregos em 2010. A maioria dos "profissionais domésticos" são donas de casa e mães instruídas que moram em zonas rurais e são contratatadas por fornecedores de teleatendimento, como a Alpine, a Access, LiveOps, Willow e Working Solutions (*Business Week,* 23 de janeiro de 2006).

No entanto, o preço que os americanos pagam por todo esse dinamismo pode recair sobre as famílias e as comunidades na forma de perda de tempo e de segurança. Recapitulando a longa história, o industrialismo liberou a inovação e a mudança tecnológica com o seu objetivo de economizar mão-de-obra usando máquinas. A eficiência resultante ganha a primeira agricultura mecanizada. Os trabalhadores deslocados do campo foram para as fábricas. Depois, as linhas de produção automatizadas levaram os trabalhadores a empregos de prestação de serviços com salários mais baixos. (Existem 28 milhões de trabalhadores nos Estados Unidos ganhando 18.800 dólares por ano, a maioria em empregos de prestação de serviços.) A legislação tributária ainda torna as máquinas mais baratas e os seres humanos mais caros. Para remediar esse problema, muitos grupos estão tentando tirar os impostos da folha de pagamento e passar a tributar a poluição, o lixo e o esgotamento dos recursos naturais. A Europa é líder nessas mudanças para impostos verdes. Nos Estados Unidos, os setores industriais convencionais apresentam uma oposição visceral a essas mudanças sensatas dos impostos — por exemplo, as refinarias de petróleo não receberiam mais o desconto fiscal sobre a produção de petróleo, mas seriam taxadas em conseqüência da poluição causada pelo petróleo. Bill Drayton (capítulos 2 e 5) fundou a Get America Working, uma ONG sediada em Washington, DC, que defende a mudança em favor dos impostos verdes para poupar os recursos naturais e oferecer milhões de novos empregos (www.getamericaworking.org).

A grande promessa, apenas parcialmente cumprida, da Revolução Industrial era de "sociedades de lazer" — com a semana de trabalho cada vez mais curta. As pessoas se dedicariam às artes, aos esportes, ao crescimento pessoal, adquirindo novos conhecimentos, com mais viagens e férias — e isso desenvolveria toda uma nova economia. Na década de 1970, o debate foi sobre como manter o poder de compra para a aquisição da inundação de produtos e manter as linhas de produção automatizadas em funcionamento. De que maneira os funcionários demitidos teriam renda?

Três novas idéias propostas para resolver o desafio: 1) um rendimento mínimo garantido a todos, com a proposição de um imposto de renda negativo; 2) empregos garantidos; 3) a idéia dos Kelso: planos de participação acionária nas empresas por parte dos trabalhadores. Muitos concordam em que, se a máquina toma o seu emprego, você deveria ser dono de uma parte dessa máquina. O que aconteceu? Os empregos garantidos tornaram-se lei na Índia. O imposto de renda negativo garantindo a renda foi um bloqueio ("quem não trabalha não come"). Mas as iniciativas de participação acionária estão florescendo entre 11.000 empresas atualmente chefiadas pelos funcionários, como a Chroma Technology, em Vermont. Assim, a sociedade participativa é possível, e estamos aos poucos testemunhando uma transformação do local de trabalho que se encaixa em um modelo mais esclarecido do século XXI.

MESA-REDONDA
A HORA DA VERDADE

Simran Sethi, Paul Millman e Paul Freundlich

Simran recebeu Paul Millman, CEO da Chroma Technology Corporation, e o nosso analista de participantes, Paul Freundlich, presidente da Fair Trade Foundation, fundador da Co-op America e diretor da CERES Coalition, para discutirem sobre a Chroma Technology, uma empresa que adota um plano de controle acionário para funcionários.

Paul Millman: A Chroma criou um plano de controle acionário para funcionários porque estava muito claro para mim que a única maneira pela qual a empresa poderia funcionar seria se todos os funcionários fossem donos da empresa.

Paul Freundlich: Você acha que isso os motiva como empresa a ser mais eficazes, mais criativos e inovadores?

Millman: Acho, todo mundo que trabalha lá é responsável pelo seu trabalho e o faz bem-feito porque todos somos donos da empresa e porque assim seremos recompensados pelo nosso trabalho.

Simran Sethi: Você escolheu permanecer em Vermont, em vez de se mudar para New Hampshire, quando teve uma oportunidade recentemente. Por que fez essa opção?

Millman: Em parte por causa dos valores de Vermont e também por existirem aqui dois centros empresariais importantes, de responsabilidade comercial e de participação acionária do trabalhador. Os estados de Vermont e Ohio são os dois únicos do país que reconhecem que a empresa controlada por funcionários é tão viável quanto as empresas comerciais.

Freundlich: A Chroma não é uma empresa de capital aberto. Você acha que a empresa funciona melhor porque os funcionários são os donos e por não ser uma empresa aberta e com investidores?

Millman: Hoje em dia, fala-se muito sobre sociedade participativa. Bem, nós somos a verdadeira sociedade participativa. Nós realmente somos donos de nós mesmos. E quando você é dono de si mesmo, tudo o que acontece na sua empresa, para o bem ou para o mal, o afeta. Isso é muito diferente de quando você é um acionista de fora e o que você quer é que a empresa dê dinheiro, não importa o tipo de prática que isso acarrete. Fazemos muitos protótipos para cientistas com os quais temos prejuízo. Não se trata realmente de um prejuízo para nós, porque afinal somos nós mesmos que pagamos os nossos salários. No entanto, poderíamos sem dúvida nenhuma ganhar mais dinheiro se cobrássemos mais por esses trabalhos. Mas estamos falando de cientistas que não têm um monte de dinheiro para gastar em ferramentas de trabalho. Se tivéssemos um grupo de acionistas de fora, será que eles nos deixariam continuar operando com prejuízo ou cobrando um preço abaixo do custo? Acho que não.

Freundlich: Basicamente, vocês podem se dar ao luxo de pensar no futuro e dizer: "Queremos uma empresa que seja viável no mercado daqui a dois, cinco, dez anos". Uma vez que o trabalho de todos depende dela, isso acontece muito com os CEOs de muitas empresas de capital aberto, que precisam enfrentar as declarações de rendimentos trimestrais e com a pressão que isso traz. (As pressões dos analistas de segurança da Wall Street levaram à perdição muitas empresas. Elas começaram a falsear os números para tentar mostrar taxas contínuas de crescimento aos analistas. Esse tipo de contabilidade criativa foi considerado ilegal, depois da Lei Sarbanes-Oxley, e centenas de empresas tiveram de recalcular os seus ganhos em níveis mais baixos e mais realistas.)

Millman: Isso não significa que não sofremos pressões, que não existe a tentação de ganhar uma grande bolada em algum momento da nossa história. Mas o que queremos, principalmente, é criar uma empresa que continue a exercitar os valores que temos pelo maior tempo que pudermos.

Funcionários-proprietários da Chroma Technology Corporation

Simran: O que vocês estão fazendo para reduzir os impactos ambientais do processo de produção?

Millman: Usamos uma enorme quantidade de água no nosso processo de produção. Em 2004, o nosso novo prédio foi projetado com um sistema que recicla toda a água. Assim, reduzimos a quantidade de água que usamos de centenas de milhões de litros para menos de 160.000. Também usamos muita energia na produção de instrumentos de alta energia, mas aprimoramos a conservação da energia e recebemos um prêmio de Eficiência de Vermont. Tentamos fazer isso da maneira mais eficiente e menos agressiva possível ao meio ambiente.

ONZE

Alimentos Orgânicos

PESSOAS E EMPRESAS EM TODO O MUNDO estão mudando o modo de produção e de consumo dos alimentos, por meio de métodos orgânicos, sustentáveis, mais benéficos e lucrativos. A explosão da demanda por alimentos não modificados geneticamente, orgânicos, livres de pesticidas reflete uma nova consciência do que comemos e de como os nossos alimentos são cultivados — provocada em grande parte pelas histórias que continuam surgindo na mídia sobre a segurança dos alimentos que consumimos. A doença da vaca louca, a presença de mercúrio em peixes ou de dioxina no leite materno mostram de maneira convincente que a industrialização dos alimentos, o uso de pesticidas persistentes e a agricultura de monocultura e com o uso intensivo de energia são insustentáveis e nada saudáveis. Nos Estados Unidos, o mercado orgânico aumentou 20% ao ano nos últimos cinco anos, em comparação com apenas 3 a 4% na indústria como um todo, e deve alcançar a marca dos 30,7 bilhões de dólares em 2007. Um estudo de 2004, feito pelo Food Marketing Institute, revelou que 56% dos americanos acreditam seriamente que comer bem é uma maneira melhor de prevenir problemas de saúde do que tomar medicamentos. Em 2005, o governo americano publicou as novas Diretrizes Alimentares, incentivando as pessoas a manter uma alimentação à base de frutas e verduras (nove porções ao dia), grãos integrais e produtos de laticínios com baixo teor de gordura, menos açúcar, sal e gorduras trans — apesar dos protestos de diversos segmentos da indústria de alimentos (*U.S. News and World Report,* 24 de janeiro de 2005).

A Rodale Press and Institute, em Emmaus, na Pensilvânia, há décadas mostra o caminho, com as suas revistas populares, *Organic Gardening* e *Prevention*. A Rodale ainda é uma empresa familiar, comandada por Ardath Rodale. A filha dela, Maria Rodale, é a alta executiva da empresa, e o filho, Anthony Rodale, o *chairman* do Rodale Institute, o braço de pesquisas sem fins lucrativos da empresa. Anthony explica a filosofia da instituição: "A nossa intenção no Rodale Institute é conseguir que mais produtores rurais adotem o cultivo orgânico para atender à demanda. Temos o compromisso de ajudar a formar e instruir os produtores rurais na transição para um estilo de cultivo muito mais benéfico e regenerativo do meio ambiente. Quando tomamos contato com o conhecimento científico relativo à agricultura orgânica, percebemos que o solo realmente melhora quando usamos técnicas e métodos orgânicos".

Atualmente, existem pouco mais de 12.000 produtores rurais orgânicos nos Estados Unidos, o que representa cerca de 5% da população que pratica a agricultura familiar. Essa porcentagem não é suficiente para atender a demanda de alimentos orgânicos; assim, 10% dos orgânicos que são consumidos são importados. E isso cria um dilema interessante — as pessoas querem comer bem, mas também querem apoiar os produtores locais e reduzir a quantidade de combustíveis fósseis necessários para transportar os alimentos do campo até a mesa. Anthony Rodale explica: "O alimento, assim que é colhido, começa a se deteriorar. A vida é interrompida a partir do momento em que ele é retirado do solo. Os nutrientes também se deterioram. Se comemos um alimento produzido localmente, os nutrientes são preservados, porque ele não precisou viajar uma longa distância. A agricultura e os sistemas alimentícios locais e regionais também oferecem uma segurança incrível para cada região. Portanto, é algo com que as pessoas podem se sentir bem". Especialista em nutrição, a professora Marion Nestle, da New York University, concorda com essa opinião no último livro que publicou, *What to Eat* (2006).

Enquanto isso, na economia globalizada em que vivemos, os alimentos, assim como os peixes ameaçados de extinção, a exemplo das espécies de badejo e garoupa provenientes do Chile, e frutas fora da estação, viajam milhares de quilômetros para chegar até os consumidores. Gary Hirshberg, presidente e CEO da Stonyfield Farms, atualmente uma divisão da gigantesca empresa alimentícia francesa Danone, resume o dilema: "Se todos nós pudéssemos comprar tudo o que precisamos num raio de 25 quilômetros, ou até mesmo dentro de uma centena de quilômetros, e esses alimentos fossem orgânicos, o que significa que foram produzidos de maneira coerente com os princípios da natureza, então é claro que deveríamos fazer isso. Infelizmente, 85% da humanidade é urbana, e a maioria das pessoas não tem como fazer isso. Portanto, é importante para nós, no atual estágio da evolução social, conseguirmos os alimentos orgânicos de fora. Daqui para a frente, com o preço dos combustíveis fósseis aumentando, com a quilometragem dos transportes tornando-se realmente cara, quando começamos, a exemplo da Europa já há décadas, a reconhecer os verdadeiros custos dos transportes, acho que a agricultura se tornará cada vez mais local ou biorregional".

Thomas Fricke
Forestrade, Inc.

Thomas Fricke, co-fundador da Forestrade, Inc., defende a adoção de padrões universais e é um pioneiro na indústria de alimentos orgânicos. "Precisamos ser orgânicos certificados, o que significa que temos de trabalhar com as pessoas da base e de baixo para cima. Atualmente, trabalhamos com mais de 8.000 produtores rurais isolados em centenas de lugares ao redor do mundo. A produção orgânica compreende uma visão do sistema como um todo. Essa atividade nos permite realmente fazer uma ligação entre os produtores e os consumidores. Ela permite às pessoas realmente manter um relacionamento pessoal e ter uma influência sobre a proteção e preservação do estilo de vida dos produtores. Isso está ajudando a proteger alguns ecossistemas muito importantes. Assim, nós realmente precisamos estar atentos e muito engajados nas atividades culturais locais, assim como nos seus costumes e valores."

De qualquer maneira, ainda é uma crença disseminada que os pequenos produtores nunca serão capazes de produzir alimento suficiente para o mundo atual — e que apenas a agricultura e a produção de alimentos industriais podem atender às necessidades da humanidade. Anthony Rodale discorda. "Muitas pessoas acreditam que a agricultura orgânica não consegue chegar aos níveis de produção adequados. Bem, nós descobrimos, depois de uma das piores estiagens pela qual já passamos na nossa fazenda, que a produção orgânica foi superior à produção convencional. Além disso, neste ano percebemos — por ser um ano bastante chuvoso — que a safra orgânica na verdade apresentou um desempenho maior do que a safra convencional. Em geral, num ano normal, vemos que as safras são praticamente íguais. Os supermercados existem há apenas quarenta anos. Antes disso, as pessoas tinham acesso à maior parte do alimento tanto na sua cidade quanto na região. Elas viviam de acordo com as estações e os ciclos. Hoje, podemos obter alimentos a qualquer momento do ano, porque há demanda para isso. A importância do movimento local e regional que acontecé atualmente é que as pessoas estão querendo se reencontrar. Uma pessoa que compra um ótimo queijo produzido na cidade, e conhece a história do produtor, cultiva uma incrível consciência educativa. As pessoas adoram conversar sobre comida e isso proporciona uma outra ótima maneira de fazer outras pessoas entrarem em contato com os alimentos que são produzidos na região e organicamente."

Testemunhando o crescimento exponencial do setor de alimentos naturais, o Wal-Mart atualmente vende alimentos orgânicos e já é o maior vendedor de leite orgânico. O agronegócio também entrou na arena, criando os seus próprios produtos saudáveis e comprando empresas menores de alimentos limpos e orgânicos. A Seeds of Change é atualmente de propriedade da M&M Mars, a Ben and Jerry's é de propriedade da Unilever, a Boca Foods é de propriedade da Altria, a empresa de tabaco antes conhecida como Phillip Morris. A Horizon Organics e a Silk Soy Milk são de propriedade da Dean Foods. Gary Hirshberg explica como a venda da fazenda Stoneyfield para a gigante dos produtos de consumo Danone afetou o negócio dele. "Uma das minhas conquistas de que mais me orgulho em 22 anos na direção desta empresa foi o casamento com o Grupo Danone, e eu uso a palavra casamento de propósito. Definitivamente, não se tratou bem de uma aquisição. Temos um quadro de diretores independente. Eu ainda tenho a maioria dos cargos de diretoria, muito embora seja atualmente proprietário de apenas 20% da empresa. Mas na verdade, em três anos, a Danone mostrou que está muito mais na arquibancada, torcendo por nós, do que qualquer outra coisa. Eles não puseram dinheiro nenhum na empresa, o dinheiro que investiram — que gastaram — foi para afastar os nossos investidores, e tiveram um excelente retorno sobre o investimento. Agora, eu gasto a maior parte do meu tempo trabalhando em diversas iniciativas orgânicas em nível mundial. A Danone é uma empresa mundial. Eu realmente acredito que sejamos uma daquelas pequenas sementes dentro da Danone que, em grande parte, vai mesmo mudar a maneira como eles conduzem os negócios. Desde o princípio, eu acreditava profundamente que a Stoneyfield sozinha não salvaria o planeta, que o que precisávamos fazer era servir como modelo, que podemos mostrar o caminho para as grandes empresas estabelecidas. Sinceramente, McDonald's, Coca-Cola, General Mills, Danone — essas empresas podem fazer um bem maior com um pedido do que eu poderia fazer durante a vida inteira! E na realidade, se uma dessas empresas assumisse um verdadeiro compromisso em relação aos orgânicos, isso mudaria o mundo. A Stoneyfield também está mudando o mundo, só que em uma escala muito menor. Eu realmente acredito que é nossa obrigação e nosso dever moral mudar essas empresas. É uma ótima oportunidade para elas, e a Danone realmente reconheceu isso. É por isso que eles nos deixaram tão independentes."

Gary Hirshberg
Stoneyfield Farms

A Danone é alvo de interesse da Pepsi Cola. Agora que as grandes empresas estão comprando produtores orgânicos, elas têm pressionado o Departamento de Agricultura americano para baixar os seus padrões orgânicos, permitindo que determinados ingredientes sintéticos entrem na preparação, no processamento e na embalagem dos alimentos orgânicos. A Associação de Consumidores de Produtos Orgânicos lutou com vigor contra os lobistas da Kraft, do Wal-Mart, da Dean Foods e de outras grandes empresas, em um esforço para conter o seu padrão quase imbatível, a Lei de Produção de Alimentos Orgânicos. Apesar das preocupações legítimas dos produtores orgânicos, os lobistas da Kraft, da Dean e de outras grandes que atualmente controlam a Associação do Comércio de Produtos Orgânicos venceram a luta. Os padrões orgânicos mais baixos entraram em vigor em meados de 2006 (*Business Week*, 10 de abril de 2006). Apesar dos protestos dos grupos de consumidores, o secretário da Agricultura americano, Mike Johanns, até mesmo se recusou a preencher a vaga destinada aos consumidores na Câmara Nacional de Padrões Orgânicos (www.cspinet.org/integrity).

A Clif Bars (capítulo 10) tem sido bem-sucedida sem a retaguarda corporativa e mantém os seus altos padrões orgânicos. A Luna Nutrition Bar For Women da empresa vende mais do que as barras energéticas da Nestlé, e está entre as barras nutricionais e energéticas mais vendidas nos supermercados. Isso reafirma o compromisso do seu fundador, Gary Erickson, com a propriedade privada. "Eu fundei a Clif Bars porque era um consumidor de um produto que não estava funcionando para mim. Eu participava de corridas de bicicleta e fazia torneios pelos Alpes, e um dia estava em uma longa corrida de bicicletas. Nessa corrida, tinha levado seis da única barra energética existente no mercado em 1990. Depois de cerca de 200 quilômetros nessa corrida, já tinha comido cinco das seis barras, restavam outros 90 quilômetros pela frente e eu precisava de mais combustível. Precisava comer alguma coisa, mas olhei para aquela última barra e simplesmente não consegui comê-la. Então vivi um instante misto de inspiração e exaltação. Entendi que seria capaz de fazer algo melhor do que aquilo, e foi o que fiz!"

A Clif Bars cresceu, passando de uma empresa de 700.000 dólares em 1992 para 40 milhões de dólares no ano de 1999 em vendas anuais sem investidores. Gary acrescenta: "Somos uma empresa privada, com dois sócios com participação meio a meio. As nossas duas maiores concorrentes, a Power Bar e a Balance Bar, foram compradas pelas duas maiores empresas alimentícias do mundo: a Nestlé e a Kraft. Somos aquela empresa pequena, sediada em Berkeley e no estilo *hippie* da Califórnia, competindo com as duas maiores empresas alimentícias do mundo! Os especialistas de fora nos diziam que nunca seríamos capazes de competir. Eles advertiam: 'Vocês fizeram um ótimo trabalho, são empreendedores, construíram a sua empresa, mas está na hora de pensar em sair do negócio ou atrair alguns investidores'. Então, em um momento estranho para mim mesmo — porque gosto de assumir riscos — caí na armadilha de acreditar que não conseguiria. A empresa foi posta à venda. Ali estava eu, um cara que morava em uma garagem, numa rua de Berkeley, sem aquecimento e sem banheiro, ganhando 10.000 dólares por ano. De um momento para outro, teria a possibilidade de sair daquela situação com 60 milhões. No último minuto, literalmente duas horas antes de receber o dinheiro, dei uma volta no quarteirão. No meio do caminho em volta do quarteirão, no fundo do coração, decidi desistir da idéia. Hoje, acho que a única maneira de garantir que a minha visão sobreviva e de manter os nossos padrões é continuar com uma empresa privada. No nosso caso, acreditamos que deter 100% da propriedade facilita ainda mais isso." Gary Erickson e o sucesso da Clif Bars são um exemplo inspirador. No entanto, os inúmeros dilemas sobre como oferecer aos 6 bilhões de integrantes da família humana a nutrição adequada ainda suscitam muitas dúvidas e debates acalorados. O Wal-Mart diz que quer democratizar os orgânicos e vendê-los mais barato. Os grupos de consumidores e de produtores orgânicos dizem que o Wal-Mart vai reduzir os padrões e terminar terceirizando para a China (*New York Times,* 16 de maio de 2006), e em seguida a *Business Week* publica a reportagem "O Mito Orgânico" ("The Organic Myth", 16 de outubro de 2006).

Os organismos geneticamente modificados, ou OGMs, foram anunciados pelas empresas alimentícias industriais como a solução para a pobreza e a subnutrição. A maioria da soja americana é geneticamente modificada e a Monsanto é responsável pela maior parte da produção americana de milho e de soja. Os Estados Unidos produzem 60% do total mundial de produtos geneticamente modificados, ao passo que a Argentina, a Austrália, o Canadá e o Brasil são responsáveis pelo restante. A União Européia há muito baniu os alimentos geneticamente modificados, em conseqüência da rejeição que sofreram por parte dos consumidores. Em 2006, a OMC determinou que as proibições aos alimentos americanos geneticamente modificados eram ilegais, ante as alegações dos Estados Unidos, enquanto a administração Bush sucumbia às pressões políticas da Monsanto, Aventis, DuPont, Dow Chemical, a National Corn Growers Association e o

American Enterprise Institute. Os consumidores e os oponentes ambientais ainda têm esperança de que as mudanças na regulamentação da OMC não mudem a rejeição generalizada dos consumidores aos alimentos geneticamente modificados em favor da elevada demanda continuada por mais alimentos orgânicos locais (InterPress Service, 6 de fevereiro de 2006). Os temores em relação aos riscos ambientais e à saúde associados a esses alimentos geneticamente modificados aumentaram consideravelmente no debate público.

Os fabricantes de alimentos em larga escala — OGM, orgânicos ou outros — não só causaram um impacto nos fornecedores de pequena escala nos Estados Unidos como também afetaram profundamente os produtores rurais dos países em desenvolvimento, como a Tailândia, onde a agricultura continua sendo a fonte primária de sobrevivência. Nicola Bullard é a co-diretora da Focus on The Global South, um grupo sem fins lucrativos sediado em Bancoc, que apóia as economias e o desenvolvimento rural locais. Nicola explica: "O importante sobre a Tailândia é saber que mais de 60% das pessoas estão envolvidas na produção agrícola. Nos últimos 20 ou 25 anos, houve uma verdadeira transformação no setor agrícola. Ele se voltou quase totalmente para a exportação de alimentos, em vez de produzir alimentos para o consumo local. O significado disso é que o agronegócio e a produção da agricultura em larga escala tornaram-se a norma. Hoje, os produtores rurais locais estão realmente sofrendo as conseqüências disso em muitos sentidos, porque eles estão perdendo uma grande parte da sua autonomia. Estão sendo pressionados a produzir alimentos para a exportação, mas têm muito pouco controle sobre o mercado, assim não têm voz ativa sobre o preço do que produzem. Obviamente, mesmo que o preço do arroz, da soja ou da cebola caia, o produtor ainda tem o mesmo custo para gastar com os fertilizantes, a mão-de-obra, as sementes e assim por diante. Muitos deles estão muito mais endividados atualmente do que vinte anos atrás. Na década de 1960, 20% das empresas rurais estavam endividadas e agora 80% delas encontram-se nessa situação. Assim, os produtores rurais realmente tentaram se organizar, para encontrar soluções para esse problema, para encontrar meios de alimentar a família, obter bons preços para o alimento que produziam, resistir à imposição de determinados tipos de sementes, determinados tipos de pesticidas e fertilizantes e assim por diante.

"Na Tailândia, observam-se movimentos fantásticos de produtores rurais organizados em sistemas de produção alternativos, criando mercados locais, reaproveitando uma série de antigas tecnologias, a diversidade na produção de sementes, nos tipos de arroz que cultivam. Eles estão realmente tentando se dar bem — não como um desafio direto ao agronegócio — mas tentando encontrar um caminho não só para sobreviver, mas também para prosperar."

Na Índia, em grande parte da Ásia e na América Latina, a história é semelhante. A ativista e cientista indiana Vandana Shiva (capítulo 3) também ajudou a inspirar produtores rurais e consumidores a agir, e no processo está influenciando na criação das políticas públicas e dos procedimentos corporativos. Vandana explica por que fundou a Navdanya, sediada em Delhi: "O círculo vicioso da agricultura industrializada, globalizada, baseia-se em

Nicola Bullard
Focus on the Global South

três mitos enormes. Primeiro, que a agricultura industrial com substâncias químicas e sementes geneticamente desenvolvidas produz mais alimentos. Não é verdade. Passei quinze anos da minha vida como cientista, trabalhando em ecossistemas e métodos de agricultura que são orgânicos, "verdes", respeitam a biodiversidade, e eles têm uma produtividade de dezenas a centenas de vezes maior — sem usar nenhum recurso externo. O segundo grande mito é que a agricultura globalizada baseia-se na competição. Não, ela se baseia em cinco corporações gigantescas do agronegócio que controlam a entrada, a distribuição e o preço do produto ao consumidor. O terceiro grande mito é que ela se baseia na geração própria de excedentes. Nem mesmo os Estados Unidos são um país de excedentes em alimentos. Eles importam mais alimentos do que exportam. O que o sistema tem feito é criar o que chamamos de um grande intercâmbio de alimentos. Todo mundo exporta e todo mundo importa. Só os agronegócios da área de *trading* estão ganhando muito dinheiro com a exportação e a importação. Os seus lucros dispararam, mas, enquanto isso, o pequeno produtor rural desaparece. A saúde do consumidor é aniquilada, com um terço dos Estados Unidos sofrendo de obesidade epidêmica.

"Acho que cada um de nós tem a obrigação de ser um co-produtor de uma economia alimentar sustentavelmente saudável, justa, pacífica. Os pequenos produtores rurais ainda são maioria. Mas cada um de nós, mesmo aqueles que não vivem da terra, é um co-produtor, porque no momento em que fazemos uma escolha sobre qual alimento comemos estamos selecionando o sistema de produção que apoiamos. No simples ato de comer, estamos moldando a economia. No simples ato de comer, decidimos se o pequeno produtor rural irá sobreviver ou se o agronegócio terá mais lucros."

> Estamos criando de fato um novo modelo que não se encaixa em definições clássicas como a de corretor, comerciante ou importador. Na verdade, somos catalisadores para o que eu chamo de parcerias de grupos de interesse — produtores rurais, empreendedores, cooperativas, armazéns e várias empresas, tanto nos Estados Unidos como na Europa.

Nos Estados Unidos, no Canadá, na Europa e em outras sociedades industriais desenvolvidas, existem milhões de cidadãos e consumidores de alimentos que agora apóiam os movimentos dos pequenos produtores rurais por meio das suas compras e atuação política. Alguns fazem lobby e piquetes junto ao Banco Mundial, ao FMI e à OMC, ao passo que outros procuram pelos selos do Comércio Justo, como aqueles promovidos pela Forestrade Inc. Thomas Fricke, co-fundador da empresa, explica: "Estamos criando de fato um novo modelo que não se encaixa em definições clássicas como a de corretor, comerciante ou importador. Na verdade, somos catalisadores para o que eu chamo de parcerias de grupos de interesse — produtores rurais, empreendedores, cooperativas, armazéns e várias empresas, tanto nos Estados Unidos como na Europa, que são nossos parceiros, estão realmente ajudando a fazer história, estão de fato ajudando a construir o mercado". Anthony Rodale concorda: "Quanto mais essas pessoas começam a produzir alimentos orgânicos para atender à incrível demanda, mais os preços vão cair. Como introduzimos alimentos mais frescos e saudáveis nas áreas urbanas, ou mesmo nas áreas rurais, onde a alimentação das pessoas nem sempre é a mais adequada? É por meio das feiras de produtores, conseguindo que o supermercado da cidade tenha alimentos produzidos no município e também pelo contato direto entre o produtor rural e o consumidor local. Há muitas e diversas maneiras pelas quais podemos mostrar esses exemplos de sucesso ao redor do país e internacionalmente".

As empresas de refeições rápidas estão na mira dos consumidores, por servir refeições salgadas, gordurosas e contribuir para a epidemia de obesidade e diabetes. Empresa de refeições rápidas, a Panera Bread Company está se empenhando para servir sanduíches, pizzas e saladas à base de ingredientes frescos e integrais, ao mesmo tempo que paga bem aos funcionários, oferecendo seguro de saúde, fundos de investimento de contribuição definida e ações da empresa com descontos. Classificada em 37º lugar na lista de pequenas empresas com crescimento rápido da revista *Business Week*, em 2005, a Panera obteve 81,1 milhões de dólares de lucro e o valor das suas ações quintuplicou, passando para 73 dólares por ação (*Business Week*, 17 de abril de 2006). As questões relacionadas à alimentação e agricultura estão atualmente entre os assuntos mais discutidos nas reuniões do Grupo dos 8 e da OMC. O Grupo dos 20, liderado pelo Brasil, pela Índia e pela China, exige atualmente igualdade e justiça para os produtores de alimentos em todos os países em desenvolvimento (capítulo 6).

Hoje, os alimentos processados industrialmente — sejam enlatados, desidratados, congelados ou em conserva — estão perdendo terreno entre os consumidores conscientes, cada vez mais numerosos. Até mesmo cozinhar os alimentos reduz, de algum modo, o seu valor nutricional. Atualmente, muitos restaurantes da moda já

Feira de produtores rurais

apresentam pratos de saladas e alimentos naturais crus, cultivados organicamente, que têm de ser preparados e limpos meticulosamente. Muitos alimentos, incluindo o leite e os sucos de frutas, ainda precisam de pasteurização. Os consumidores também procuram produtos e alimentos não contaminados por pesticidas e elementos tóxicos, como o mercúrio, que se concentram na cadeia alimentar.

O Conselho Nacional do Consumidor britânico oferece um Índice de Responsabilidade na Saúde que classifica os supermercados para proteger as crianças contra *junk food* e o aumento da obesidade infantil. Em 2006, pela primeira vez na história, as crianças americanas estão mais doentes do que as da geração anterior. A obesidade afeta praticamente um quinto delas, o triplo da prevalência em 1980; o autismo aumentou mil vezes mais em uma geração; a asma chega a 75%; as alergias graves a alimentos praticamente sextuplicaram; e a deficiência de nutrientes, não vista por décadas, atualmente volta a ser predominante, de acordo com um relatório da dr. Judy Converse, nutricionista especializada em terapias nutricionais clínicas para crianças. Ela e outros profissionais de saúde observam que a vacinação cada vez mais agressiva pode estar causando problemas de saúde (www.redflagsdaily.com); aconselha-se que as crianças até os 12 anos de idade recebem 54 doses de vacinas (a maioria delas contendo mercúrio). Nos Estados Unidos, muitos pais conseguiram banir das escolas os alimentos sem teor nutritivo e os refrigerantes açucarados vendidos em máquinas, depois das evidências de que poderiam contribuir para o transtorno do déficit de atenção e problemas de comportamento. O crescimento do uso do Ritalin é altamente controvertido na Inglaterra, onde as prescrições para crianças subiram de 400.000 em 2000 para mais de 700.000 em 2002, de acordo com *The Economist* (4 de dezembro de 2004), cujos editores questionam se o mau comportamento não poderia ser causado pelo fato de as crianças estarem entediadas ou terem uma alimentação pouco nutritiva.

A produção de orgânicos não consegue atender à demanda dos consumidores, que cresce a 20% ao ano. Os Estados Unidos ainda precisam importar produtos orgânicos. A ironia é que, assim que as pessoas percebem o benefício que esses produtos representam para a saúde, precisam travar uma batalha para conseguir rótulos explícitos em outros alimentos, para saber se eles contêm organismos geneticamente modificados (OGMs). Os consumidores europeus, ao contrário dos americanos, até o momento têm sido vigilantes com relação à identificação de modificação genética nos rótulos dos produtos. As leis vigentes no continente europeu impedem a venda de alimentos contendo OGMs, e muitos produtos agrícolas com OGMs provenientes dos Estados Unidos são barrados na tentativa de exportação para a Europa. Um relatório de 2005 da Innovest Strategic Value Advisors sobre a Monsanto chamou a atenção para os potenciais riscos financeiros e institucionais da produção agrícola geneticamente modificada. A Monsanto pagou uma multa de 1,5 milhão de dólares depois que o departamento de justiça dos Estados Unidos descobriu que a companhia subornou um funcionário indonésio do Ministério do Meio Ambiente para facilitar a entrada de produtos transgênicos no país (www.socialinvest.org). Atualmente, grandes produtores de OGMs também estão comprando empresas produtoras de sementes — uma causa de alarme, uma vez que a biodiversidade é fundamental para a sustentabilidade. Na atual economia globalizada, todas essas mudanças no nosso abastecimento de alimentos afetam as pessoas de maneiras perversas e muito diferentes. A pesca mundial está em crise e muitas espécies de peixes grandes acham-se ameaçadas de extinção. O crescimento da criação do salmão em todo o mundo acontece à custa de outras espécies nativas. As patentes de plantas nativas têm provocado muitos movimentos nacionais para protegê-las. Nos Estados Unidos, Europa e Japão, a agricultura por contrato vem aumentando: os consumidores constituem grupos e contratam os produtores rurais locais para cultivar safras orgânicas sob encomenda. Felizmente, hoje em dia, alternativas saudáveis estão amplamente disponíveis em casas de produtos naturais, supermercados, restaurantes e mercados e feiras de produtores. E não se esqueça de procurá-los e exigi-los também nos supermercados convencionais. Os meus amigos Anna e Frances Lappe (autores de *Diet for a Small Planet*, um clássico da década de 1970) sugerem "Dez Medidas para uma Alimentação Correta e um Mundo Mais Justo", extraídas do livro *Hope's Edge* (2002):

1. Alimente-se com produtos frescos, obtidos diretamente do produtor. Compre dos produtores rurais familiares, procure produtos de agricultura familiar e incentive os mercados e restaurantes da sua região a fazerem o mesmo. Para encontrar alimentos locais próximos a você, pesquise em páginas especializadas na Internet, tais como www.nativealiments.com.br ou www.varejaoprodutosorganicos.com.br, entre outras.

2. Defenda os seus valores mudando o modo como usa o seu dinheiro (e o garfo!). Tudo o que optamos por consumir, assim como poupar e doar, causa um impacto enorme. Descubra onde o seu banco, universidade ou fundo de pensão investe, e discuta com eles sobre escolhas que promovam a saúde dos trabalhadores e do planeta. Aprenda mais em planeta-sustentavel.abril.com.br e inspire-se em campanhas bem-sucedidas que podem ser vistas em www.ran.org.

3. Mantenha uma dieta sustentável, composta de alimentos integrais. Apóie os produtores rurais que cultivam e produzem plantas e animais sustentáveis e boicote as fazendas industrializadas que contribuem para a poluição do ar e da água, assim como para o aquecimento global. Aprenda mais sobre alimentos orgânicos em www.planetaorganico.com.br. Encontre carne produzida de maneira sustentável em www.guiabioagri.com.br, entre outros.

4. Apóie os produtos derivados do comércio justo e os direitos dos trabalhadores. O comércio justo assegura que os produtores rurais consigam vender os seus produtos por um preço justo. Atualmente, podemos comprar café, chá, frutas e outros produtos desenvolvidos pelo comércio justo, trazendo o comércio justo para dentro dos cafés, restaurantes, hospitais e escolas da nossa cidade e região. Descubra mais em www.sebrae.com.br e envolva-se em www.mundareu.org.br, por exemplo, no Brasil, ou internacionalmente em www.globalexchange.org e www.tradematters.org.

5. Transforme o poder de compra da sua comunidade. Todos fazemos parte de instituições — igrejas, hospitais, locais de trabalho, escolas, conselhos municipais — que podemos incentivar a fazer compras com base em valores comuns. Por exemplo, para descobrir mais sobre como levar alimentos frescos, produzidos na região e orgânicos, à sua escola ou outras instituições, visite www.hortaevida.com.br ou www.foodsecurity.org.

6. Crie zonas "livres de marcas". Os anunciantes gastam bilhões todos os anos para nos dizer o que comer, vestir e em que acreditar — os anúncios publicitários nos bombardeiam nas salas de aula, no consultório médico e até nos sanitários públicos. Podemos criar zonas "livres de marcas" na nossa cozinha, nas escolas, no gabinete do banheiro e muito mais. Visite www.commercialfree.org e inspire-se em www.adbusters.org.

7. Consuma fontes de informação variadas. Embora meia dúzia de corporações controle a maior parte da grande mídia, podemos ter acesso a uma rede imensa e independente de informações variadas. Visite www.radiolivre.org ou www.midiaindependente.com.br, no Brasil, por exemplo, ou www.indymedia.org, www.gnn.tv e www.frepress.net, para promover a democracia das informações na sua vida.

8. Envolva-se com assuntos do seu interesse e que sejam importantes na sua vida. Podemos ser ouvidos participando de grupos de ação, escrevendo para os nossos parlamentares e envolvendo-nos com grupos na nossa

comunidade. Aprenda mais sobre os assuntos com que mais se preocupa e descubra como as pessoas estão se organizando para fazer a diferença. Para aprender mais sobre alimentos, agropecuária e políticas comerciais, visite as páginas brasileiras www.in.gov.br, www.agrolink.com.br e www.gs1brasil.org.br, entre outras, e, em inglês, www.foodfirst.org, www.publiccitizen.org, www.marketradefair.com e www.iatp.org.

9. Crie grupos de estudos e promova palestras com reuniões periódicas. Visite www.moveon.org para encontrar idéias criativas sobre reuniões, eventos e organização local em torno de causas que importam para você, e visite www.eatgrub.org para idéias sobre como promover jantares e reuniões sociais em torno de interesses comunitários.

10. Vote! Pura e simplesmente. Entre para grupos de atuação política, para orientar o seu voto e fortalecer a democracia — na sua região e nacionalmente. A Internet é um veículo no qual essas idéias são sempre debatidas. Pesquise!

E não se esqueça de visitar www.EthicalMarkets.com e www.mercadoetico.com.br!

MESA-REDONDA
A HORA DA VERDADE

Simran Sethi e George Siemon

Simran recebeu George Siemon, CEO da Organic Valley de LaFarge, Wisconsin, e Hewson Baltzell, o nosso analista de participantes e co-fundador da Innovest Strategic Value Advisors, para comentar sobre a maior cooperativa de agricultura orgânica da América do Norte. A empresa é a única marca orgânica de um único proprietário e é controlada por produtores rurais orgânicos.

George Siemon: A cooperativa é como qualquer corporação, a não ser pelo fato de ser consolidada para servir aos seus proprietários em vez de servi-los por meio da valorização dos seus elementos constituintes.

Hewson Baltzell: George, como funciona na prática a estrutura de governança da cooperativa?

George: Bem, é claro que somos como qualquer empresa. Temos um quadro corporativo composto pelos seus produtores, que fornecem uma ampla variedade de produtos e alimentos tais como leite, ovos, suco etc. Cada um desses grupos tem a sua própria diretoria. Eles todos se sentam e conversam sobre todas as questões que os afetam, seja os padrões de qualidade ou dos orgânicos, seja o controle do abastecimento ou os seus contratos, os seus acordos e o preço pago. Portanto, isso realmente lhes dá uma oportunidade todos os meses para se envolverem de verdade no negócio. Nós enviamos minutas muito boas a todos, explicando os processos, porque acreditamos que o produtor informado é o que melhor vai prestar a sua contribuição no futuro.

Hewson: Vocês têm uma frase que diz assim: "Nós, Produtores, Garantimos"... afinal, o que isso quer dizer exatamente?

George: Temos diferentes padrões, desenvolvidos por nós, que propomos: um contrato de associação, além de um processo de declaração juramentada. Assim, asseguramos que os produtores entendam que não vão passar a fazer parte de um simples mercado — vão fazer parte de algo importante. Também fazemos com que invistam na nossa cooperativa e esse é realmente um sinal de comprometimento.

Simran Sethi: George, o que vocês fazem para assegurar que os produtores adotem os padrões orgânicos?

George: O principal, a meu ver, é simplesmente a pressão que eles sentem dos outros produtores. Na época da colheita regional, em todas as regiões, eles têm muito contato entre si. Se houver problemas, sempre temos alguém por perto para verificar. É claro que os boatos são uma ótima maneira de verificar a integridade!

Hewson: Vocês também têm alguns programas que ajudam a estabilizar a receita? Por exemplo, no mercado, o preço do leite varia muito, e isso pode ser desestabilizador para o produtor familiar. Pode nos falar sobre isso?

George: Com certeza, uma das nossas maiores metas, quando começamos, foi tentar ajudar os produtores rurais a ter uma vida sustentável, com uma receita estável, de modo que pudessem planejar a própria vida. Essa é uma das nossas maiores conquistas e recompensas da produção de laticínios orgânicos. Os produtores podem planejar o que vão receber no ano de acordo com os seus propósitos comerciais. Sem dúvida, acontece uma pequena variação aqui ou ali, mas nada muito significativo.

Simran: E o seu sistema de distribuição regional permite que as pessoas façam as suas compras localmente, certo?

George: Na verdade, os produtos orgânicos familiares que as pessoas compram são fornecidos por produtores da região. Existe entre as pessoas a disposição de compensar os produtores por fazer o que é certo. Ao mesmo tempo, os produtores estão ansiosos para fazer parte disso e realmente querem a produção local. Assim, na região da Nova Inglaterra, o nosso leite recebe o rótulo "Pasteurizado na Nova Inglaterra" — assim os produtores podem se orgulhar de ver o seu leite sendo vendido localmente. Nós os convidamos a fazer demonstrações ou falar nas feiras regionais, para que sejam vistos e mostrem o que fazem. Isso nos permite trabalhar com todas as grandes cadeias e todas as regulamentações para satisfazer também a necessidade que as pessoas têm de ver essa ligação entre os consumidores e os produtores da sua região.

Simran: Qual é o seu relacionamento com as cadeias de distribuição? Os produtos da Organic Valley estariam disponíveis em um supermercado como os da rede Wal-Mart, que está apresentando mais produtos orgânicos?

George: O comércio de alimentos naturais é o nosso ambiente natural, mas nós certamente vendemos também para as cadeias maiores.

Hewson: E quanto à certificação real? Sei que há discussões sobre como o setor orgânico é rigoroso. Isso afeta os seus negócios e você tem uma opinião sobre essa regulamentação?

George: A certificação é um sistema muito válido. Atualmente, nós fazemos parte da USDA, que nos deu algum mérito e reconhecimento como um setor maduro, como também nos deu as dores de cabeça de se trabalhar com o governo.

Hewson: E quanto ao valor adicional que os consumidores têm de pagar: digamos, o preço de um litro de leite orgânico em comparação com uma marca comercial? Como vocês justificam isso aos consumidores?

George: Bem, há três questões a serem consideradas. Em primeiro lugar, os alimentos orgânicos são relativamente caros e fornecidos em pequenas quantidades, portanto há custos adicionais. Segundo, estamos tentando superar o que pode ser chamado de um sistema de fornecimento de alimentos falido, com os produtores fechando e indo à falência todos os dias. Portanto, estamos tentando manter essas pessoas dentro de uma vida sustentável. E terceiro, ainda somos ineficientes, embora tenhamos bastante orgulho do que já conseguimos. O leite orgânico corresponde a 3% do mercado de leite atualmente. Esse é um feito enorme, em comparação com a nossa posição de dez anos atrás. Esperamos que as nossas margens maiores possam diminuir com o passar do tempo.

DOZE

Saúde e Bem-estar

ATÉ MESMO AQUELES QUE APENAS AMBICIONAM ingressar na medicina estão familiarizados com o preceito de Hipócrates, o médico grego e pai da medicina ocidental, segundo o qual "em primeiro lugar, não causar dano ou mal a ninguém". Nos Estados Unidos, porém, a julgar pelo estado do atendimento médico atual, essa simples exigência não é nada fácil de cumprir. O tratamento de saúde convencional no país chegou a um ponto crítico — com a insatisfação disseminada entre pacientes, médicos, enfermeiros, hospitais e mais de 46 milhões de pessoas que não possuem planos de saúde. "O sistema de saúde dos Estados Unidos é um monstro", declarou *The Economist* — na sua reportagem especial, "A Crise na Saúde Americana" ("America's Health care Crisis", 28 de janeiro de 2006), chamando a atenção para o fato de que o sistema de tratamento da saúde americano é de longe o mais caro do mundo, representando 16% do PIB do país — quase o dobro da média dos outros países industrializados, sem que os resultados sejam melhores. Muitos americanos que se esforçaram para conseguir mudanças políticas e sociais, incluindo Hillary e Bill Clinton, durante a administração Clinton, depararam-se com lobbies poderosos, como o da Associação Médica Americana, das grandes empresas farmacêuticas, do setor de seguros e dos fabricantes de equipamentos médicos de tecnologia avançada. A vergonha do sistema é a sua injustiça, evidente entre aqueles 46 milhões que não dispõem de um seguro de saúde, um número que continua a aumentar. O estudo de 2004 do *The New England Journal of Medicine*, "Classe: O Determinante Ignorado na Saúde do País" ("Class: The Ignored Determinant of the

Nation's Health"), expõe a verdade: os pobres morrem mais jovens e são menos saudáveis por razões óbvias, que incluem moradias inadequadas, abaixo dos padrões aeeitáveis, e bairros perigosos, determinados por raça e classe social. Esses determinantes sociais de saúde influenciam cedo na vida, relatam a dra. Nancy Krieger, da Faculdade de Saúde Pública da Harvard, e o irmão dela, James Krieger, médico da Saúde Pública de Seattle.

> Enquanto o debate sobre o sistema de saúde americano esquenta, as corporações reivindicam mudanças, diminuindo a cobertura de saúde e exigindo um afrouxamento por parte do governo em razão dos custos estratosféricos do seguro de saúde dos funcionários.

A Organização Mundial de Saúde reconhece explicitamente a ligação entre a situação socioeconômica e a saúde — uma relação para a qual os Estados Unidos fecharam os olhos. Embora a maioria das outras democracias desenvolvidas tenha passado a adotar um seguro nacional de pagamento único, os Estados Unidos continuam presos à sua situação caótica, com base no subsídio do empregador e no pagamento pessoal, envolvendo fornecedores e segurados, e os seus enormes custos indiretos burocráticos, publicitários e de marketing, ao mesmo tempo que se comprometem com programas estaduais e federais caríssimos sob as bandeiras Medicare e Medicaid. Apenas a Administração dos Veteranos, classificada como a instituição que oferece o melhor tratamento de saúde dos Estados Unidos, é administrada como um sistema de pagamento único (*Business Week*, 17 de julho de 2006). Enquanto o debate sobre o sistema de saúde americano esquenta, as corporações reivindicam mudanças, diminuindo a cobertura de saúde e exigindo um afrouxamento por parte do governo em razão dos custos estratosféricos do seguro de saúde dos funcionários. Por exemplo, a conta de saúde da General Motors para os seus funcionários e aposentados agrega 1,525 dólar ao custo de cada veículo que ela produz nos Estados Unidos.

Os especialistas em saúde dos Indicadores de Qualidade de Vida Calvert-Henderson, que são regularmente atualizados em www.calvert-henderson.com, manifestaram-se em relatório sobre os desperdícios e as injustiças do sistema de saúde americano no seu "Indicador de Saúde". Esse relatório observa que o aumento dos custos do tratamento de saúde parece ser aceito por aqueles que podem pagá-los, porque supõe melhores resultados para a saúde em consequência do tratamento mais oneroso. Na realidade, os americanos não possuem um sistema de saúde melhor do que os cidadãos de outros países industrializados — o que também é ressaltado nos estudos da dra. Barbara Starfield, da Faculdade de Medicina Johns Hopkins, em Baltimore, Maryland. Entre treze países industrializados — incluindo o Japão, a Suécia, a França e o Canadá —, os Estados Unidos classificaram-se em 12º lugar, com base na mensuração de dezesseis indicadores de saúde, como expectativa de vida, média de peso mínimo na natalidade e mortalidade infantil. O *Relatório de Desenvolvimento Humano* e o seu Índice de Desenvolvimento Humano (IDH) encontram resultados semelhantes (capítulo 1). Entre os elementos irracionais do sistema americano, destacam-se a inclinação excessiva para beneficiar as pessoas ricas e para as cirurgias plásticas e o crescimento de práticas "exclusivas", em que os médicos aceitam polpudos honorários anuais de pacientes abastados para visitas domésticas e atendimento especial, de acordo com o *New York Times*, de 30 de outubro de 2005. Muitos pacientes são medicados em excesso, com medicamentos caros de valor duvidoso, para melhorar o humor, conforme mostrado na reportagem "Problemas no País do Prozac" ("Trouble in Prozac Nation", *Fortune*, 28 de novembro de 2005). O livro *The Baby Business*, de Debra L. Spar (Harvard Business School Press, Cambridge, Mass., 2006), mostra o crescimento assustador da indústria da fertilidade, atualmente no patamar de 3 bilhões de dólares ao ano. Além disso, o dr. David Eddy, pioneiro na medicina com base em evidências, acha que apenas de 20 a 25% de todos os tratamentos foram comprovados como eficazes (*Business Week*, 29 de maio de 2006).

Enquanto isso, os custos sobem duas vezes mais que a taxa da inflação, os pagamentos por fora e dedutíveis disparam e os pacotes de benefícios dos empregadores cada vez encolhem mais ou desaparecem. Os funcionários, assustados, compram cartões de descontos médicos que não cumprem o que prometem, de acordo com a *Business Week*, de 26 de dezembro de 2005. Um método radical, de compra obrigatória de seguro de saúde por todas as pessoas e empresas, foi instituído em Massachusetts, pelo governador Mitt Romney, em 2006. Os liberais protestaram, mas muitos outros estados podem seguir o exemplo. Entretanto, esses pagamentos obrigatórios a um sistema já inchado e perdulário pode simplesmente aumentar os custos gerais sem nenhuma reforma.

Enquanto o sistema ameaça implodir pelo próprio inchaço, alguns antídotos poderosos vêm surgindo. Medidas simples, como precauções por parte dos hospitais, que poderiam evitar 100.000 mortes desnecessárias por ano, incluem mais cuidado com a limpeza e menos erros, fariam uma diferença significativa, de acordo com a revista *Newsweek*, de 12 de dezembro de 2005.

O dr. Steven Lawless encontrou um meio de fazer uma ponte entre o nosso atual sistema de saúde e o futuro, aproveitando o que há de melhor no sistema antigo e usando a tecnologia computadorizada para assegurar tratamentos e medicações mais seguros e menos erros hospitalares. As estimativas indicam que cerca de 80 bilhões de dólares poderiam ser economizados anualmente se fossem aplicados os registros computadorizados disponíveis na maioria dos outros setores da economia americana. O dr. Lawless, que também detém um MBA, é o diretor científico da Nemours Foundation e o pioneiro na aplicação de programas de computador na prescrição de medicamentos e nos registros de hospitais, médicos e pacientes. Ele declara: "Não podemos ter 98.000 pessoas morrendo todo ano por causa do que fazemos! O número deveria ser *zero*! Pela minha formação, sou pediatra especialista em medicina intensiva, de modo que trabalho principalmente na unidade de terapia intensiva. Assim, tenho verdadeira paixão por cuidar de crianças gravemente doentes e fazê-las se sentir melhores. De 20 a 40% das prescrições contêm erros, que precisariam ser corrigidos pelo farmacêutico ou exigem um telefonema para o médico — a maioria em razão da caligrafia ilegível, mas o conteúdo da receita também muitas vezes não é preciso. O médico pode não ter conhecimento de outros medicamentos que o paciente está tomando ou não saber qual a dose certa. Por acaso o paciente não consome produtos fitoterapêuticos ou coisa assim? Grande parte dessas informações podem permanecer desconhecidas. Quantas dessas prescrições acarretam problemas para o paciente? Além disso, muitos pacientes tomam remédios e então procuram outro médico ou outro sistema. Portanto, essa falta de comunicação, a menção às reações negativas aos medicamentos, por exemplo, pode não chegar ao conhecimento do médico — ou aos registros do paciente".

De acordo com uma reportagem publicada em *The Economist*, de 30 de abril de 2005, médicos e hospitais ficaram notavelmente para trás, em comparação à maioria dos outros setores da economia americana que usam informações computadorizadas. Steven Lawless, das clínicas Neumors Children's, explica: "Somos uma das maiores clínicas americanas voltadas para o tratamento pediátrico subespecializado. Operamos com sistemas eletrônicos, aos quais uma série de outros processos são integrados: a empresa se cruza com as operações, que por sua vez se cruzam com o padrão de qualidade e com os médicos. E uma das minhas funções, no caso, é considerar tudo isso em conjunto, dando um sentido único ao processo. Normalmente, um hospital administra cerca de 1 milhão de doses de medicamentos por ano. Computando todos os números, estaríamos falando sobre, digamos, centenas de mortes hospitalares ao ano. Algumas dessas mortes hospitalares poderiam resultar de erros de medicação. O problema poderia ser resolvido se tivéssemos sistemas eletrônicos que nos ajudassem a prescrever, verificar, conferir se tudo está sendo feito corretamente. Com eles, poderíamos nos assegurar de que o paciente certo estivesse recebendo a dose certa, de modo a reduzir as conseqüências negativas nos pacientes. Interligando os nossos sistemas, também buscamos fazer uma parceria com o farmacêutico, que também pode nos dizer se houve algum erro. E o registro de tudo isso volta para eles, assim como permanece à disposição dos médicos, para que eles acompanhem o caso. Essa é uma nova responsabilidade social. E, com tudo interligado, podemos ter certeza de que os nossos registros permaneçam disponíveis por muito tempo! E essas informações sobre os registros e a competência dos médicos serão consultadas e filtradas em todos os lugares". Em muitos estados americanos, os grupos civis mantêm registros semelhantes sobre os médicos, a sua competência e a prevalência de processos por imperícia ou negligência contra eles. Uma boa fonte de informações é o Center for Science in the Public Interest, sediado em Washington, DC, que publica a revista *Nutrition Action*.

> Muitos americanos se consultam com profissionais de saúde de especialidades terapêuticas complementares em vez de procurar os médicos convencionais.

Um caso clássico de ineficiência burocrática é o da Lei de Benefício dos Medicamentos, de 2004, que entrou em vigor em 2006. Os cidadãos mais idosos foram surpreendidos entre dezenas de planos de empresas seguradoras e as burocracias estaduais e federais — com poucos registros completos dos seus medicamentos prescritos. Essa lei inútil, que afunila outros milhões de pessoas para as empresas farmacêuticas — uma grande contribuição à campanha de ambos os partidos políticos — é um exemplo de como os custos ficam cada vez mais fora de controle.

O que não surpreende é o fato de que as pessoas estão se voltando para tratamentos de saúde menos dispendiosos. Atualmente, os americanos gastam em média 40 bilhões de dólares em tratamentos alternativos e em vitaminas e suplementos vitamínicos. Os novos setores crescentes da nossa economia baseados em métodos preventivos, naturais e sistêmicos para o bem-estar estão redefinindo a saúde em geral. Um número cada vez maior de americanos procura os métodos e medicamentos alternativos em vez de procurar médicos e hospitais. Livros de médicos alternativos, inclusive o do dr. Deepak Chopra, *Ageless Body, Timeless Mind* (1993), e o do dr. Andrew Weil, *Spontaneous Healing* (1995), são eternos campeões de vendas.

O *New York Times,* na edição de 6 de fevereiro de 2006, publicou uma reportagem sobre como os pacientes perderam a confiança no que muitos chamam de complexo médico-industrial e por que tantos preferem tratamentos alternativos, complementares, muitos dos quais baseados em tradições de cura que existem há séculos, tais como a homeopatia, a Ayurveda e a medicina chinesa tradicional. A quase excessiva especialização que aflige o sistema médico vigente é parte de uma tradição acadêmica de trezentos anos de reducionismo: a idéia de que o todo pode ser compreendido quando se dissecam e estudam as suas partes. Esse método, chamado cartesiano — dado em homenagem ao matemático francês René Descartes —, levou à explosão do conhecimento científico humano. No momento, porém, voltamos a reunir essas partes, com uma visão de mundo mais abrangente e métodos mais sistêmicos, a que chamei de Visão de Mundo Científica Pós-cartesiana (Henderson, 1981). Pouco a pouco, vamos nos lembrando de que nos sentimos bem, ou adoecemos, em conseqüência da interação entre o nosso corpo, os nossos pensamentos e atitudes, a nossa vida espiritual e as circunstâncias sociais e ambientes concretas. Muitos americanos se consultam com profissionais de saúde de especialidades terapêuticas complementares em vez de procurar os médicos convencionais porque acham que a medicina formal não atende adequadamente às suas necessidades. Outros se interessam por exercícios físicos e são responsáveis pelo florescente setor de condicionamento físico. Um movimento pragmático é o de funcionários de escritórios que trocam os elevadores pelas escadas. Na mais recente corrida pelas escadas do edifício *Empire State*, uma competição anual, os participantes subiram os 86 andares entre 10 e 20 minutos. Esse tipo de competição vem sendo praticado em muitos prédios de escritórios em diversos países (www.towerrunning.com).

Claudine Schneider, ex-congressista por Rhode Island, trabalhou em favor da chamada "Lei de Prevenção contra o Aquecimento Global", de 1988, a primeira do Congresso americano, que levou à legislação ambiental da década de 1990. Atualmente consultora sênior da Econergy International, uma empresa de energia renovável do Colorado, Claudine comenta sobre a sua experiência pessoal. "Há muitas coisas que os médicos não lhe dizem. Em primeiro lugar, eles não enfatizam como é importante cuidar do seu estado emocional, ouvir o seu corpo, prestar atenção a ele. Eles também não enfatizam

Claudine Schneider
Ex-congressista americana

a importância de ouvir várias opiniões diferentes. E poucos médicos entendem que há muitos métodos alternativos. Quando tive câncer pela segunda vez, cerca de oito anos atrás, foi uma fase muito deprimente da minha vida. Os médicos disseram: *Sentimos muito, não há nada que possamos fazer.* Felizmente, nunca levei a opinião dos médicos muito a sério, a menos que ouvisse várias outras opiniões. O mais importante é que emocionalmente consegui dar a volta por cima ao decidir que ainda não estava disposta a partir desta vida. Então, passei um ano inteiro pesquisando sobre o que deveria fazer, mesmo que aquilo realmente parecesse o fim. Dei inúmeros telefonemas, li uma porção de livros e acabei encontrando uma clínica nas Bahamas especializada na estimulação do sistema imunológico, ajudando-o a enfrentar as células cancerígenas. Também procurei o dr. Nick Gonzales, na cidade de Nova York, um dos primeiros médicos a receber um subsídio importante do Instituto Nacional do Câncer americano para usar métodos alternativos no combate ao câncer. A especialidade dele é o câncer pancreático, que normalmente acarreta uma expectativa de vida de três meses, e os pacientes dele sobreviviam por três a onze anos. Quando procuramos métodos alternativos devemos nos assegurar de que tenham fundamento científico. Esse meu médico em Nova York indicava vitaminas e enzimas, além de uma determinada dieta alimentar. Depois do primeiro câncer, eu me tornara vegetariana e continuava vegetariana havia 25 anos. Mas ele disse: *Ah, não, você precisa comer carne vermelha!* Então pensei: '*Ah, meu Deus, não sei se vou conseguir fazer isso!*' Mas afinal consegui. Aquilo era necessário para continuar viva, e considero a vida boa demais, um dom incrível."

Voltando a ser uma mulher saudável e ativa, Claudine passou a trabalhar junto ao Congresso para persuadir as instituições nacionais de saúde a começar a pesquisar as terapias alternativas. Ela também conseguiu mudar a orientação de algumas agências. "Uma das causas pelas quais o senador Tom Harkin, o congressista Berkley Bedell e eu tivemos de lutar foi para assegurar que tivéssemos um departamento de medicina alternativa dentro do Instituto Nacional do Câncer. Esse departamento ainda funciona atualmente e pesquisa os tratamentos que são considerados extravagantes e incomuns. Alguns deles funcionam. Outros não dão o menor resultado. Mas o que é interessante é que alguns funcionam para determinadas pessoas e outros não — do mesmo modo que a cromoterapia funciona para algumas pessoas e não dá resultado em outras. Portanto, não existe uma solução única. Precisamos realmente prestar atenção ao que achamos que dá resultado."

O dr. Jim Gordon é o fundador do Center for Mind-Body Medicina em Washington, DC. Ele declara: "O Center for Mind-Body Medicine é uma organização educacional sem fins lucrativos aqui em Washington. Na prática, o que isso significa é que nos preocupamos principalmente com a autoconsciência e o cuidado consigo mesmo. Consideramos todos os aspectos do tratamento de saúde: desde oferecer serviços a pessoas com doenças graves até a formação médica, preparando outros profissionais de saúde para abordar a autoconsciência e o cuidado pessoal, até a ajuda mútua como uma base para trabalhar com populações com traumas de guerra. Fui convidado pelo presidente Clinton para presidir a Comissão sobre Políticas de Medicina Alternativa e Complementar da Casa Branca. Como a medicina é muito conservadora, inicialmente todas as idéias novas são contestadas, e com uma veemência considerável. É claro, isso tem a sua razão de ser, porque a medicina trata de questões que são decisivas na vida de todos. Mas também faz sentido que as novas teorias e as novas técnicas medicinais sejam submetidas a uma análise minuciosa.

"Na realidade, o que chamamos de medicina alternativa é simplesmente tudo o que os médicos com mais de 30 anos de idade não aprenderam na faculdade de medicina. No começo, muitas dessas terapias também me pareceram bem estranhas: acupuntura, meditação, fitoterapia e dietas terapêuticas de que nunca tinha ouvido falar — e elas nem sequer eram mencionadas quando freqüentei a faculdade de medicina em Harvard. Nunca tinha visto referências a elas em nenhuma publicação médica especializada. Interessei-me pelo assunto simplesmente pela curiosidade que sentia em relação a essas outras tradições. Pensei que, se as pessoas usam esses métodos na Índia ou na China há milhares de anos, é porque elas devem dar algum resultado. Então comecei a estudá-las com a mente aberta. Acho que outros médicos convencionais também vêm se interessando em estudá-las. De qualquer maneira, muitos outros simplesmente as deixam de lado, pensando: *Bem, se não aprendi sobre elas na faculdade nem durante a residência, e elas não são mencionadas nas publicações médicas que leio, então provavelmente não têm importância* — uma postura que, infelizmente, é menos científica e mais arrogante do que deveria.

Dr. Jim Gordon
Center for Mind-Body Medicine

"Tiffany Field, uma pesquisadora maravilhosa, demonstrou que o uso de uma terapia muito simples — a massagem em bebês prematuros — é capaz não só de ajudar esses bebês a crescer e se desenvolver mais rápido, como também contribui para que tenham menos complicações no futuro. Esses bebês conseguem deixar a maternidade em média seis dias antes dos bebês que não receberam a massagem. Esse foi um estudo controlado, aleatório e muito minucioso, que também mostrou ser possível economizar até 10.000 dólares com cada um desses bebês. Então surge a pergunta: se isso é tão bom para a saúde dos bebês e tão simples de praticar na maternidade, por que todos os hospitais do país não oferecem a massagem para os bebês prematuros e talvez para todos os bebês?"

Em Ithaca, no estado de Nova York, Paul Glover, inventor de uma moeda local que se tornou famosa, a Ithaca Hours (capítulo 3), também liderou a cooperativa de saúde comunitária de Ithaca, a Ithaca Health Alliance, que oferece tratamento básico de saúde para os seus associados por 100 dólares ao ano. O plano tem crescido ao longo dos últimos dez anos e agora conta com mais de 600 associados e cerca de 135 profissionais credenciados (www.ithacahealth.org). Paul está agora na Filadélfia, organizando um grupo semelhante, o Phila-Healthia, e o conjunto desse trabalho será exposto no próximo livro dele, *Health Democracy* (www.healthdemocracy.org).

Jeffrey Hollender
Seventh Generation Company

A saúde, conforme sabemos, está relacionada à alimentação e aos hábitos de vida. Mas também é conseqüência das condições ambientais, como a qualidade do ar que respiramos, da água que bebemos e dos alimentos que ingerimos. Por exemplo, o uso exagerado do amianto tem provocado doenças e mortes, e também a falência de muitas empresas, o que levou à reivindicação pelos estados de um fundo de proteção a essas vítimas projetado em 140 bilhões de dólares (*Business Week*, 6 de março de 2006). Jeffrey Hollender, fundador e CEO da Seventh Generation Company, que fabrica produtos não tóxicos de uso doméstico, desde papel higiênico a artigos de limpeza e lavanderia, começou nessa atividade determinado a eliminar os riscos que as pessoas correm em casa. "Costumamos nos preocupar com o alimento que ingerimos, com os produtos que usamos sobre a pele. No entanto, de acordo com a Agência de Proteção Ambiental, o ar que respiramos na nossa casa é, em média, de duas a cinco vezes mais poluído do que o ar exterior. A qualidade do ar em ambientes fechados é um problema crítico. Vamos considerar uma situação específica: quando você usa um produto de limpeza e respira o ar contaminado por ele. Normalmente, o cheiro que você sente, seja de um perfume ou de uma substância química, é o que chamamos de composto orgânico volátil (COV). Esse composto é o que se desprende dos produtos de limpeza e permanece no ar que respiramos. Sabemos, sem sombra de dúvida, que esses COVs podem desencadear a asma em crianças. Eles também causam alergias e diversos tipos de irritação nos pulmões. Assim, precisamos assumir a responsabilidade não só pelos alimentos e produtos que aplicamos na nossa pele, mas também, e muito mais, pelo ar que respiramos. A maneira mais eficaz de fazer isso é nos certificando de que os produtos que levamos para casa não emitam COVs que poluam o ar." Os produtos que Jeff fabrica já não estão só nas lojas de produtos naturais — é possível encontrá-los nas prateleiras da maioria dos varejistas convencionais.

Quando compreendemos que existimos dentro de um sistema maior, percebemos que as nossas escolhas causam um impacto sobre a nossa saúde, sobre o meio ambiente, e contribuem para os nossos processos de cura. A Seva Foundation, criada pelo médico e empreendedor em tecnologia avançada Larry Brilliant, adota uma postura mundial em relação à cura, atuando em apoio às comunidades ao tratar as pessoas. Larry lembra-se do que o levou a criar a Seva Foundation, sediada na Califórnia, mas com atuação mundial.

Larry Brilliant com Amigos no Nepal
Seva Foundation

"A Seva foi iniciada por mim e pela minha esposa, além de um grupo de amigos, muitos dos quais trabalhavam no plano mundial de erradicação do sarampo. Éramos diplomatas da saúde, trabalhando para a Organização Mundial de Saúde, ou professores universitários. Depois que erradicamos o sarampo, quisemos fazer algo mais no mesmo sentido. Ver uma doença erradicada — e o sarampo foi a primeira e até agora a única doença na história a ser erradicada — é como escalar uma montanha até o topo. É uma conquista para a posteridade, que nós queríamos fazer de novo! Então procuramos outras doenças, condições que fossem tratáveis, como foi o caso do sarampo, em uma campanha mundial. A cegueira foi a nossa escolha, embora não possa ser erradicada, porque todo ano há novos casos de cegueira. Mas, mesmo assim, é uma condição que nos parecia um sofrimento muito doloroso, conforme observamos entre tantas pessoas que ficaram cegas em decorrência do sarampo, e que no caso é um sofrimento duplo.

"Acho que foi natural para nós nos reunirmos para constituir uma organização que pudesse fazer algumas das coisas que a Organização Mundial de Saúde ou a Unicef podem fazer, mas como uma empresa privada, sem fins lucrativos, isenta de impostos. Já estamos com ela há 25 anos. Ainda trabalhamos nas mesmas aldeias, nos mesmos países. A diferença é que, em vez de enviar para lá, para o Nepal, por exemplo, voluntários americanos, estamos exportando oftalmologistas, que são treinados. Esse é um programa compensador e independente, tanto do ponto de vista econômico quanto emocional, que usa o dinheiro para instruir pessoas acerca do cuidado com os olhos. Na Índia, o dr. Venkataswamy criou o Hospital de Olhos Aravind — começando com quinze leitos em sua própria casa. Atualmente, é o maior hospital de olhos do mundo! E ele já está com sete hospitais. No ano passado, foram feitas cerca de 300.000 operações de recuperação da visão. Para possibilitar o tratamento de tanta gente, atualmente eles fabricam as próprias lentes interoculares utilizadas nos implantes, que são colocadas depois da remoção da catarata. No ano passado, foram produzidas cerca de 1 milhão dessas lentes."

Esse trabalho inspirador é um bom exemplo de atuação na base da pirâmide, conforme proposto por C. K. Pralahad, mencionado anteriormente neste livro, e que atende aos 2 bilhões de pessoas no mundo todo que vivem com menos de 2 dólares por dia. O método de pesquisa e desenvolvimento adotado tem como objetivo efetuar enormes reduções de custo, por exemplo, estudando como produzir em massa instrumentos cirúrgicos de fabricação extremamente cara. Atualmente, Larry Brilliant chefia a fundação Google.

Outro método de trabalho emocionante com a saúde humana tem a ver com os campos bioelétricos. O dr. Beverly Rubik, presidente do Institute for Frontier Science, da Califórnia, explica: "A cada ano, há mais aceitação e um pouco mais de subsídios para o estudo da medicina alternativa e complementar. Estudamos os efeitos dos campos ele-

246 | MERCADO ÉTICO

tromagnéticos em níveis extremamente baixos para estimular o tratamento ósseo, além de muitos outros usos. A inovação nesse âmbito é um processo muito lento. Por um lado porque os incentivos financeiros são minúsculos e, por outro, porque o processo para conseguir essas terapias envolvendo aparelhos medicinais junto ao Food and Drug Administration (FDA), a agência do governo americano que controla o setor, é muito demorado. O FDA preocupa-se basicamente com os medicamentos, exigindo três níveis de experimentos clínicos e uma série de questões de segurança. Por outro lado, esses aparelhos normalmente atuam com um nível de energia tão baixo que a ciência convencional afirma não ter praticamente nenhum efeito biológico. Assim, esses aparelhos têm pouquíssimas chances de ser prejudiciais! No entanto, precisamos passar pelos mesmos experimentos clínicos trabalhosos e muito caros de três fases para provar a nossa idéia e obter a aprovação do FDA. Então existe um longo percurso entre fazer a pesquisa e obter a aprovação do FDA. Mesmo depois disso, é preciso mais tempo para ser aceito na medicina convencional. Por exemplo, a terapia eletromagnética dos ossos, que estimula fraturas mal regeneradas, tem sido aceita pelo FDA há mais de vinte anos, mas na realidade ainda não é amplamente usada atualmente na medicina". A maior parte desse trabalho baseia-se na pesquisa pioneira do dr. Robert O. Becker, publicada em *Cross Currents* (1990) e outros livros, que levaram ao uso da estimulação por microcorrentes para o alívio da dor.

Assim, conforme demonstramos, são necessárias inúmeras mudanças no sistema de saúde americano — e muita coisa já está mudando. Parece estar chegando o momento de uma atualização dos métodos em vigor. Por exemplo, a capa do *U.S. News and World Report* (31 de janeiro a 7 de fevereiro de 2005) questionava: "Quem precisa dos médicos?" A resposta da publicação: o seu futuro médico pode não ser um doutor, e você talvez seja melhor do que ele. Um estudo de 2005 de Harvard revelou que as despesas com médicos são a causa principal de metade de todas as falências pessoais nos Estados Unidos. Muitos dos novos profissionais do setor apresentados neste capítulo estão se tornando a corrente dominante. Além disso:

* Os partos assistidos por parteiras e centros particulares de assistência ao parto estão proliferando de costa a costa.

* Os asilos, que cuidam das pessoas que desejam morrer em paz, são atualmente uma alternativa aceitável.
* Os enfermeiros, calamitosamente malpagos, têm responsabilidades maiores e um papel cada vez mais importante nos hospitais. A revista *Newsweek* apontou a carência desses profissionais em âmbito nacional nos Estados Unidos, na sua edição de 12 de dezembro de 2005.
* Os enfermeiros oferecem uma vasta gama de procedimentos médicos anteriormente executados por médicos e há uma carência de mais de meio milhão desses profissionais.

O debate em 2005 sobre segurança social encobriu a verdadeira crise orçamentária: o Medicare Trust Fund tem projeção de estar esgotado em 2019 — em parte em conseqüência do imenso custo dos benefícios recebidos pelos medicamentos. A legislação de 2004 impede o rebaixamento dos custos usando o poder de compra no atacado do governo ou a terceirização para o Canadá. Se a tendência continuar, as empresas americanas poderão unir-se aos grupos que reivindicam o seguro de saúde universal de pagamento único! Os custos da imperícia ou da negligência podem baixar? Sim! Elevando as taxas de seguro apenas para aqueles poucos médicos que incorrem na maioria dos processos judiciais, e muitos hospitais estão agora oferecendo gratuitamente a cobertura em grupo para recrutar mais médicos.

Com os custos da saúde americana a 16% do PIB e ainda subindo, não é de admirar que sistemas médicos menos dispendiosos, menos invasivos e geralmente menos perigosos levem vantagem. Essas novas empresas e profissionais alternativos dão ênfase à prevenção, ao bem-estar físico e a estilos de vida saudáveis, e florescem como um setor que movimenta vários bilhões de dólares na economia americana. Não é surpresa que atualmente esse setor seja uma prioridade na agenda de políticos de todas as tendências — assim como na vida dos cidadãos americanos. O espírito corporativo americano foi provocado. Um encarte publicitário de dezoito páginas na revista *Fortune* de 16 de outubro de 2006 promove planos de saúde para trabalhadores como medida de cortar despesas. Mas providências mais radicais serão necessárias para resolver o desperdício sistêmico e as desigualdades no sistema de saúde americano.

MESA-REDONDA
A HORA DA VERDADE

Paul Freundlich, Simran Sethi e a dra. Barbara Glickstein

Simran recebeu a dra. Barbara Glickstein, diretora da Extensão de Programação Clínica e Comunitária junto ao Centro de Saúde e Cura Integrados do Beth Israel Hospital, da cidade de Nova York, e o nosso analista de participantes, Paul Freundlich, presidente da Fair Trade Foundation, para saber mais sobre esse que é o maior e mais abrangente centro de formação universitária em medicina integrativa do país e um líder no seu campo. A conselheira de pesquisas do Ethical Markets, Rena Shulsky, criadora do selo Green Seal para os produtos que não agridem o meio ambiente, também ajudou a lançar esse centro do Beth Israel e assegurar que as suas instalações incorporassem mobiliário, acessórios, equipamentos e materiais de construção não-tóxicos.

Barbara Glickstein: A postura integrativa na medicina é uma filosofia que considera o que há de melhor na medicina alopática ou convencional. Observamos a vasta gama de antigas tradições terapêuticas, sejam elas da medicina Ayurvédica, técnicas de cura indígenas da comunidade indígena norte-americana, da medicina mente-corpo, da medicina asiática entre outras. Procuramos o que há de melhor nesses sistemas com base nas evidências que temos. Então observamos as pessoas que se apresentam para o tratamento de saúde e tentamos — junto com elas — tomar as melhores decisões médicas e definir o melhor tratamento para elas, para maximizar e otimizar a saúde.

Paul Freundlich: Isso dá a entender que foi muito arriscado para o Beth Israel lançar essa sua operação e apoiá-la?

Barbara: Bem, tradicionalmente, o centro médico do Beth Israel exerce a liderança em muitos sentidos. Somos um hospital incrivelmente diversificado, com pessoas de todo o mundo vindo nos consultar e pessoas de todo o mundo trabalhando lá. Assim, na realidade, temos um grupo de pessoas que trabalha com essas técnicas terapêuticas indígenas, esse é o sistema de tratamento mais básico. Somos todos altamente credenciados, todos somos profissionais experientes — as pessoas que trabalham no nosso centro são altamente treinadas e experientes na sua especialidade.

Simran Sethi: Essa me parece uma abordagem em que os pacientes investem tanto nesse tipo de diagnóstico e tratamento quanto os profissionais que trabalham ali?

Barbara: Se você me perguntou qual é a maior mudança cultural na medicina integrativa, digo que essa mudança é o fato de que ela permite realmente, a cada pessoa que nos procura, tomar decisões sobre a própria saúde. Nós tentamos atender os pacientes oferecendo aquilo com o que eles mais se identificam, e isso é fundamental. Em outras palavras, não se pode mudar completamente um hábito alimentar, começar a fazer exercícios físicos e mudar de endereço, se a sua casa fica em um lugar que não é tão saudável quanto deveria. Então nós atendemos as pessoas de acordo com o seu nível financeiro também. Alguns dos nossos serviços não são cobertos pelo seguro de saúde — uma coisa que adoraríamos ver mudar —, mas se alguém precisa ser atendido com esses recursos, isso é incluído no tratamento.

Paul: Eu estava imaginando se o seu pessoal acha que há ocasiões em que convém sentar e considerar casos isolados ou o grosso dos casos e analisar o que está evoluindo. A partir de toda essa gama de metodologias tradicionais e alternativas, qual é o melhor método para um determinado paciente ou doença?

Barbara: Nós temos um Conselho de Medicina Integrativa. Todas as semanas, nós nos reunimos para discutir os casos, e nessas ocasiões os nossos profissionais apresentam os seus casos e são discutidas as técnicas utilizadas. Bem que eu gostaria que isso acontecesse para cada paciente, todos os dias! Esse seria o ideal e o mundo em que todos nós gostaríamos de viver! No entanto, do ponto de vista financeiro, não é possível. O que há de bom nessas reuniões é que elas permitem que as pessoas ouçam o que as outras têm a dizer. Seja um psicólogo clínico se pronunciando sobre alguma técnica mente-corpo, seja um analista respeitado iniciando uma discussão sobre um determinado assunto. Às vezes os nossos praticantes de medicina chinesa vêm para ensinar a interpretação dos sintomas pela língua e pela pulsação e depois voltam em outra ocasião para comentar sobre o assunto e discutir a sua evolução. O diálogo é a coisa mais importante dentro daquilo que você faz. É por isso que esses profissionais experientes, que podem atuar em qualquer lugar, juntam-se a nós e trabalham em equipe.

Paul: Isso se aplica a toda a atividade normal do Beth Israel como um todo?

Barbara: Todos os meses, temos reuniões gerais para as quais toda a comunidade do hospital e todo o sistema comunitário é convidado. Temos departamentos que fazem encaminhamentos com maior regularidade. Em geral, devo dizer que, com freqüência, há casos de pacientes com problemas crônicos. Para o crédito desses departamentos e profissionais, eles sabem que neste momento estão fazendo o máximo que podem. Admitem que, com os conhecimentos médicos de que dispõem, estão fazendo o melhor possível. Às vezes, até mesmo entre os que praticam uma medicina de ponta, esse conhecimento não resolve problemas crônicos.

Paul: O sistema de saúde que vocês praticam é mais eficiente e há evidências disso?

Barbara: Eu gostaria de poder dizer que temos um modelo nesse sistema de tratamento de saúde e na medicina integrativa que atualmente está considerando a eficácia financeira dessas técnicas. Sei que é uma questão muito difícil. O que posso dizer é que quanto mais as pessoas assumem a responsabilidade melhor o resultado — não quero dizer que do ponto de vista moral ou de apontar erros e acertos eu realmente acredite que temos uma cultura, em alguns sentidos, de dependência da doença e de modelos médicos. Esses métodos foram desenvolvidos em conjunto com a população que busca atendimento e com as pessoas que vem produzindo e desenvolvendo políticas em torno do sistema de atendimento de saúde. Acho que precisamos considerar maneiras de melhorar as condições que prejudicam a saúde: o ambiente, as tensões, o local onde as pessoas trabalham, as casas de saúde, os abrigos e as creches, onde as pessoas recebem licença do trabalho para dar atenção à família e cuidar dos idosos. Esses métodos começariam a transformar o sistema de saúde em um modelo muito diferente e mais eficaz.

TREZE

O Futuro dos Investimentos Socialmente Responsáveis

NOS CAPÍTULOS 1, 2 E 9, apresentamos alguns dos primeiros pioneiros do investimento socialmente responsável (ISR) nos Estados Unidos. Três pilares do ISR são: 1) auditoria ou investigação social, ambiental e ética; 2) investimentos na comunidade; e 3) ativismo dos acionistas. O quarto pilar é o capital de risco socialmente responsável, que é imprescindível na implementação de todas as novas empresas necessárias para a mudança em direção à sustentabilidade mundial. O total de investimentos socialmente responsáveis nos EUA representa cerca de 2,3 trilhões de dólares e o movimento chegou ao Canadá e à Europa. Atualmente, o ISR está se disseminando pela Austrália, pela Nova Zelândia, pelo Japão, pela China e pelo Brasil. As empresas escolhidas depois de uma criteriosa auditoria social, ambiental e ética também apresentaram desempenho superior ao das 500 do índice S&P, da Bovespa brasileira e de muitos outros índices convencionais — demonstrando que é possível agir certo fazendo o bem. Em 27 de abril de 2006, os representantes de mais de vinte fundos de pensão de dezesseis países, que administram mais de 2 trilhões de dólares em ativos, fizeram um anúncio na Bolsa de Valores de Nova York: o lançamento dos Princípios para o Investimento Responsável. Em questão de semanas, as novas adesões cresceram a um montante de mais de 5 trilhões de dólares. Denise Nappier, tesoureira do estado de Connecticut, uma líder de longa data na área do ISR observou: "Estamos orgulhosos por endossar esses Princípios, que reconhecem que as questões sociais e ambientais podem ser fundamentais para o perfil financeiro de uma empresa e, portanto, para o valor das nossas ações dessa empresa". (Mais em www.unpri.org e www.unepfi.org.)

Neste livro e na série de televisão *Ethical Markets,* tratamos das muitas empresas e CEOs que estão criando padrões e referenciais superiores para a boa cidadania corporativa no século XXI. O futuro desse movimento em favor de mercados mundiais mais éticos promete ser grandioso. Lançamos o programa no Brasil com o título de "Mercado Ético". As causas fundamentais que motivaram essa evolução do capitalismo são os grupos de vigilância organizada da sociedade civil, consumidores conscientes, trabalhadores e demais cidadãos. Eles são fortalecidos pelo poder crescente exercido pelos investidores socialmente responsáveis. Aprendemos de que maneira essa nova força dentro dos mercados de capitais norteia as empresas no sentido de um desempenho superior do ponto de vista social, ambiental e ético, e fomenta um novo tipo de comprometimento corporativo de todas as partes interessadas, não só dos seus acionistas. Entre os inúmeros novos índices que mencionamos, está aquele que trata dos estilos de vida saudável e empresas sustentáveis, o Índice LOHAS (www.Lohas.com).

Lançamento dos Princípios para o Investimento Responsável

Em 2006, o capital de risco começou a avolumar-se como nunca antes na área da tecnologia limpa e novas empresas ecologicamente corretas. Nick Parker, fundador e presidente da Cleantech Capital Group, sediado em Toronto e Brighton, Michigan, liderou esse campo de empreendimento de risco durante décadas. O Venture Forum periódico da Cleantech, reunido em março 2006 em San Francisco, atraiu mais de quinhentos investidores de risco, incluindo empresas líderes do Vale do Silício, a exemplo da Vinod Khosla, que faturou bilhões com a AOL, Amazon, Compaq, Sun Microsystems e Google. O dr. Zhengrong Shi, CEO da Suntech Power Holdings Company, sediada em Xangai, que fez a maior oferta pública inicial em 2005 de 5,5 bilhões de dólares e é o maior fornecedor de energia solar da China, também compareceu ao Venture Forum da Cleantech. Bill Joy, co-fundador da Sun Microsystems, é outro convertido, atualmente sócio da Kleiner Perkins Cauldfield and Byer, uma das maiores empresas de capital de risco que agora faz parte da Greentech Innovation Network.

Atualmente, a Vinod Khosla dedica-se à tecnologia ecologicamente correta e está tornando o petróleo obsoleto com a campanha que vem desenvolvendo com Stephen Bing, o produtor de Hollywood, intitulada "Californianos pela Energia Limpa". Engenheiro do Instituto de Tecnologia indiano, Khosla defende o uso do etanol derivado da celulose, em lugar dos combustíveis automotivos fabricados com produtos alimentícios, como o milho, o que vem ajudando o Brasil a se tornar auto-suficiente em energia. Muitos ambientalistas, inclusive Lester Brown, fundador do Worldwatch Institute (de cuja diretoria participei de 1975 até 2002), estão de acordo com isso e também querem que todos os veículos automotivos sejam semelhantes aos fabricados no Brasil: veículos com flexibilidade de combustível, que podem usar qualquer tipo de combustível disponível. Essa mudança custa cerca de 100 dólares por veículo e pode promover a transição mais rápida para o hidrogênio — entrando em sintonia com as tecnologias híbridas da Toyota e da Honda, que também podem mudar para o hidrogênio. Uma vez que o transporte nos Estados Unidos usa cerca de 50% das importações de petróleo do país, Khosla acredita que esse setor deve ser o ponto de partida. Atualmente, as refinarias de petróleo ameaçam acabar com os biocombustíveis, abaixando o preço do petróleo. Elas ainda recebem subsídios da ordem de 27% referentes à cota de exaustão, em vez de impostos sobre a poluição e os danos que causam. Atém mesmo a 60 a 70 dólares o barril, o petróleo nos Estados Unidos ainda é mais barato — quando corrigido pela inflação — do que quando a OPEP quadruplicou o preço, em 1973 — e cerca da metade do preço mundial pago na Europa e no Japão. Os Californianos pela Energia Limpa pedem que a Califórnia aumente os impostos sobre a produção de petróleo em até 380 bilhões de dólares anualmente toda vez que os preços do petróleo caírem, de modo a proteger e incrementar os investimentos na energia limpa.

Nicholas Parker
Cleantech Capital Group

Uma voz de muito prestígio, Mark Donohue, sócio principal da Expansion Capital Partners, de San Francisco e Nova York, incentiva os colegas a suplantar as metas tradicionais de capital de risco em ganhos financeiros e estratégias de saída em Wall Street com ofertas públicas iniciais. Mark alertou que a saúde do planeta em si deve ser a meta e usar a contabilidade de resultado financeiro tríplice deve ser o padrão em todos os investimentos, assim como acontece na empresa dele, a Cleantech. Geralmente, quando empresas altamente éticas abrem o seu capital, elas se tornam vítimas dos analistas de Wall Street, que são adeptos do crescimento a qualquer custo, o que tem levado os CEOs ao hábito de "maquiar" os livros contábeis para agradar a esses analistas. Mark participa do Conselho Consultivo de Pesquisa do *Ethical Markets*.

Muitas das tecnologias do desenvolvimento sustentável esperam nos corredores há muitas décadas: energia solar, eólica, oceânica e de biomassa, eficiência ecológica, reciclagem, melhores métodos de armazenagem, células de combustível de hidrogênio. No entanto, as corporações da era dos combustíveis fósseis, em sua maior parte por razões egoístas, não investiram no desenvolvimento de tecnologias que seriam altamente revolucionárias e que acabariam por sucedê-las. Daí a importância dos investidores de risco e dispostos a investir em pequenas empresas — juntamente com a revogação dos subsídios governamentais aos produtores de carvão mineral, petróleo, gás e energia atômica. É preciso uma revolução no planejamento como um todo, para promover a atualização dos modelos econômicos, da nossa infra-estrutura em todos os sentidos, dos transportes dependentes do petróleo, da agricultura, dos agentes químicos, da construção e dos nossos prédios antieconômicos. Naturalmente, uma mudança sistêmica de tal envergadura requer décadas, e está acontecendo sem que a mídia faça o devido acompanhamento. O capital de risco sempre desempenhou um papel excepcional na economia americana — gerando a rápida inovação tecnológica do país durante a era industrial. O capital de risco impulsionou as empresas ponto-com da década de 1990 — e os investidores perderam trilhões de dólares quando essa bolha estourou em 2000. Depois de se debilitar e lamber as feridas, os investidores de risco atualmente descobriram a próxima grande jogada: as tecnologias precisam criar sociedades mais sustentáveis.

256 | MERCADO ÉTICO

Robert Shaw, presidente da Arête Corporation, um fundo de capital de risco para a energia renovável, é um líder na identificação de opções de energias alternativas e no apoio a elas. "A Arête é administradora de um fundo de capital de risco. Fazemos investimentos em várias tecnologias diferentes de energia sustentável, tecnologias de pequena escala que procuram oferecer a energia elétrica de que o mundo necessita, e fazendo isso de uma maneira benigna ao meio ambiente e com abrangência local. Gostamos da idéia de que *Small is Beautiful* (numa referência ao livro de E. F. Schumacher, publicado em 1973). O que está perto de você, e você sabe como controlar e conduzir, dá a impressão de ser melhor e mais controlável. É isso o que estamos fazendo. Estamos investindo de maneira semelhante aos demais capitalistas de risco, mas nesse âmbito particular. Os capitalistas de risco pegam o dinheiro das pessoas e investem em empresas para ganhar dinheiro para aquelas pessoas e para si mesmos, como administradores do capital de risco, porque ficamos com uma pequena parte do jogo. Esse é o nosso incentivo para tentar fazer bem-feito. É um campo de alto risco, porque estamos sempre testando a sorte, e um grande número de empresas em que investimos não dão certo. Mas algumas delas se saem muito bem e é daí que vem o retorno. Portanto, é um negócio empolgante; não é o mesmo que investir dinheiro nas ações do Tesouro americano ou até mesmo no mercado de ações, porque um grande número de investimentos fracassam. O entusiasmo vem dos investimentos que dão certo! Ajudamos a erguer algumas empresas lindas, maravilhosas: a Evergreen Solar Corporation e a Distributive Energy Systems Corporation, para citar apenas duas, mais a American Superconductor, a Ballard Power, que estão no negócio de células de combustível; já a Cell Tech Power é outra empresa que criou um sistema muito inovador de célula de combustível a óxido sólido. Então, quando conseguimos alguns sucessos, estamos ga-

Robert Shaw
Arête Corporation

nhando dinheiro para os investidores! E passamos a gostar do que fazemos!

"Em todo o planeta há empresas trabalhando nessas tecnologias. Os Estados Unidos não estão sozinhos nessa corrida pela sustentabilidade. A Europa e o Japão, e agora a China, estão produzindo muitos dos mesmos tipos de sistemas. O mercado chinês provavelmente é o único mercado mais atraente, porque os chineses estão crescendo a uma taxa enorme. Eles não têm nem de longe o montante de eletricidade de que precisam para atender a essa economia crescente, e gostariam de atendê-la sem poluir o planeta. As empresas alemãs, francesas, britânicas, japonesas e escandinavas estão todas trabalhando vigorosamente nessas tecnologias. Portanto, vai ser uma corrida de cavalos. Não acho que possamos dizer que um país em particular tenha mais probabilidade de vencer a esta altura, mas acho que é importante que todos participem do jogo porque, no final, é o planeta que estamos tentando salvar."

Alguns anos atrás, sentimentos parecidos seriam ignorados em Wall Street ou rejeitados como sonhos de *hippies* ou de pessoas acostumadas a abraçar árvores. Isso mudou. A ação coletiva dos investidores desencadeou uma pressa, que pode ser exagerada, de acordo com Nick Parker, que não quer ver uma nova bolha acontecendo com a tecnologia limpa. Só recentemente os cientistas do comportamento forçaram os economistas a questionar a sua crença em que os investidores são racionais e que pesam todas as informações disponíveis ao avaliar o preço das ações e de todas as mercadorias. Atualmente, a explosão desse mito pelos cientistas do comportamento abalou esse dogma que contribuiu para a formação do modelo econômico — por mais extravagantes que sejam a matemática e os programas econômicos, conforme demonstrado no artigo "Estratégias para a Sustentabilidade no Século XXI" ("Twenty-first Century Strategies for Sustainability", *Foresight*, Cambridge, Inglaterra, fevereiro de 2006, que pode ser baixado de www.hazelhenderson.com).

Os economistas, os analistas de Wall Street e a mídia financeira há décadas menosprezam a tendência a economias sustentáveis e investimentos socialmente responsáveis. Atualmente, os investimentos socialmente responsáveis e as suas vantajosas taxas de retorno atingiram um patamar tão alto que depois disso é possível esperar uma mudança de grandes e generalizadas conseqüências em todo o sistema. Na década de 1980, os ativos em ISR totalizavam cerca de 40 bilhões de dólares, a maior parte proveniente de grupos religiosos tradicionais e fundações de caridade cujos princípios estavam sempre além do resultado financeiro final. Hoje em dia, o Social Investment Forum registra que os investidores inspirados em seus princípios respondem por mais de 11% de todos os investimentos sob administração profissional.

O movimento mundial em favor do ISR baseia-se em pesquisas rigorosas, com investigações sobre empresas em busca de práticas sociais, ambientais e éticas, incluindo políticas de contratação e emprego, direitos humanos, proteção ao consumidor e atenção ao meio ambiente — exatamente como fazemos na série de televisão *Ethical Markets*. A Innovest Strategic Value Advisors, uma das mais inovadoras empresas de consultoria desse novo ramo da auditoria, pesquisa esse tipo de desempenho corporativo de mais longo alcance. A empresa publica os resultados das suas auditorias para alertar aos clientes (fundos mútuos, bancos, fundos de pensão, fundações) sobre os riscos potenciais do ponto de vista ambiental e institucional que determinados maus comportamentos corporativos impõem aos seus acionistas, em prejuízo da identidade da marca e dos preços das ações. Essas empresas de auditoria ética — atualmente um setor florescente — geralmente veiculam o mesmo tipo de orientação do tipo "Compre, Venda ou Espere" que os analistas de segurança tradicionais. Conforme mencionado, a "opinião pública", o mais novo superpoder mundial, tem demonstrado com que facilidade a reputação das corporações e o preço de suas ações podem sofrer em conseqüência de decisões míopes e anti-sociais.

Wayne Silby, fundador e presidente do Calvert Group, a maior empresa de ISR sediada nos Estados Unidos, explica como esses investimentos orientados pelos princípios motivam as empresas a agir com mais responsabilidade social corporativa. Wayne recorda-se dos primeiros tempos: "Quando investimos o nosso dinheiro, é como se estivéssemos votando pelo tipo de mundo que queremos criar. Com isso, expressamos os nossos valores. Será que queremos uma empresa que acredita na diversidade, em termos dos valores da nossa sociedade? Queremos empresas que não tenham consideração pela ética ao fazerem experiências com medicamentos em países em desenvolvimento? Onde está a responsabilidade? Quando você, como investidor, tem essa capacidade de expressar a sua opinião, então tem a responsabilidade de praticar o que diz. Portanto, o movimento realmente consiste em nos unirmos para expressar os nossos valores e assegurar que o dinheiro construa o mundo que queremos. Essa mudança envolve valores e princípios."

O Calvert Social Investment Fund foi constituído em 1982 com alguns milhões de dólares e chegou atualmente a 10 bilhões com uma família de fundos considerados em conjunto. (Eu trabalhei no seu Conselho Consultivo de 1982 até 2005.) Wayne acrescenta: "O que mais me orgulha em tudo isso é o fato de que sinto que exercemos liderança com o Calvert. Isso não tem a ver só conosco, mas com as pessoas trabalhando em conjunto, e fizemos numerosas inovações. É claro que fomos precursores, então tivemos a oportunidade, o dinheiro e os recursos para fazê-lo. Você tem filhos? Você tem netos? Sei que o legado das gerações futuras depende do que fizermos agora. Essas gerações vão precisar de ar para respirar e um planeta que tenha um clima em que se possa viver — exatamente como o encontramos. Acho que é um princípio bastante elementar na maioria das religiões ou das atitudes que, pelo menos, limpemos a nossa sujeira e não deixemos o mundo pior do que encontramos". Os investimentos de risco de Wayne — além da liderança que exerce nos fundos mútuos do Calvert — ajudam a lançar muitas empresas novas no crescente setor da sustentabilidade. Wayne ajudou a fundar o Social Venture Network e atua no Investors Circle, fundado por Susan Davis, da Capital Missions (capítulo 7), e outros grupos de investidores sociais de risco.

Robert A. G. Monks
Autor, *The New Global Investors*

Robert Monks, autor de *The New Global Investors* (1998) e ex-responsável pela supervisão dos fundos de pensão na administração do presidente Reagan, é outro pioneiro. "Do meu ponto de vista, ISR é investir em empresas e mudá-las. Um investidor socialmente responsável é alguém que diz a um gerente que pratica um ato prejudicial à sociedade: 'Essa é a minha empresa. Quero que pare de fazer isso. Quero que aja em harmonia com a sociedade'. Isso, para mim, é o investimento socialmente responsável. Ao longo dos últimos duzentos anos, experimentamos toda uma variedade de meios de produzir riqueza, e o que se revelou foi que a combinação da capacidade das pessoas de investir dinheiro com limitada confiabilidade, a capacidade de contratar pessoas com determinados conhecimentos e experiência administrativa, e depois a capacidade dos proprietários em um determinado momento de vender os seus bens para poder diversificar para outras coisas acabou criando uma estrutura na qual a riqueza tem sido produzida em uma extensão nunca antes experimentada."

Bob, assim como Wayne Silby e Nick Parker, integra o Conselho Consultivo de Pesquisa do *Ethical Markets*. Ele é também um dos primeiros investidores na empresa britânica Truecost, que calcula os custos de produção sociais e ambientais considerados como externalidades nos balanços das empresas e transferidos aos contribuintes, às futuras gerações e ao meio ambiente. A bem-sucedida integradora de sistemas de computador holandesa fundada por Eckart Wintzen, a BSO Origin, foi a primeira empresa a reconhecer esses custos externos impostos à sociedade no seu Relatório Anual de 1990. Ao citar os custos do seu desperdício de água, emissões de CO_2 e impacto dos combustíveis fósseis sobre a mudança climática, Eckart defende a mudança do atualmente conhecido imposto sobre a renda e sobre as folhas de pagamento para que recaia sobre a poluição, o desperdício e o esgotamento de recursos naturais: a criação de impostos sobre o valor extraído em lugar do imposto sobre o valor agregado europeu. Eckart, atualmente um capitalista de risco ecológico, também é conselheiro do *Ethical Markets*.

Susan Davis (capítulo 7), presidente da Capital Missions Company, de Elkhorn, Wisconsin, tem sido uma investidora social a vida inteira. Ela também é uma missionária da promoção de todos os tipos de iniciativa para expandir os mercados de capitais socialmente engajados. Como vice-presidente do Harris Trust, sediado em Chicago, ela organizou a Comissão das Duzentas — que reune as duzentas mulheres mais prósperas na liderança de empresas e no empreendedorismo.

O Investor's Circle, fundado por ela, atualmente é um grupo de várias centenas de capitalistas de risco especializados em financiar empresas que contribuam para um mundo mais sustentável. "Na realidade, o setor socialmente responsável está prosperando e tem apresentado um desempenho superior ao dos concorrentes. Um exemplo é a simulação do Resultado Financeiro Tríplice na Internet (*Triple Bottom Line,* no website www.capitalmissions.com), no qual alguns dos investidores mais importantes dos EUA investiram 100 milhões de dólares de carteiras de ações 100% em investimentos sociais. Esses investimentos apresentaram um desempenho superior aos seus correspondentes referenciais. Tudo isso está disponível de graça. Essas informações mostram a escolha de produtos de investimento em cada classe de ativo desde patrimônio, patrimônio internacional, renda fixa, dinheiro e investimentos alternativos, incluindo capital de risco. É possível mesmo rastrear o desempenho em dez anos de mais de 31 produtos de investimento que estão nessa simulação de resultado financeiro tríplice. É possível ver a estratégia de alocação do ativo que os tesoureiros que criaram a simulação de fato usaram para as grandes carteiras de ações deles. Assim, esse é um modelo que qualquer um pode usar e instrui todo financiador sobre investimento social de maneira interessante."

Susan Davis também acha que há mais financiamentos disponíveis. "Os investidores de longo prazo que procuram maior retorno a longo prazo estão passando para o setor de energia solar. Na Europa, conheço numerosos fundos novos de famílias abastadas. O mesmo que acontece aqui nos Estados Unidos. Os investidores do Vale do Silício, que se encontram no ponto mais alto da escala, faturaram montanhas de dinheiro nessa experiência com a Internet. Muitas daquelas pessoas tinham uma consciência social. E, querendo fazer alguma coisa que tivesse um impacto mundial, viram na energia renovável uma oportunidade para fazer isso imediatamente. Então, quando recentemente o chefe de um importante fundo de capital de risco voltado para os renováveis fez uma palestra no Executive Club, em San Francisco, só havia lugar para as pessoas ficarem em pé; era o maior público que já haviam visto." Susan faz muitos progressos com o seu círculo de investidores em energia solar e a sua Tipping Point Network de pioneiros em sustentabilidade, além de ser conselheira do *Ethical Markets.*

Os investimentos socialmente responsáveis, conforme observamos, têm a ver com uma administração disposta a correr bons riscos. Uma vez que a confiança do consumidor e os mercados de ações foram abalados por escândalos corporativos, os investidores mudaram para os fundos mútuos ISR em busca tanto de padrões éticos quanto de retornos estáveis sobre os seus investimentos. Os persistentes escândalos corporativos nos acompanharão até que os padrões mundiais e uma maior transparência possam orientar os mercados do século XXI no sentido das urgentes necessidades humanas e as novas metas de desenvolvimento humano sustentável. No livro *The United Nations: Policy and Financing Alternatives* (1995, 1996), que co-editei com Inge Kaul, pioneiro do Índice de Desenvolvimento Humano (IDH), e Harlan Cleveland, ex-embaixador americano junto à OTAN, concentramos a nossa preocupação no papel das Nações Unidas como um instrumento para o estabelecimento de normas mundiais. As Nações Unidas têm fomentado a maioria dos tratados mundiais sobre direitos humanos, padrões de ambiente de trabalho, proteção ambiental e todas as atuais prioridades ratificadas mundialmente sobre saúde, educação, redução da pobreza, proteção às crianças e refugiados — a estrutura conceitual da cooperação multilateral que protege todas as pessoas do mundo. Em 2005, o programa Pacto Mundial das Nações Unidas acrescentou a luta contra a corrupção aos seus dez princípios de boa cidadania corporativa, comentados no capítulo 2, e as Metas de Desenvolvimento para o Milênio. Grande parte dos ataques às Nações Unidas nos EUA (as Nações Unidas são populares na maioria dos outros países) deve-se ao estabelecimento de padrões mundiais que a organização impõe, e que muitas vezes se chocam com o poder corporativo. Pesquisas realizadas regularmente pela Globescan (www.globescan.org) em sessenta países revelam uma opinião pública favorável às boas cidadãs corporativas, assim como às Nações Unidas (veja também www.worldpublicopinion.org).

> Grande parte dos ataques às Nações Unidas nos EUA (as Nações Unidas são populares na maioria dos outros países) deve-se ao estabelecimento de padrões mundiais que a organização impõe, e que muitas vezes se chocam com o poder corporativo.

Linda Crompton (capítulo 9) usufruiu de uma visão privilegiada durante a liderança exercida à frente do IRRC. "A questão de recuperar a confiança nas corporações está obviamente no pensamento de todos no momento, porque está muito claro que os mercados não se recuperaram ainda de todos os escândalos recentes. Entre os investidores em geral, há uma preocupação de que outras revelações ainda estão para acontecer. Todo mundo está de olho nos jornais para conhecer o último alvo de Eliot Spitzer. Só existe uma resposta em termos de conseguir de volta a confiança dos investidores: as pessoas não terão mais confiança a menos que possam acreditar no que lhes dizem. Se os investidores tiverem a impressão de que lhes escondem informações e de que são tomadas decisões que não são do interesse delas — então não voltarão ao mercado. A minha teoria — e muitas outras pessoas pensam de maneira semelhante — é que essa é a causa da mudança dos investimentos para imóveis. As pessoas não têm muitos lugares mais para investir dinheiro. Elas não voltarão ao mercado enquanto não sentirem que podem confiar no que lhes dizem. Em última análise, o investidor tem um poder tremendo. Eles só não perceberam isso ainda, e eu acho que é por isso que estamos vendo o aumento do ativismo entre os acionistas. Atualmente, grandes investidores institucionais como a CALPERS e outros começaram a mostrar o poder que têm. Estão percebendo que podem. Quando você vai a uma empresa, representando um bloco enorme de ações e diz: não gostamos disto, queremos ver uma mudança, as empresas ouvem."

Dentre as centenas de milhões de americanos que investem no mercado de ações, cerca da metade dos que são investidores involuntários não tem consciência do que acontece com o dinheiro aplicado — ou dos direitos que tem em relação a ele. Conforme mencionado no capítulo 2, esses investidores involuntários sofreram perdas consideráveis, por causa da falência de corporações e da dissolução de muitas empresas como a Enron, a WorldCom, a Tyco e muitas outras. A agência classificatória Standard & Poor's calculou que as empresas entre as 500 primeiras do seu Índice de ações devem 442 bilhões de dólares a mais em benefícios de aposentadoria do que provisionaram. Desse montante, quase 300 bilhões de dólares não aparecem nos seus balanços (*Business Week,* 30 de janeiro de 2006).

Além de incluir as despesas das opções acionárias (isto é, incluir essas obrigações no balanço), a Comissão de Valores Mobiliários e Câmbio atualmente incentiva a Comissão de Padrões de Contabilidade Financeira a exigir que essas obrigações de aposentadoria não-provisionadas também apareçam no balanço. Esse será um grande golpe nos lucros das corporações mais importantes — General Motors, Boeing, Verizon, IBM, AT&T, General Electric, United Technologies, Maytag, Goodyear, Ford, Navistar, Rockwell, Dara e Visteon. Muitos, incluindo o professor Don A. Moore, da Carnegie Mellon University, afirmam que a Lei Sarbanes-Oxley, aprovada depois da dissolução da Enron, não foi longe o bastante. Em editorial da revista *Business Week* (17 de abril de 2006), ele pede um controle mais rigoroso. As corporações estão reagindo, com freqüência contratando empresas de relações públicas mais eficazes para desacreditar os informantes, como foi o caso de Sherron Watkins, no caso Enron, e do apresentador Bill Moyers, conforme documentado pela reportagem da *Business Week* sobre Eric Denzenhall, "O Pit Bull das Relações Públicas" ("The Pit Bull of Public Relations", 17 de abril de 2006). Outras corporações decidem continuar sendo empresas privadas, desfiliando-se do mercado de ações ou participando de fundos *hedge* e de empresas de patrimônio privado em que a revelação de informações é menos rigorosa. Os fundos *hedge* atualmente respondem por mais de 1,1 trilhão de dólares e tornaram-se acionistas ativistas de uma faixa diferente: forçando as empresas por meio de diversas estratégias de ataque para assumir o controle de mais dívidas e alardear os seus lucros de curto prazo e os preços das ações. No entanto, esse jogo com os fundos *hedge* já tem participantes demais e os retornos estão minguando (*Business Week*, 30 de janeiro de 2006). Na verdade, a pressa na globalização financeira e tecnológica pode estar chegando ao seu limite. Novas vulnerabilidades são abundantes em decorrência das crises financeiras, das guerras por recursos sobre o petróleo e da escassez da água que supre as cadeias de abastecimento mundiais, cada vez mais distantes e frágeis, das quais atualmente dependem as corporações mundiais, conforme comentado em uma reportagem especial de *The Economist* (17 de junho de 2006).

Phil Angelides (capítulo 9), do mais importante fundo de pensão da Califórnia, o CALPERS, explica os desafios com que os fundos como o dele devem se deparar. Nos catorze estados que permitem aos funcionários beneficiários optar pelos investimentos socialmente responsáveis, esses fundos de pensão podem correr menos riscos. Phil também é o tesoureiro estadual da Califórnia e tem refletido bastante sobre qual a melhor maneira de proteger as aposentadorias dos funcionários públicos. "O CALPERS está se envolvendo porque não existe nada mais importante para a nossa carteira de ações global do que os mercados financeiros ou as diretorias corporativas que sejam visíveis e realmente transparentes e honestas, e trabalhem direito. Depois da quebra do mercado em 1929, toda uma geração de americanos nunca investiu no mercado de ações, e a nossa economia pagou um preço alto por isso. Só em 1954 o Índice Dow Jones superou o seu pico de 1929, porque as pessoas preferiam guardar o dinheiro embaixo do colchão a investir no mercado de ações, que elas consideravam um jogo manobrado fraudulentamente pelos que o controlavam. Assim, nos nossos fundos de pensão, exercemos muita pressão com o movimento de reforma — tentando abrir as reuniões de diretoria corporativa, conseguir decisões mais transparentes, assegurar que os bancos de investimentos não tenham conflitos de interesse e assegurar que os fundos mútuos realmente sirvam aos interesses dos clientes, porque os nossos mercados financeiros e o nosso sistema de livre empresa são verdadeiros tesouros. Os retornos do nosso fundo de pensão estão vinculados, mais do que qualquer outra coisa, à saúde global da nossa economia. Atualmente, portanto, temos uma visão mais ampla do que é prudência e do que é responsabilidade."

> Por que tantas carteiras de ações de administradores de ativos ISR tiveram maior desempenho que as carteiras convencionais? As empresas socialmente responsáveis simplesmente exibem melhor administração global.

O livro *The SRI Advantage* (2003), organizado por Peter Camajo, fundador do Progressive Asset Management, atualmente em catorze estados americanos, reuniu a documentação dos mais destacados praticantes do ISR e analisou como e por que tantas carteiras de ações de administradores de ativos ISR apresentaram maior desempenho do que as carteiras convencionais. A conclusão a que chegou: as empresas socialmente responsáveis simplesmente exibiram melhor administração de maneira geral. Os investidores parecem concordar. De acordo com a agência de classificação de fundos mútuos Lipper, os ativos dos fundos mútuos socialmente responsáveis, ao longo dos últimos cinco anos, deram um salto de 156% para praticamente 32 bilhões de dólares, ao passo que o setor de fundos como um todo cresceu apenas 22%. O primeiro fundo de investimentos americanos a usar análises sociais foi o Pioneer Fund. Estabelecido durante a Lei Seca em 1929, evitou investir em empresas de tabaco e bebidas alcoólicas.

Os investimentos socialmente responsáveis ajudaram a impulsionar a causa em favor dos acionistas e os investimentos nas comunidades, e agora estão ganhando força na Ásia, por meio da análise das empresas asiáticas pela ASRIA, fundada por Tessa Tennant (capítulo 7), líder britânica na área de ISR. A ASRIA (www.asria.org) pratica a auditoria sobre o desempenho social, ético e ambiental para muitos bancos mundiais, fundos mútuos e planos de aposentadoria, além de seguradoras. Em razão do tamanho e do escopo das inovações e produções com preocupação ecológica em todo o mundo, os fundos de capital de risco na área do ISR estão criando novas empresas sustentáveis na Ásia, na América Latina, na Europa, assim como no Canadá e nos Estados Unidos. Nicholas Parker, da Cleantech, é também co-autor, juntamente com Diana Propper de Callejon, do livro *Cleantech Venture Investment: Patterns and Performance* (2005). "Investir e arriscar-se na tecnologia limpa é o que acontece quando se investe capital de risco para financiar novas empresas promissoras, que têm o potencial para soluções altamente revolucionárias em relação às maneiras antigas de fazer as coisas, por exemplo, energia solar, água limpa, coisas de que precisamos e que queremos. O desafio é fazer isso a um preço razoável e de modo confiável. Os investidores de risco estão ajudando a fazer isso acontecer." Nick explica: "O que há de maravilhoso em relação à Cleantech é que ela já é responsável *por natureza*. Se você ajudar a comercializar tecnologia que revoluciona os modos de produção antigos e mais poluentes, então tornará o mundo um lugar melhor! Além disso, como o capital de risco também permite a criação de empregos de alto nível, então você estará gerando riqueza, criando empregos, produzindo soluções para os problemas sociais e eliminando os danos ambientais. É por isso que o investimento responsável no mundo da Cleantech Venture entusiasma tanto! Pela primeira vez, temos um estudo abrangente mostrando que os investidores podem ganhar dinheiro com o capital de risco na tecnologia limpa durante um longo período de tempo e em muitos países do mundo".

Deborah Sawyer (capítulo 7) explica os obstáculos financeiros que encontrou ao iniciar a própria empresa, a Environmental Design International. "O negócio ambiental ou do lixo tóxico tem cerca de 25 anos de idade. E esse é mais ou menos o tempo que tenho no ramo. Ao terminar a pós-graduação, fui literalmente contratada no dia da formatura pela Agência de Proteção Ambiental do estado de Ohio. E ali estava eu, uma garota recém-saída do curso de pós-graduação, com pouco mais de 20 anos de idade, precisando encarar um assunto tão importante. Eu me senti tão sobrecarregada! Mas eu também tinha um diploma em ciências políticas e um mestrado em biologia, o que fazia de mim uma pessoa capaz de entender os dois lados da moeda, o lado jurídico e o da ciência. Portanto, foi uma ótima oportunidade. E foi assim que entrei no setor ambiental. Tive a sorte de estudar com excelentes professores. A minha mãe tinha uma forte inclinação para a matemática. Eu herdei isso dela. E não admitia que ninguém me dissesse que eu não era boa em determinados assuntos. Ou quando alguém dizia isso, aí então é que eu me dedicava com muito mais afinco. O desafio dos primeiros tempos era conseguir financiamento. Hoje, isso não é mais um problema para nós. É até engraçado pensar que, antes, eu precisava implorar por 50.000 dólares; mas, hoje, quando chega o momento de pedir um refinanciamento (tomamos emprestado cerca de 4 milhões de dólares por ano), a coisa é completamente diferente. São necessários apenas cinco minutos para assinar os papéis de um empréstimo de 4 milhões de dólares. Antes eu tinha de implorar para que me emprestassem 50.000, mas hoje, na época da renovação, vejo-me sendo convidada a jantar no 57º andar...". É muito bom para a sociedade que todas essas empresas dos setores emergentes da sustentabilidade na economia mundial estejam, finalmente, conseguindo o financiamento de que precisam para crescer. Muitas delas serão as que irão oferecer muitos empregos no futuro.

A mídia financeira tradicional finalmente acordou para o poder de crescimento do investimento socialmente responsável, depois de um quarto de século de desdém e negligência. A revista *Fortune*, que admite o crescimento do ISR, na edição de 7 de fevereiro de 2005, indagava se os fundos verdes são coerentes com as suas cores, observando que eles têm padrões e definições diferentes de responsabilidade social. Bem, não poderia ser de outro modo — considerando que os investidores americanos têm metas e valores diferentes. Alguns economistas tradicionais e os profissionais de Wall Street continuam a negar que tais empresas apresentem desempenho superior ao daquelas que se concentram na maximização dos lucros. Conforme demonstramos, isso continua a acontecer, apesar de décadas de evidências mostrando que o novo resultado financeiro tríplice — pessoas, lucros e planeta — geralmente leva a um desempenho financeiro melhor. Por que isso acontece? Na realidade, é uma questão de bom senso. Tais empresas simplesmente demonstram ter uma administração melhor. A preocupação com aqueles três resultados financeiros permite à administração desenvolver uma visão mais ampla e enxergar além do próprio espaço imediato. A obtenção de lucros a curto prazo geralmente leva a aparar arestas — transferindo os custos da empresa para os outros e para o meio ambiente. Atualmente, os investidores consideram cuidadosamente essas obrigações sociais e ambientais, pesando com cuidado os balancetes antes de comprar uma ação da empresa. Conforme vimos, as más notícias correm céleres nos mercados que funcionam durante 24 horas e podem de uma hora para outra derrubar o preço das ações ou liquidar o nome de uma marca.

A maioria dos manuais de economia está simplesmente desatualizada há décadas. Eles não consideram a evolução da tecnologia, dos mercados e das sociedades — desde as máquinas a vapor na Inglaterra três séculos atrás. Os economistas ainda usam modelos estáticos para representar as nossas dinâmicas economias em evolução, como se elas continuassem a apresentar um equilíbrio generalizado, como se os mercados sozinhos pudessem administrar essas mudanças mundiais. A economia é uma profissão nobre, assim como a advocacia, a medicina e a engenharia, mas nunca foi uma ciência. Enquanto isso, o nosso mercado do século XXI continua evoluindo, como tenho demonstrado. Mostrei em várias passagens que as novas pesquisas de cientistas de muitas outras disciplinas — matemática, física, biologia, ciência do cérebro e ecologia — invalidaram a maioria dos princípios básicos da teoria econômica tradicional. O princípio central mais equivocado é o pressuposto sobre a natureza humana, segundo o qual as pessoas maximizam o seu egoísmo na competição com os outros. Essa visão desoladora do comportamento racional também implica que a cooperação mútua, os cuidados não-remunerados oferecidos a outras pessoas, o voluntarismo, a criação das crianças são, por definição, irracionais. Não admira que as nossas sociedades os considerem assim! O livro do psicólogo e futurista David Loye, *Darwin's Lost Theory of Love* (2004), mostra que o grande explorador e biólogo foi amplamente mal-interpretado pelas elites vitorianas da Inglaterra, que se apropriaram da expressão "a sobrevivência do mais adaptado", na realidade cunhada por Herbert Spencer, não por Darwin, para justificar o seu privilégio pessoal. O darwinismo social modernizou-se, ao passo que Adam Smith reforçou essa idéia da competição — muito embora guiada benevolentemente por uma mão invisível — no seu livro *The Wealth of Nations* (1776). Tais pressupostos fundamentais subentendidos na teoria econômica também são questionados a partir de muitos ângulos e resumidos por Robert Nadeau (capítulo 1 do livro dele, *The Wealth of Nature*, 2004). Finalmente, na edição de 24 de dezembro de 2005, *The Economist*, da sua sede em Londres, confessou que foi Herbert Spencer, um dos seus mais antigos colaboradores, "quem inventou aquela expressão desvirtuada, 'a sobrevivência do mais adaptado'" — e admitiu que a cooperação é tão importante quanto a competição.

Conforme David Loye ressaltou, Darwin apenas usou a expressão de Spencer e mencionou a competição menos de dez vezes no seu *The Descent of Man* e em *The Origin of Species*, ao mesmo tempo que se referiu à cooperação humana centenas de vezes. Darwin realmente acreditava que a sobrevivência humana devia-se amplamente à nossa inclinação para a cooperação. As pesquisas com o cérebro sobre células espelhadas confirmam agora o papel da empatia, gerada por essas células espelhadas do cérebro humano na evolução da comunicação, da cooperação e da cultura (*Scientific American Mind*, abril-maio de 2006). A descoberta em 1996 das células espelhadas e do seu papel é considerada um avanço que pode se revelar tão importante quanto a descoberta do DNA, em 1953. Na realidade, conforme mencionado no capítulo 1, entre as evidências his-

A Era da Luz

Surgimento das Tecnologias da Onda Luminosa (Fotônica)

Fibras ópticas, Escâneres ópticos, Lasers, Holografia

Tecnologias solares

Computadores ópticos, Computadores multiprocessadores paralelos e redes de computadores neurais, Tecnologias de geração de imagens

Biotecnologias

Máquinas genéticas, Seqüenciadores de DNA, Substâncias e genes marcadores e rastreadores, Nanotecnologias

Os fótons (luz solar), ao caírem na Terra, são capazes de produzir em 10 minutos energia suficiente para colocar em órbita toda a população mundial de 6 bilhões de pessoas!

© Henderson, 1991.

tóricas da evolução humana, devemos concluir que a cooperação foi primordial. Mesmo assim, ainda encontramos as nossas decisões públicas e privadas dominadas por aquela economia equivocada do século XIX.

Na realidade, sabemos que os seres humanos gostam de compartilhar e cooperar tanto quanto de competir. No entanto, a competição é recompensada e reforçada por aquele código de fonte econômico defeituoso — ao passo que a abnegação, o voluntarismo, o cuidado e a cooperação continuam sendo ignorados e menosprezados nos índices do PNB/PIB. Assim, as economistás feministas lideradas por Marilyn Waring, no seu livro *If Women Counted* (1987), descobriram a verdade: a economia sempre foi fundamentalmente patriarcal! Conforme David Loye observou, Charles Darwin também considerava os seres humanos capazes de altruísmo e previa a evolução dos sentimentos morais como parte da sobrevivência e da evolução da nossa espécie — um assunto que o próprio Adam Smith estudou no seu livro *Theory of Moral Sentiments*. Se isso for verdade, podemos acreditar que a evolução dos mercados rumo a um comportamento mais ético é simplesmente uma parte da nossa evolução rumo a uma consciência e uma responsabilidade maiores como espécie. Vemos sinais disso nas organizações populares em todo o mundo para produzir a Carta da Terra (www.earthcharter.org), as Metas de Desenvolvimento para o Milênio das Nações Unidas e o Plano Marshall Mundial para um desenvolvimento mundial limpo e preocupado com a ecologia e o meio ambiente (www.globalmarshallplan.org).

No coração de todas as pessoas que conhecemos nestas páginas, permanece acesa a chama de uma visão solidária. Elas vêem além do derramamento de sangue e do caos dos erros passados da humanidade, para um futuro que surge das lições marcantes que todos aprendemos. Tecnologicamente, e biologicamente, nós nos tornamos a espécie mais bem-sucedida deste planeta — partindo do continente africano para povoar quase toda a superfície do planeta Terra. O nosso consumo de 40% de toda a produção primária do planeta resultante da fotossíntese está levando ao atual segundo maior período de extinção de outras formas de vida. Com o nosso cérebro anterior mais desenvolvido e polegares opostos, as nossas tecnologias nos capacitaram a criar um bem-estar material inimaginável para um terço dos nossos mais de 6 bilhões de integrantes da família humana, explorar a Lua e captar imagens de Marte, além de outros planetas.

O nosso desafio é encarar a nós mesmos, os nossos antigos medos de escassez, a mortalidade do outro e de nós mesmos, que impulsionam a competição, os nossos conflitos territoriais, as injustiças, as guerras fratricidas e o genocídio. Hoje, o nosso planeta, incrivelmente superpovoado e poluído, espelha para os seres humanos a insustentabilidade das nossas tecnologias industriais e estilos de vida baseados nos combustíveis fósseis. A mensagem da Terra recebeu a atenção de milhões e, no final do século XX, teve início a grande transição para uma nova era solar baseada na informação. As economias verdes que medram em toda parte incorporam o profundo aprendizado humano sobre o funcionamento do sistema de sustentação da vida planetária — a expansão dos nossos horizontes temporais e da consciência espacial. Isso está levando a uma rápida reintegração do conhecimento humano, que supera as conquistas excepcionais do conhecimento reducionista cartesiano. Estamos religando os pontos — aprendendo a primeira lei da ecologia: tudo está interligado. Essa visão de mundo pós-cartesiana vem impulsionando o crescimento rápido de formas mais sustentáveis de desenvolvimento humano, de formas de pensamento holístico e de métodos integrados para as tomadas de decisão tanto no nível privado quanto público. Aprendemos que o pensamento estreito, fragmentado, imediatista agora é caro demais e insustentável. Quando considerados no contexto planetário, compreendemos que todos os nossos interesses pessoais são *idênticos!* A moralidade tornou-se pragmática.

Agradecimentos

Estou em dívida com todos os integrantes do Conselho Consultivo de Pesquisa da série de televisão *Ethical Markets* e com o meu Conselho Consultivo dos Indicadores de Qualidade de Vida Calvert-Henderson. Todos eles acham-se relacionados nas páginas seguintes. Muitos deles também são meus amigos e mentores há muitos anos. O meu companheiro na vida e marido, Alan F. Kay, pioneiro da Internet, também foi meu sócio na fundação de diversas empresas, inclusive a Ethical Markets Media, LLC. A experiência de Alan como matemático, nos negócios, em tecnologia e pesquisa de opinião, expandiu os meus horizontes. A sua compreensão afetuosa e o apoio emocional que me dá são uma alegria constante.

Mary Bahr é a editora mais maravilhosa com quem já trabalhei, e o entusiasmo dela por este livro deu-me uma imensa energia. Agradeço a Margo Baldwin, John Barstow, Collette Leonard, Marcy Brant e todos da Chelsea Green, pela sua dedicação à visão de uma sociedade e uma economia mundiais menos poluentes, mais preocupadas com as questões ecológicas e ambientais e mais saudáveis.

Quero expressar a minha gratidão por Ellyne Lonergan, presidente da Glass Onion Productions, que co-produziu comigo a mais recente série de televisão *Ethical Markets* em um agradável espírito de colaboração. Cumprimento Maureen Hart por administrar tão habilmente o website www.Calvert-Henderson.com na área dos Indicadores de Qualidade de Vida. Os meus agradecimentos a Jan Crawford, a minha assistente-executiva, por cuidar dos originais e do processo complexo de catalogar e organizar as ilustrações do livro, além de administrar o website www.EthicalMarkets.com. Laury Saligman aplicou os seus conhecimentos inestimáveis no trabalho de marketing da série de televisão, ajudando-me a reunir as fotografias de todos os oitenta especialistas e líderes que apareceram na série e neste livro. Laury foi auxiliada por Jeremy Michael Cohen, que contribuiu voluntariamente com o seu tempo durante a agitada programação de trabalho e do estúdio.

A apresentadora da nossa série de televisão, Simran Sethi, ocupa um lugar especial no meu coração. Simran, que redigiu muitos dos roteiros da série, obteve o seu MBA em empresas sustentáveis. O nosso amigo e autor do Prefácio, Hunter Lovins, foi o orientador de Simran na redação da tese. Simran é tão especializada e tão bem-versada nos meus livros e em tantos outros que eu espero que venha a liderar grande parte do novo pensamento e das ações no sentido de criar mais mercados éticos. Sou grata a ela pela dedicação e o profundo compromisso com um futuro melhor para todos os habitantes do planeta Terra.

Conselho Consultivo de Pesquisa da série de TV americana Ethical Markets

Investimento Socialmente Responsável

Joan Bavaria, presidente, diretora e co-fundadora, Trillium Asset Management Corporation, Boston, MA

Hal Brill, presidente, Natural Investment Services, Inc., Paonia, CO

Susan Davis, presidente, Capital Missions Co., Elkhorn, WI

Dra. Judy Henderson, *chair*, Global Reporting Initiative, Canberra, Austrália

Barbara Krumsiek, presidente e CEO, The Calvert Group, Bethesda, MD

Marcello Palazzi, presidente, Progressio Foundation, Holanda

Robert Rubenstein, CEO e fundador, Brooklyn Bridge and TBLI Group, Amsterdã, Holanda

Steve Schueth, presidente, First Affirmative Financial Network, Boulder, CO

Timothy Smith, vice-presidente sênior, Walden Asset Mgmt; presidente, Social Investment Forum, Boston, MA

Rodger Spiller, Money Matters Inc., Auckland, Nova Zelândia

Tessa Tennant, diretora, ASRIA, Hong Kong

Eva Willmann de Donlea, presidente, Conscious Investments, Sydney, Austrália

Pesquisa sobre Responsabilidade Governamental e Corporativa

Susan Aaronson, pesquisadora sênior, Associação de Políticas Nacionais, Washington, DC

Verna Allee, autora, *Increasing Prosperity through Value Networks*, Martinez, CA

Gary Brouse, diretor, Interfaith Center on Corporate Responsibility, Nova York, NY

Kim Cranston, presidente, Institute for Organizational Evolution, CA

Linda Crompton, conselheira sênior, Investor Responsibility Research Center, Washington, DC

Susan Davis, conselheira do diretor-geral, ILO, Geneva, Suíça; *chair*, Grameen Foundation, Estados Unidos

Ed Mayo, executivo-chefe, Conselho Nacional do Consumidor, Londres, Reino Unido

Cliff Feigenbaum, editor, *Green Money Journal*, Santa Fe, NM

Prof. Michael Hoffman, diretor-executivo, Center for Business Ethics, Bentley College, Waltham, MA

Susan Kavanaugh, editora-gerente, *Federal Ethics Report*, Washington, DC

Matthew Kiernan, diretor-administrativo, Innovest Inc., Toronto, Canadá

Mindy Lubber, diretora-executiva, CERES, Boston, MA

Nell Minow, co-fundador, The Corporate Library, Washington, DC

Robert A. G. Monks, autor, *The New Global Investors*, Cape Elizabeth, ME

Darin Rovere, Center for Innovation in Corporative Responsibility, Ottawa, Canadá

Prof. S. Prakash Sethi, presidente, International Center for Corporate Accountability, Inc., Baruch College/CUNY, Nova York, NY

Deirdre Taylor, fundadora, revista *Spirituality & Health*, Westport, CT

Alice Tepper Marlin, presidente, Social Accountability International, NY

Shann Turnbull, PhD, diretora, International Institute for Self-governance, Sydney, Austrália

Toby Webb, editor, revista *Ethical Corporation*, Londres, Reino Unido

Setores de Recursos Sustentáveis/ Renováveis

Ralph Abraham, PhD, prof. de matemática, University of California, Santa Cruz, CA

Christine Austin, Teal Onstad Productions, Leverett, MA

Tariq Banuri, Stockholm Environment Institute, Pathumthani, Tailândia

Jacqueline Cambata, presidente, Triad Co. Ltd., Viena, VA

Craig Cox, editor, *UTNE READER*, Minneapolis, MN

Peter Davies, OBE, vice-executivo-chefe, Business in the Community, Londres, Reino Unido

Prof. Michael Dorsey, Departamento de Estudos Ambientais, Dartmouth College, Hanover, NH

Riane Eisler, autora, *The Chalice and The Blade*; presidente, Center for Partnership Studies, Pacific Grove, CA

Duane Elgin, autora, *Promise Ahead; Voluntary Simplicity; Awakening Earth*; co-fundadora de Our Media Voice; San Anselmo, CA

Carl Frankel, editor sênior, Green@Work, autor, *In Earth's Company*, Kingston, NY

Lori Grace, MA (psicóloga), Sunrise Center, Corte Madera, CA

Alisa Gravitz, presidente, Co-op America, Washington, DC

Denis Hayes, presidente, Bullitt Foundation, Seattle, WA

Tachi Kiuchi, *chairman*, Future 500, Tóquio, Japão

Francis Koster, chefe, Innovation Services, Nemours Foundation, FL

Walter Link, *chairman*, The Global Academy, Mill Valley, CA

Richard Lippin, MD, presidente, The Lippin Group, PA

Elsie Maio, presidente, Maio & Co. (Consultoria Administrativa sobre Ética das Marcas), NY

Michael Marvin, ex-presidente, Conselho Comercial de Energia Sustentável, Washington, DC

Paul E. Metz, PhD, presidente, Conselho Comercial Europeu por um Futuro Energético Sustentável, Bruxelas, Bélgica

Prof. Bedrich Moldan, diretor, Centro Ambiental, Charles U., República Tcheca

Jim Motavalli, Editor, revista *The Environmental*, CT

Prof. Robert Nadeau, autor, *The Wealth of Nature*, George Mason University, VA

F. Byron Nahser, diretor, Presidio World College, San Francisco, CA

Claudine Schneider, vice-presidente sênior, Econergy International Corp., Boulder, CO

Rena Shulsky, fundadora, Green Seal, Inc.; presidente, Shire Realty, NY

Carol Spalding, PhD, presidente, Open Campus, Florida Community College of Jacksonville, FL

Radames Soto, presidente, Kinina Ventures, Miami, FL

Stephen Viederman, ex-presidente, Jessie Smith Noyes Foundation, NY

Richard Wilson, Conselho Comercial Britânico de Energia Sustentável, Londres, Reino Unido

Jane Zhang, CEO, Sino-American Development Corporation, NY e Xangai, China

Zhouying Jin, prof., Inovações e Estratégias, Academia Chinesa de Ciências Sociais, China

Capital de Risco Social

Mark Donohue, Expansion Capital Partners, San Francisco, CA

Elizabeth Harris, UNC Partners, Inc., Boston, MA

Tony Lent, EA Capital, Nova York, NY

Nicholas Parker, co-fundador e *chairman*, Cleantech Venture Network LLC, Toronto, Canadá

D. Wayne Silby, juiz, presidente, Calvert Ventures, LLC; fundador, Calvert Social Investment Funds, Washington, DC

Stuart Valentine, presidente, Iowa Progressive Asset Management, Fairfield, IA

Woody Tasch, *chair*, Investors Circle, MA

Steve Waddell, diretor-executivo, GAN-NET, Boston, MA

Eckart Wintzen, presidente, Extent Management e Investment Co., Holanda

Glabalização/Igualdade e Justiça Norte-Sul

Rosa Alegria, presidente, Perspektiva Co., São Paulo, Brasil

Prof. Walden Bello, co-diretor, Focus on the Global South, Universidade de Chulalongkorn, Bangcoc, Tailândia

Frank Bracho, ex-embaixador da Venezuela na Índia, autor, *Hacia Una Forma de Medir el Desarrollo,* Caracas, Venezuela

Rinaldo Brutoco, presidente, World Business Academy, Santa Barbara, CA

Fritjof Capra, autor, *The Web of Life* and *The Hidden Connections,* Berkeley, CA

Christina Carvalho Pinto, presidente, Full Jazz Advertising Agency, São Paulo, Brasil

Thais Corral, diretora-geral, REDEH, Rio de Janeiro, Brasil

Prof. Michael Hopkins, PhD, MHCI Ltd.; autor, *The Planetary Bargain: CSR Matters,* Londres, Reino Unido, e Genebra, Suíça

Paul Freundlich, presidente, The Fair Trade Foundation; diretor, CERES, GRI

Devaki Jain, autor, *Women Development and the UN,* Bangalore, Índia

Rushworth M. Kidder, presidente, Institute for Global Ethics, Camden, ME

Ashok Khosla, CEO, Development Alternatives, Nova Delhi, Índia

Annabel McGoldrick, Peace Journalism, Oxford, Reino Unido

Oscar Motomura, CEO, Amana-Key Desenvolvimento e Educação Ltda., São Paulo, Brasil

Jane Nelson, Harvard University and Prince of Wales Business Leaders Forum, Londres, Reino Unido

Peter Orne, editor, *WorldPaper,* Boston, MA

David Roodman, Center for Global Development, Washington, DC

Ziauddin Sardar, editor, Futures Elsevier, Ltd., Londres, Reino Unido

Elisabet Sahtouris, bióloga evolucionista, autora, Santa Barbara, CA

Crocker Snow, fundador, Money Matters Inst., Boston, MA

Miklos Sukosd, PhD, Departamento de Ciência Política, Universidade da Europa Central, Budapeste, Hungria

Wouter Van Dieren, presidente, Instituto Ambiental e de Análise de Sistemas, Amsterdã, Holanda

Judith Woodard, Christopher Street Financial Co., Nova York, NY

Norio Yamamoto, PhD, vice-presidente-executivo, Fundação de Pesquisa de Financiamento de Infra-estrutura, Tóquio, Japão

Susana Oseguera Yturbide, Comunicaciones Internacionales, México

Investimento Local/Comunidade

Rebecca Adamson, presidente, First Nations Development Institute, Estados Unidos

Rosalind Copisarow, fundadora, Fundusz Mikro, Varsóvia, Polônia, e Londres, Reino Unido

Lynne Franks, CEO, Seed Fusion, Londres, Reino Unido

Sharon Hadary, diretora-executiva, Center

for Women's Business Research, Washington, DC

Robert MacGregor, presidente emérito, Center for Ethical Business Cultures, Minn., MN

Terry Mollner, curador, Calvert Social Investment Fund, Estados Unidos

Pam Solo, presidente, Institute for Civil Society, Boston, MA

Michaela Walsh, presidente de financiamento, Women's World Banking, NY

Julie Weeks, presidente, Womenable, Empire, MI

Conselho Consultivo dos Indicadores de Qualidade de Vida Calvert-Henderson

Berry, David, diretor-executivo, Interagency Sustainable Development Indicators Group, Washington, DC

Brown, Lester, presidente, Earth Policy Institute, Washington, DC

Colman, Ronald, diretor-executivo, GPI Atlantic, Nova Escócia, Canadá

Drucker, Peter, Faculdade Superior de Administração, Claremont Graduate University, Claremont, CA

Dickinson, Dee, diretor, New Horizons for Learning, Seattle, WA

Eisler, Riane, socióloga, advogada, autora, *The Chalice and The Blade*, Carmel, CA

Fukuda-Parr, Sakiko, diretora, Relatório de Desenvolvimento Humano das Nações Unidas, Nova York, NY

Gordon, Theodore, fundador, The Futures Group, co-autor, *The State of the Future Reports*

Harris, Elizabeth, vice-presidente, UNC Partners, Inc., Boston, MA

Halpern, Charles, ex-presidente, Nathan Cummings Foundation, Berkeley, CA

Hancock, Trevor, *chair* da diretoria, Associação Canadense de Médicos para o Ambiente, Toronto, Canadá

Laitner, John "Skip", pesquisador-residente, economista sênior, Conselho Americano para uma Economia Eficiente em Energia, Alexandria, VA

Land, Kenneth, editor, *SINET*, Duke University, NC

LeClair, Grace, co-fundadora, Calvert Social Investment Fund, Virginia Beach, VA

Lickerman, Jon, consultor, ex-diretor, The Calvert Group Social Research Dept., Washington, DC

Madrick, Jeffrey, editor, Challenge and Indicators; colunista, *The New York Times*, Nova York, NY

Mallett, William, diretor de pesquisas científicas, Battelle Memorial Institute, Washington, DC

McDonough, William, arquiteto, McDonough Braungart, Charlottesville, VA

Mishel, Lawrence, presidente, Economic Policy Institute, Washington, DC

Otringer, Richard, ex-decano, Faculdade de Direito, Pace University, Nova York, NY

Simmons, Patrick, diretor de demografia, Fannie Mae Foundation, Washington, DC

Smith, Dan, coronel da reserva, associado sênior, Friends Committee for National Legislation, Washington, DC

Swain, David, Jacksonville Quality Indicators for Progress, Jacksonville Community Council, Inc., Jacksonville, FL

Taliaferro, Ellen, MD, presidente, Physicians for a Violence Free Society, San Francisco, CA

Wackernagel, Mathis, Global Footprint Network, autor, *Ecological Footprint Analysis*, Oakland, CA

Wheatley, Margaret, Berkana Institute, autora, *Leadership and the New Science*, Provo, UT

Zagon, Sandra, gerente, Quality of Life Indicators Project, Canadian Policy Research Network, Ottawa, Ontário, Canadá

Zanbrana, Ruth, prof. de sociologia, University of Maryland, College Park, MD

Bibliografia Selecionada

Transição Mundial

Barnes, Peter. *Capitalism 3.0*. San Francisco: Berrett Koehler, 2006.

Boulding, Elise. *Building a Global Civic Culture*. Nova York: Columbia University Press, 1988.

_____. *Cultures of Peace*. Nova York: Syracuse University Press, 2000.

Bracho, Frank. *Petroleo Y Globalizacion: Salvation or Perdicion?* Caracas: Vadell, 1998.

Comissão Mundial sobre Ambiente e Desenvolvimento, Chair Brundtland, Gro Harlem. *Our Common Future*. Oxford: Oxford Press, 1987.

Corcoran, Peter Blaze, org. *The Earth Charter in Action*. Amsterdã, Holanda: Kit Publishers, 2005.

Harman, Willis. *Global Mind Change*. Prefácio de Hazel Henderson. San Francisco: Berrett-Koehler, 1998.

Henderson, Hazel. *Politics of the Solar Age*. Nova York: Doubleday, 1981; Nova York: Knowledge Systems/TOES Books, 1988.

_____. *Paradigms in Progress*. San Francisco: Berrett-Koehler, 1991, 1995. [*Transcendendo a Economia*, Editora Cultrix, São Paulo, 1995.]

_____. *Building a Win-Win World*. San Francisco: Berrett-Koehler Publishers, 1996. [*Construindo um Mundo Onde Todos Ganhem*, Editora Cultrix, São Paulo, 1998.]

_____. *Beyond Globalization*. Bloomfield, CT: Kumarian Press, Inc., 1999. [*Além da Globalização*, Editora Cultrix, São Paulo, 2003.]

Henderson, Hazel, Harlan Cleveland e Inge Kaul, orgs. "United Nations: Policy and Financing Alternatives", 1ª ed., *Futures,* Londres: Elsevier Scientific, 1995; edição americana, Washington, DC: Global Commission to Fund the U.N., 1996.

Henderson, Hazel e Daisaku Ikeda. *Planetary Citizenship*. Santa Monica, CA: Middleway Press, 2004.

Houston, Jean. *Jump Time*. Putnam, NY: Jeremy Tarcher, 2000.

Independent Commission on Quality of Life. Presidente, Pinta Silgo, Maria de Lourdes. *Caring for the Future*. Oxford: Oxford University Press, 1996.

Jain, Devaki. *Women, Development and the UN*. Bloomington, IN: Indiana University Press, 2005.

Kaul, Inge e Pedro Conceição, orgs. *The New Public Finance,* Oxford University Press, 2006.

Landes, David S. *The Wealth and Poverty of Nations*. Nova York: W. W. Norton, 1998.

Marx Hubbard, Barbara. *Conscious Evolution*. Novato, CA: New World Library, 1998.

Miller, John H. org. *Curing World Poverty*. St. Louis, MO: Social Justice Review, 1994.

Nações Unidas. *Agenda 21*. Nova York: Nações Unidas, 1992.

O Grupo de Lisboa. *The Limits to Competition*. Cambridge, MA: MIT Press, 1995.

Prestowitz, Clyde. *Three Billion New Capitalists*. Nova York: Perseus Books, 2005.

Programa de Desenvolvimento Humano das Nações Unidas. *Human Development Reports*.

Nova York: Programa de Desenvolvimento das Nações Unidas, 1990-2006.

Rifkin, Jeremy. *The End of Work*. Los Angeles, CA, Jeremy Tarcher, 1995.

Sachs, Jeffrey. *The End of Poverty*. Nova York: Penguin Press, 2005.

Smith, Stephen C. *Ending Global Poverty*. Nova York: Palgrave, Macmillan, 2005.

Von Weizsacker, Ernst Ulrich, Oran Young e Matthias Finger, orgs. *Limits to Privatization*. Londres: Earthscan, 2005.

Williamson, Marianne, org. *Imagine*. Emmaus, PA: Rodale, 2000.

Nova Ciência

Allee, Verna. *The Future of Knowledge*. Amsterdã, NL: Elsevier Science, 2003.

Barabasi, Albert-Laszlo. *Linked*. Cambridge, MA: Perseus, 2002.

Benyus, Janine M. *Biomimicry*. Nova York: W. M. Morrow, 1997. [*Biomimética*, Editora Cultrix, São Paulo, 2003.]

Bornstein, David. *How to Change the World*. Oxford: Oxford University Press, 2004.

Brown, Lester R. *Eco-Economy*. Nova York: W. W. Norton, 2001.

Capra, Fritjof. *The Web of Life*. Nova York: Anchor Doubleday, 1996. [*A Teia da Vida*, Editora Cultrix, São Paulo, 1997.]

_____. *The Hidden Connections*. Nova York: Anchor Doubleday, 2002. [*As Conexões Ocultas*, Editora Cultrix, São Paulo, 2002.]

Daly, Herman F. e John B. Cobb, Jr. *For the Common Good*. Boston: Beacon Press, 1989.

Dowling, Keith, Jurgen de Wispelaere e Stuart White, orgs. *The Ethics of Stakeholding*. Reino Unido: Anthony Rowe, 2003.

Fullbrook, Edward, org. *A Guide to What's Wrong with Economics*. Londres: Anthem Press, 2004.

Hawken, Paul, Amory Lovins e Hunter Lovins. *Natural Capitalism*. Nova York: Little Brown, 1999. [*Capitalismo Natural*, Editora Cultrix, São Paulo, 2000.]

Henderson, Hazel e Calvert Group. *Calvert-Henderson Quality of Life Indicators*. Bethesda, MD: Calvert Group, 2000. (Atualizado em www.calvert-henderson.com.)

Keen, Steven. *Debunking Economics*. Austrália: Pluto Press, 2005.

Kiuchi, Tachi e Bill Shireman. *What We Learned in the Rainforest*. San Fransisco: Berrett Koehler, 2002. [*O que a Floresta Tropical nos Ensinou*, Editora Cultrix, São Paulo, 2003.]

Kurland, Norman, Dawn K. Brohaun e Michael D. Greaney. *Capital Homesteading*. Washington, DC: Economic Justice Media, 2004.

Loye, David. *Darwin's Lost Theory of Love*. Nova York: to Excel, 2000.

McDonough, William e Michael Braumgart. *Cradle to Cradle*. NY: North Point Press, 2002.

Nadeau, Robert. *The Wealth of Nature*. Nova York: Columbia University Press, 2003.

Nadeau, Robert e Menas Kafatos. *The Non-Local Universe*. Oxford: Oxford University Press, 1999.

Sahtouris, Elisabet. *Earthdance: Living Systems in Evolution*. Santa Barbara, CA: Metalog, 1995.

Schumacher, E. F. *Small is Beautiful*. Nova York: Harper, 1975; Londres: Blond e Briggs, 1973.

Wackernagel, Matthis e William Rees. *Our Ecological Footprint*. Vancouver, BC: New Society Publishers, 1996.

Ética nos Negócios

Abrams, John. *The Company We Keep*. White River Junction, VT: Chelsea Green, 2005.

Albion, Mark. *True To Yourself*. San Fransisco: Berrett-Koehler, 2006.

Brill, Hall, Jack A. Brill e Cliff Feigenbaum. *Investing With Your Values*. Vancouver, BC: New Society Publishers, New Edition, 2000.

Camajo, Peter, org. *The SRI Advantage*. Gabriola Island, BC, Canadá: New Society Publishers, 2002.

Cohen, Ben e Mal Warwick. *Values-Driven Business*. San Francisco: Berrett-Koehler, 2006.

Co-op America. *The Green Pages*. Washington, DC. Publicação anual.

Domini, Amy. *Socially Responsible Investing*. Boston, MA: Dearborn Trade/Kaplan, 2001.

Franks, Lynne. *The Seed Handbook: The Feminine Way to Create Business*. Nova York: Tarcher Putnam, 2000.

Hart, Stuart L. *Capitalism at the Crossroads*. Filadélfia, PA: Wharton School Publishing, 2005.

Hollender, Jeffrey e Stephen Fenichell. *What Matters Most*. Nova York: Basic Books, 2004.

Huff, Priscilla Y. *Her Venture.com*. Roseville, CA: Prima, 2000.

Kelso, Louis O. e Patricia Hetter. *Two-Factor Theory: How to Turn Eighty Million Workers into Capitalist on Borrowed Money*. Nova York: Vintage, 1967.

_____. *Democracy and Economic Power*. Nova York: Ballinger, 1986.

Maloney, Julie e Renee Moorefield. *Driven By Wellth*. Boulder, CO: Wellth Productions, 2004.

Nelson, Jane e Ira J. Jackson. *Profits with Principles*. Nova York: Doubleday, 2004.

Parker, Thornton. Prefácio de Hazel Henderson. *What If the Boomers Can't Retire?* San Francisco: Berrett Koehler, 2000.

Pralahad, C. K. *The Fortune at the Bottom of the Pyramid*. Filadélfia, PA: Wharton School Publishing, 2002.

Secretan, Lance H. K. *Reclaiming Higher Ground*. Nova York: McGraw Hill, 1997.

_____. *Inspire!* Nova York: John Wiley, 2004.

Seger, Linda. *Web Thinking*. HI: Inner Ocean, 2002.

Shuman, Michael H. *The Small-Mart Revolution*. San Francisco: Berrett Koehler, 2006.

Tapscott, Don e David Ticoll. *The Naked Corporation*. Nova York: Free Press, 2003.

Redefinindo o Sucesso

Burns, Scott. *The Household Economy*. Nova York: Doubleday, 1979.

Benkler, Yochai. *The Wealth of Networks*. Yale University Press, New Haven, CT, 2006.

Cahn, Edgar S. *No More Throwaway People*. Washington, DC: Essential Books, 2004.

_____. *How to Manual: The Time Dollar*. Washington, DC: Time Dollar Institute, 2005.

Eisler, Riane. *The Real Wealth of Nations*. San Francisco: Berrett-Koehler, 2007.

_____. *The Power of Partnership*. Novato, CA: New World Library, 2002.

Hyde, Lewis. *The Gift*. Nova York: Vintage Books, 1979.

Layard, Richard. *Happiness: Lessons from a New Science*. Londres: Penguin Group, 2005.

Mitchell, Ralph e Neil Shafer. *Depression Scrip of the USA, Canadá e México*. Iola, WI: Krause Publications, 1984.

Shiva, Vandana. *Staying Alive*. Londres: Zed Books, 1989.

Twist, Lynne. *The Soul of Money*. Nova York: W. W. Norton, 2003.

Toffler, Alvin e Heidi. *Revolutionary Wealth*. Knopf, Nova York, 2006.

Vaughan, Genevieve. *For-Giving*. Austin, TX: Plain View Press, 1997.

Waring, Marilyn. *If Women Counted*. Nova York: Harper e Row, 1988.

Zarlenga, Stephen. *The Lost Science of Money*. Valatie, NY: American Monetary Institute, 2002.

Nova Política

Adams, Michael. *American Backlash*. Toronto, Canadá: Viking Press, 2005.

Armstrong, Jerome e Markos Moulitsas Zuniga. *Crashing the Gate*. White River Junction, VT: Chelsea Green, 2006.

Bardon, Doris e Laurie Murray. *Creative Leadership for Community Problem Solving*. Gainsville, FL: Institute for Creative Leadership, 2006.

De Soto, Hernando. *The Other Path*. Nova York: W. W. Norton, 2003.

Emanuel, Rahm e Bruce Reed. *The Plan: Big Ideas for America*. Nova York, NY: Public Affairs, 2006.

Hallsmith, Gwendolyn. *The Key to Sustainable Cities*. Vancouver, BC: New Society Publishers, 2003.

Kay, Alan F. *Locating Concensus for Democracy*. St. Augustine, FL: Americans Talk Issue Foundation, 1998.

_____. *Spot the Spin*. Victoria: Trafford, 2004.

Kochkin, Alex S. e Patricia VanCamp. *A New America*. Point Reyes, CA: Fund for Global Awakening Survey Research, 2000-2005.

Kohn, Alfie. *No Contest: The Case Against Competition*. Nova York: Houghton Mifflin, 1986.

Lake, Celinda e Kellyanne Conway. *What Women Really Want*. Nova York: Free Press, 2005.

Laszlo, Ervin. *You Can Change the World*. Place: Clube de Budapeste, 2003.

LeRoy, Greg. *The Great American Jobs Scam*. San Francisco: Berrett-Koehler, 2005.

Mills, Stephanie. *Epicurean Simplicity*. Washington, DC: Island Press, 2001.

Ray, Paul H. e Sherry R. Anderson. *The Cultural Creatives*. Nova York: Harmony Books, 2000.

Websites Fundamentais

- AccountAbility (accountability.org.uk)
  Faz auditorias em empresas do mundo todo
- Ashoka (Ashoka.org)
  Destaca e promove o empreendedorismo
  social no mundo todo
- Association for Sustainable e Responsible
  Investment in Asia (ASRIA.org)
  Pesquisa e classifica empresas asiáticas
  quanto ao desempenho social
- Bainbridge Graduate Institute
  (bgiedu.org)
  Oferece um MBA em administração
  sustentável
- Business Alliance for Local Living
  Economies (livingeconomies.org)
  Associação para fortalecer as economias
  locais e apoiar as comunidades locais
- *Business Ethics* (business-ethics.com)
  Destacada revista no setor sobre
  responsabilidade corporativa
- Business for Social Responsibility
  (BSR.org)
  Grupo orientado para grandes empresas,
  voltado para questões de responsabilidade
  corporativa
- Indicadores de Qualidade de Vida Calvert-
  Henderson (calvert-henderson.com)
  Indicadores de Hazel Henderson
  desenvolvidos com o Calvert Group que
  apresenta estatísticas sobre doze aspectos
  de riqueza além do PIB
- Center for Business as Agent of World
  Benefit (worldbenefit.cwru.edu)
  Uma nova faculdade de administração e
  negócios na Case Western University
- Center for Integrity in Science
  (integrityinsicence.org)
  Pesquisas sobre *links* acadêmico-
  corporativos
- Center for Media Transparency
  (mediatransparency.org)
  Pesquisas sobre como a mídia é financiada
- Center for a New American Dream
  (newdream.org)
  Grupo importante para a redefinição do
  sucesso e da vida sustentável
- Center for Public Integrity
  (cspi.org/integrity)
  As melhores pesquisas sobre responsabili-
  dade corporativa e do governo americano
- Center for Science and Environment
  (cseindia.org)
  Impactos ambientais entre as empresas na
  Índia
- CERES (ceres.org)
  Coalizão de fundos de pensão
  preocupados com o meio ambiente
- Clean Edge (cleanedge.com)
  Trata de energia renovável, apresentando
  informações substanciais para
  investidores e o público em geral
- Cleantech Venture Network
  (cleantech.com)
  Grupo importante de investidores de risco
  "verdes"
- Coop America (coopamerica.org)
  Informações sobre investimentos
  socialmente reponsáveis, empresas
  "verdes" e medidas práticas sobre como
  viver de maneira mais sustentável
- Corp Watch (corpwatch.org)
  Vigilantes organizados do povo para
  manter as corporações responsáveis no
  mundo todo

- CSR Newswire (csrwire.com)
Serviço informativo a cabo sobre responsabilidade social corporativa
- *Dollars and Sense* (dollarsandsense.org)
Versão on-line da revista sobre informações econômicas e de justiça
- *Dwelling* (dwelling.com)
Revista tradicional sobre projeto e construção "verdes"
- Earth Charter (earthcharter.org)
Princípios mundiais fundamentais sobre ética em relação à Terra
- Earth Policy Institute (earth-policy.org)
Recomendações de Lester R. Brown sobre como encaminhar-se no sentido da sustentabilidade
- *E-Magazine* (emagazine.com)
A mais importante revista ambiental americana de circulação nacional
- Ethical Corporation (ethicalcorp.com)
Um panorama abrangente sobre a responsabilidade corporativa mundial
- *Ethical Markets* (ethicalmarkets.com)
O primeiro portal americano e a primeira série da televisão americana sobre a responsabilidade social corporativa, investimentos éticos e os setores "verdes" para os assinantes do canal PBS em todos os Estados Unidos
- Instituto Ethos (ethos.org.br)
O mais importante grupo de empresas socialmente responsáveis do Brasil
- Equal Access (equalaccess.org)
ONG que oferece acesso às comunicações mundiais para comunidades rurais do hemisfério Sul
- Fair Economy (faireconomy.org)
ONG que faz campanha e pesquisas sobre justiça social nos Estados Unidos
- Green Biz (greenbiz.com)
Fonte de notícias sobre empresas sustentáveis
- *Green Economics* (greeneconomics.org.uk)

Trabalhos acadêmicos sobre economia sustentável
- Global Reporting Initiative (globalreporting.org)
Promove a contabilidade de "resultado financeiro tríplice" nos demonstrativos corporativos anuais
- Global Transition Initiative (gti.org)
Rede de comunicações mundial sobre a transição para a sustentabilidade
- Innovest (innovestgroup.com)
A mais importante empresa de auditoria de corporações em âmbito mundial
- Investor's Circle (investorscircle.net)
Capital de risco para empreendedores sociais e empresas sustentáveis
- Institute of Noetic Sciences (noetic.org)
Grupo de associados preocupados com a mudança da consciência humana no sentido das questões planetárias
—Mercado Ético (www.mercadoetico.com.br)
Portal da série de TV *Ethical Markets* no Brasil.
- Mothering (mothering.com)
Alertas sobre processos jurídicos que ajudam a criar um mundo melhor para nós e os nossos filhos
- Natural Capitalism Solutions (natcapsolutions.com)
Promove a sustentabilidade nas empresas por meio dos princípios do Capitalismo Natural liderado por Hunter Lovins
- Navdanya (navdanya.org)
Site de Vandana Shiva sobre justiça alimentar, soberania das sementes, o movimento mundial em favor de produtos orgânicos
- Net Impact (netimpact.org)
Site para MBAs dedicados a impulsionar empresas voltadas a mudanças sociais
- *ODE* (odemagazine.com)

WEBSITES FUNDAMENTAIS | 283

Notícias mundiais sobre esforços para criar um mundo melhor para todos
- Pesticide Action Network North America (panna.org)
Fonte de informações sobre pesticidas e alternativas aos pesticidas
- Presidio World College (presidiomba.org)
Oferece um MBA em empresas sustentáveis
- Principles for Responsible Investment Group (unpri.org)
Grupo de fundos de pensão representando mais de 4 trilhões de dólares em ativos em dezesseis países
- Responsible Shopper (responsibleshopper.org)
Cooperativa americana sobre como evitar os impactos sociais e ambientais das corporações
- *Resurgence* (resurgence.org)
Importante revista britânica sobre sustentabilidade mundial
- SA International (sainternational.us)
O mais importante grupo de vigilantes organizados sobre padrões trabalhistas mundiais
- Simplicity Forum (simpleliving.net/simplicityforum)
Idéias sobre consumo sustentável
- Social Investment Forum (socialinvest.org)
Provedores de investimentos socialmente responsáveis e de pesquisas nacionais
- SustainAbility (sustainability.com)
Grupo de especialistas em consultoria

sobre técnicas de administração de riscos e negócios sustentáveis
- Treehugger.com
Blog popular sobre experiências com produtos ecologicamente corretos
- Programa de Iniciativas Financeiras Ambientais das Nações Unidas (unepfi.org)
A melhor fonte de consulta sobre iniciativas financeiras ambientais em todo o mundo
- Pacto Mundial das Nações Unidas (unglobalcompact.org)
Mais de 2.000 corporações são signatárias dos seus Dez Princípios de Cidadania Corporativa
- World Business Academy (www.worldbusiness.org)
Rede de relacionamento de líderes de empresas responsáveis
- World Business Council for Sustainable Development (wbcsd.org)
Negócios e desenvolvimento sustentável em todo o mundo
- World Resources Institute (wri.org)
Informações sobre temas como biodiversidade, alimentação, mudança climática etc.
- Worldwatch Institute (worldwatch.com)
Pesquisadores sobre sustentabilidade mundial

Observação: Os artigos, trabalhos e editoriais de Hazel Henderson encontram-se em www.hazelhenderson.com

Créditos das Fotografias

Capítulo 1
p. 36, Problemas do Produto Nacional Bruto. © Hazel Henderson, 1979
p. 37, Betsy Taylor, Center for a New American Dream. Center for a New American Dream
p. 39, Inge Kaul, Programa de Desenvolvimento das Nações Unidas. Programa de Desenvolvimento das Nações Unidas
p. 41, Mathis Wackernagel, Análise do Impacto Ecológico. Ecological Footprint Network
p. 47, Vidette Bullock Mixon. Igreja Metodista Unida
p. 49, medalha do Prêmio Nobel. Nobel Committee
p. 50, Prof. Ralph Abraham. University of California
p. 51, Prof. Robert Nadeau. George Mason University
p. 54, Ray Anderson com Simran Sethi. Ethical Markets Media, LLC
p. 55, Hewson Baltzell. Ethical Markets Media, LLC

Capítulo 2
p. 60, Rich Ferlauto. AFSCME
p. 61, Alisa Gravitz. Co-op America
p. 63, Jane Nelson. Jane Nelson
p. 64, Georg Kell, chefe-executivo. Pacto Mundial das Nações Unidas
p. 67, Mallen Baker. Business in the Community, GB
p. 68, Oded Grajew. Instituto Ethos, Brasil
p. 72, Simran Sethi, apresentadora. Ethical Markets Media, LLC
p. 72, Alex Counts. Grameen EUA
p. 72, Alice Tepper-Marlin, presidente. Social Accountability International, NY
p. 74, Vendedora de frutas. Grameen EUA

Capítulo 3
p. 80, Scott Burns. Dallas Morning News
p. 81, Rebecca Adamson, First Nations Development Institute. Fotógrafo: Doug Barber e The Calvert Group, Bethesda, MD
p. 82, Riane Eisler. Center for Partnership Studies
p. 83, Edgar Cahn, fundador. Time Dollar Institute
p. 86, Vandana Shiva. Research Foundation for Science, Technology and Ecology
p. 88, Sistema Produtivo Total de uma Sociedade Industrializada. © Hazel Henderson 1981
p. 91, Simran com Bob Meyer. Ethical Markets Media, LLC
p. 91, Hewson Baltzell. Ethical Markets Media, LLC

Capítulo 4
p. 96, Centro de Estudos Ambientais Adam Joseph Lewis, Oberlin College. Oberlin College, Oberlin, OH

p. 96, William McDonough, arquiteto. William McDonough & Partners

p. 97, Fábrica "Verde" da Ford. William McDonough & Partners

p. 97, Hunter Lovins. Natural Capitalism Solutions

p. 99, Kathleen Hogan. EPA, EUA

p. 99, EPA's Energy Star Label. EPA, EUA

p. 100, Casas da Habitat em Nova York. Habitat for Humanity

p. 102, Leslie Hoffman na cobertura ecológica da Earth Pledge em NY. Earth Pledge

p. 103, Cobertura "verde" da Earth Pledge em NY. Earth Pledge

p. 109, Simran Sethi, apresentadora. Ethical Markets Media, LLC

p. 109, George Terpilowski. Fairmont Hotels

p. 110, Fairmont Hotel, Havaí. Fairmont Hotels

Capítulo 5

p. 115, Judy Wicks e amigos. White Dog Café

p. 116, William Drayton. Ashoka

p. 118, Susan Davis. Grameen, EUA

p. 119, Shari Berenbach. Calvert Foundation

p. 121, Ronni Goldfarb e amigos no Afeganistão. Equal Access

p. 127, Simran com Hewson Baltzell e Jean Pogge. Ethical Markets Media, LLC

Capítulo 6

p. 132, Selo de certificação do Comércio Justo. Transfair, EUA

p. 133, Paul Rice. Transfair, EUA

p. 135, Chris Mann. Guayaki Company

p. 136, A Colheita do Mate. Guayaki Company

p. 136, Amber Chand. The Jerusalem Candle

p. 142, Princípios do Comércio Mundial Sustentável. © Hazel Henderson 2002

p. 143, Simran Sethi. Ethical Markets Media, LLC

p. 143, Robert Stiller. Green Mountain Coffee Company

Capítulo 7

p. 146, Deborah Sawyer. Environmental Design International

p. 147, Judy Wicks. White Dog Café

p. 152, Paul Ray. Paul Ray

p. 153, Nancy Barry. Women's World Banking

p. 154, Michaela Walsh. Women's World Banking

p. 155, Susan Davis. Grameen, USA

p. 158, Alice Tepper-Marlin, Simran Sethi e Amy Hall. Ethical Markets Media, LLC

Capítulo 8

p. 164, Geoffrey Ballard. Ballard Power Company

p. 165, Mindy Lubber. CERES

p. 169, Susan Davis. Capital Missions Company

p. 170, Amory Lovins. Rocky Mountain Institute

p. 172, Rocky Mountain Institute, Colorado. Rocky Mountain Institute

p. 174, Grade de Maré da Blue Energy Canada. Blue Energy, Vancouver, Canadá

p. 174, Bob Freling. Solar Electric Light Fund

p. 178, Simran Sethi com Mark Farber, Evergreen Solar Corp. Ethical Markets Media, LLC

Capítulo 9

p. 184, Linda Crompton. Investor Responsibility Research Center

p. 185, Gary Brouse. Interfaith Center for Corporate Responsibility

p. 188, Phil Angelides. CALPERS

p. 190, Interessados nas empresas. © Hazel Henderson 1991

p. 194, Jennifer Barsky, Simran Sethi e Roberta Karp. Ethical Markets Media, LLC

Capítulo 10

p. 199, Jeremy Rifkin. Foundation for Economic Trends

p. 201, Patricia Kelso e Louis O. Kelso. Kelso Institute

p. 203, Bernie Glassman. Greyston Bakery

p. 207, Gary Erickson. Clif Bar Company

p. 210, Lynne Twist. Soul of Money Institute

p. 214, Simran Sethi, Paul Millman e Paul Freundlich. Ethical Markets Media, LLC

p. 215, Funcionários-proprietários. Chroma Technology Corporation

Capítulo 11

p. 219, Thomas Fricke. Forestrade, Inc.

p. 221, Gary Hirshberg. Stoneyfield Farms

p. 225, Nicola Bullard. Focus on the Global South

p. 227, Feira de produtores rurais. Foto, Shutterstock

p. 232, Simran Sethi com George Siemon. Ethical Markets Media, LLC

Capítulo 12

p. 241, Claudine Schneider. Claudine Schneider

p. 243, Dr. Jim Gordon. Center for Mind-Body Medicine

p. 244, Jeffrey Hollender. Seventh Generation Company

p. 245, Larry Brilliant com amigos no Nepal. SEVA Foundation

p. 249, Paul Freundlich, Simran Sethi e a dra. Barbara Glickstein. Ethical Markets Media, LLC

Capítulo 13

p. 254, Lançamento dos Princípios para o Investimento Responsável. Nações Unidas

p. 255, Nicholas Parker. Cleantech Capital Group

p. 257, Robert Shaw. ARÊTE Corporation

p. 260, Robert A. G. Monks. Robert A. G. Monks

p. 270, A Era da Luz. © Hazel Henderson 1991

Sobre a Autora

HAZEL HENDERSON, célebre futurista, economista evolucionária, autora e colunista internacional, criou e produz a série *Ethical Markets*, levada ao ar pela televisão pública americana, transmitida no Brasil com o título *Mercado Ético*. Integrante da World Business Academy, ela foi laureada com o Global Citizen Award ao lado do Prêmio Nobel A. Perez Esquivel, da Argentina. Os editoriais de Henderson são traduzidos para 27 idiomas em mais de 400 publicações.

Os artigos de Henderson aparecem em mais de 250 publicações especializadas, com destaque para: *Harvard Business Review, Financial Analysts Journal, The New York Times, The Christian Science Monitor* e *Challenge*. Os livros dela são traduzidos para o francês, o italiano, o alemão, o espanhol, o português, o japonês, o holandês, o sueco, o coreano e o chinês. Ela participa de diversas diretorias editoriais, com destaque para *Futures Research Quarterly, The State of the Future Report, E/The Environmental Magazine* (EUA) e *Resurgence, Foresight and Futures* (Grã-Bretanha). Henderson é patrona da New Economics Foundation (Londres), membro honorário do Clube de Roma e integrante da diretoria do Instituto Ethos, do Brasil. Os seus indicadores de futuro de países, Country Futures Indicators (CFI®), uma alternativa ao Produto Nacional Bruto (PNB), constituem um co-empreendimento com o Calvert Group, Inc.: os Indicadores de Qualidade de Vida Calvert-Henderson (referências imprescindíveis para o setor desde o ano 2000), atualizados regularmente em www.calvert-henderson.com.

Henderson tem muitos diplomas honorários, foi conselheira do U.S. Office of Technology Assessment e da National Science Foundation; é um membro ativo do National Press Club (Washington, DC) e da World Future Society (EUA); vinculada à World Futures Studies Federation; e integrante da Association for Evolutionary Economics.

É autora de vários livros, entre eles *Transcendendo a Economia, Construindo um Mundo Onde Todos Ganhem* e *Além da Globalização*, publicados pela Editora Cultrix.